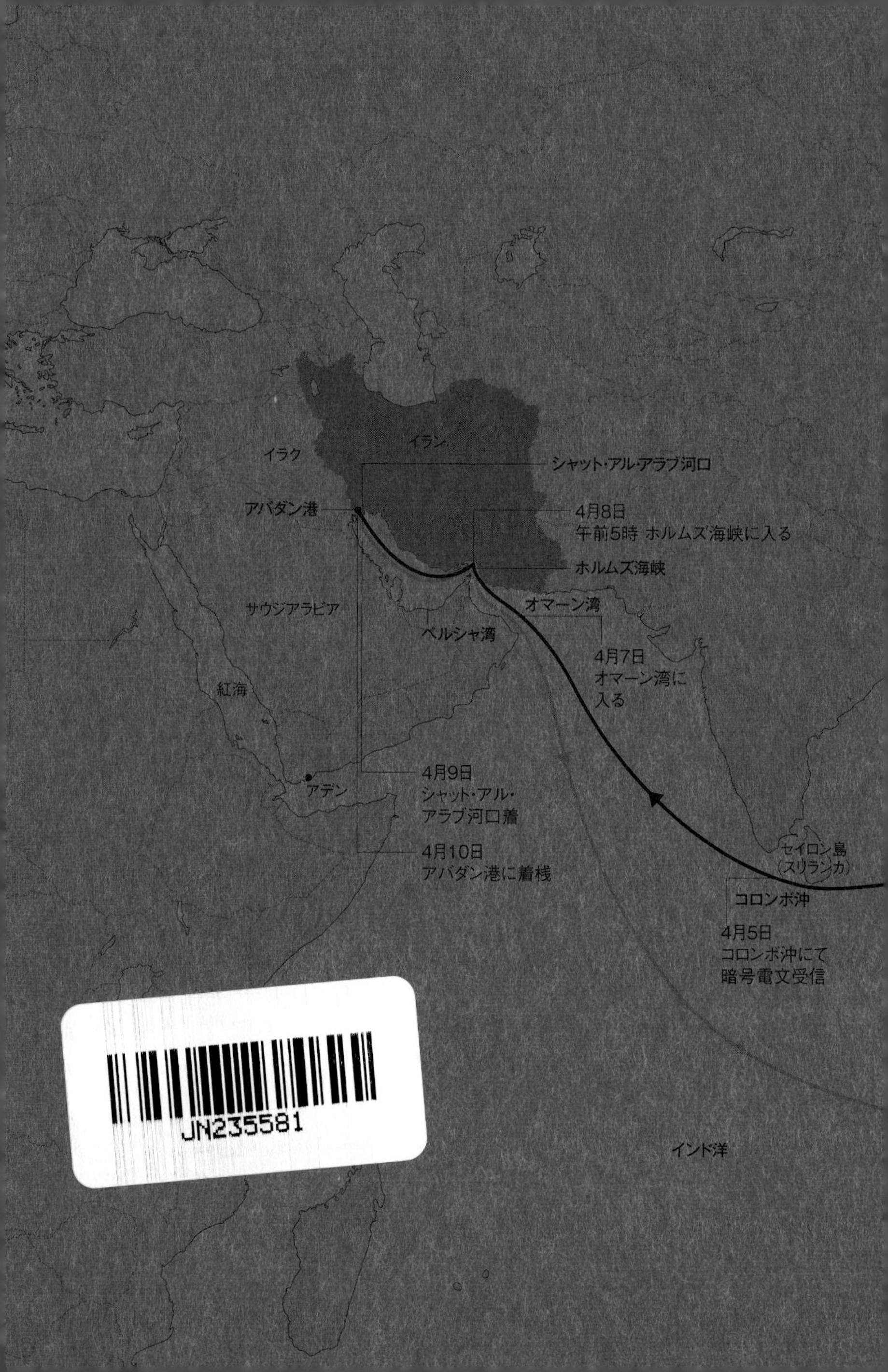
イラン
イラク
シャット・アル・アラブ河口
アバダン港
4月8日
午前5時 ホルムズ海峡に入る
ホルムズ海峡
サウジアラビア
オマーン湾
ペルシャ湾
4月7日
オマーン湾に
入る
紅海
アデン
4月9日
シャット・アル・
アラブ河口着
4月10日
アバダン港に着桟
セイロン島
(スリランカ)
コロンボ沖
4月5日
コロンボ沖にて
暗号電文受信
インド洋
JN235581

海賊とよばれた男 上

百田尚樹

講談社

海賊とよばれた男

上

目次

第二章　青春

明治十八年〜昭和二十年——159

海賊とよばれた男 下 目次

海賊とよばれた男

上

この物語に登場する男たちは実在した。

序章

青い空がどこまでも続いていた。

湧き起こる白い入道雲のはるか上には、真夏の太陽が燃えていた。

見上げる国岡鐵造《くにおかてつぞう》の額に汗が流れ、かけていた眼鏡がずれた。シャツにもべっとりと汗が滲《にじ》んでいたが、暑さは微塵《みじん》も感じなかった。

小学校の広い校庭に集まった人々の多くは、茫然《ぼうぜん》と立ち尽くし、地面にひれ伏し、なかにはすすり泣く者もいた。

鐵造は度の強い眼鏡をかけ直すと、しっかりと両足を踏みしめ、今しがたラジオで聞いたことを頭に反芻《はんすう》した。

日本は戦争に負けた——自分の立っている足元が巨大な沼となり、ずぶずぶと沈み込んでいくような錯覚を覚えた。絶望が全身を覆《おお》った。

これが世界を相手に戦った結末なのか。苦しさに耐え抜きながら、最後に勝利することを信じて戦った末の結果がこれなのか。この国はどうなってしまうのか。米英やソ連に占領され、国土と国民は蹂《じゅう》躙《りん》されるのだろうか。日本という国は亡んでしまうのだろうか。

いや、と鐵造は思った。日本人がいるかぎり、日本が亡ぶはずはない。

この焦土となった国を今一度建て直すのだ。その戦いは艱難辛苦《かんなんしんく》に満ちた厳しいものになるだろうが、戦争以上に厳しいものではないはずだ。もはや銃弾や砲弾が飛び交うことはない。殺されることも、殺すこともない。すべては己と己が守るべき家族のための戦いだ。死ぬ気で立ち向かえば、必ず日本は再び立ち上がれるはずだ。

鐵造はいったん家族の待つ家に戻った。栃木県の松田（現・足利市）に借りている小さな家には、妻と四人の娘が暮らしていた。東京への空襲が激化した五月に、ひとまず女だけを疎開させていた。鐵造は東京で都立一中（現・日比谷高校）に在学中の十七歳の長男の昭一《しょういち》と二人で生活していた。

三日前に妻と娘の顔を見るために松田を訪れていたが、まさかこの地で玉音《ぎょくおん》放送に接するとは思わなかった。

「戦争が終わった」

家に戻り、妻の多津子《たつこ》に言うと、彼女は頷《うなず》いた。すでに近隣の者から知らされていたのだろう。

多津子の目は真っ赤だった。五人の子を持つ母として言いしれぬ不安が胸に渦巻いているであろうことは鐵造にもわかった。長女の正子は十二歳だが、末娘はまだ五歳だった。

「これからどうなるのでしょうか」

多津子は不安な眼をして言った。

「もう空襲に怯《おび》えることはない」

妻はそんなことを訊《き》いているのではないという顔をした。

「ゆっくり話している時間はない。しかしこれだけは言っておく。国岡鐵造の妻であるからには、けっしてうろたえてはならん。母たるお前が怯えた顔を見せれば、正子たちも怯える。日本の女として、凜《りん》とせよ」

多津子は居住まいを正した。

「今からすぐに東京に戻らねばならない。落ち着いたら、東京に呼び戻す。それまで娘たちを頼む」

「はい」

力強く頷く多津子の顔には、さきほどまでの途方に暮れたような表情はどこにもなかった。


鐵造はその日のうちに東京に辿りつくことができた。

ドイツの高級車、オペルの後部座席に揺られながら、ふと自らの生涯を想った。

この年、彼は還暦を迎えていた。古来、暦は六十年をもってひとつの区切りとなす。鐵造は自らの本《ほん》卦還《けがえ》りの年に、日本がこのような大難を迎えたことに運命的なものを感じた。自分の新しい人生と日本が重なるような錯覚を覚える。

東京の惨状は三日前と変わらなかった。見渡すかぎりの焼け野原で、かつて世界に冠した華々しい帝都の面影はどこにもない。道を往く人々の体からは生気が感じられず、その目はうつろだった。

無理もない、と鐵造は思った。今日まで悲惨な境遇に耐えながら銃後の務めを懸命に果たしてきたのは、ただひとつ、戦争に勝つという目的のためだけだった。今やそのすべてが失われたのだ。この戦いで亡くなった幾多の命――父、母、兄、弟、姉、妹、もはや二度と帰らぬ尊い家族は何のために失われたのか。

しかし鐵造は同時に人々のうつろな目の奥に安堵《あんど》と喜びの光があるのを見た。それは人間が持っていた生存本能であった。もう空襲はない。爆弾が降り注ぐ恐怖の夜は来ない。戦地で戦っていた父や兄、息子たちが帰ってくる。敗戦という絶望的な状況の中にありながらも、生き延びたという喜びがあった。鐵造はそこに一縷《いちる》の希《のぞみ》を見た。

鐵造の乗るオペルは銀座に着いた。銀座もかつての華やかな光景はどこにもない。ビルの大半は瓦礫《がれき》と化し、優美なたたずまいを見せていた歌舞伎座も五月の空襲で、外壁だけを残して焼け落ちていた。その隣にある国岡商店の本社である「国岡館」は奇跡的に焼失を免《まぬか》れていた。

国岡館の前で車を降りた。夕刻であるのに西日はじりじりと照りつけ、体にはみるみる汗が噴き出た。しかし彼は、この汗は生きている証だと考えた。どっこい俺は生きている。そして日本もまだ死んだわけではない。

国岡館は鐵造の帰りを待っていたように見えた。いつかは空襲で焼けるであろうと覚悟していたが、もはや燃え落ちることはない。彼は夕日を受けて聳《そび》え立つ五階建ての国岡館を見上げて勇気を感じた。

「あ、店主」

国岡館に足を踏み入れた時、常務の甲賀治作《こうがじさく》が声をかけた。鐵造は社員たちには「店主」と呼ばれている。

「いつ、東京に戻ってこられたのですか」

「今だ」

「放送はお聞きになりましたか」

「松田で聞いた」

「本当に日本は負けたのでしょうか」

鐵造はそれには答えず、「ほかの店員たちは？」と訊いた。

「正午の放送を聞いた後、とりあえず本日の業務は取りやめとして、帰らせました」

「よろしい」と鐵造は言った。「明日は一日休みにする。ただ明後日は全員出店するように」

甲賀は、わかりましたと答えた。

甲賀は三十年にわたって国岡商店で鐵造の片腕となって働いてきた番頭だ。もうすぐ五十歳になる。気の強い剛毅な男であったが、彼をしても表情には不安がいっぱいに漂っていた。

「店主、外地はどうなるのでしょうか」

鐵造は甲賀の長男が中国へ出兵していることを思い出した。日本の敗戦によって、戦地にいる兵隊たちにはどんな運命が待ち構えているのか、想像もつかなかった。「生きて虜囚《りょしゅう》の辱《はずかし》めを受けず」を信念に戦ってきた日本軍は、はたしておとなしく武装解除を受けるのだろうか。それとも徹底抗戦するのだろうか。いや、それはあってはならないことだ。

「終戦は陛下のご意志だ」鐵造は呟《つぶや》くように言った。「もはや戦闘はないだろう」

「わが国岡商店の営業所はどうなるでしょうか」

「うむ」

鐵造は腕組みした。

国岡商店の海外の営業所は六十二店、これは国内の八店をはるかに上回る。社員の大半は朝鮮、満州、中国、そして南方の比島（フィリピン）、仏印（ベトナム）、蘭印《らんいん》（インドネシア）で働いていた。

おそらく海外の営業所はすべて失われるであろう。しかし鐵造の胸には、そのことに対する絶望感はなかった。敗戦という、日本国の歴史が始まって以来の国難の前には、ささいなことだった。それよりも心を配るべきは、海外にいる国岡商店の店員たちの安全であり、甲賀の息子のように戦地へ赴《おもむ》いている兵隊たちのことである。国岡商店の店員の中にも徴兵されている者が何人もいる。

「甲賀も今日は家に帰れ。家族のそばにいてやれ」

甲賀は一礼すると、国岡館を去った。

鐵造はいったん、国岡館を出ると、会社の前に車を止めていた運転手の羽鳥に、「今日は帰ってよい」と言って、彼を帰らせた。

それから再び国岡館に入り、館内に勧請《かんじょう》している宗像《むなかた》神社を参拝して、三女神に日本と日本民族の加護を願った。宗像神社は鐵造の郷里である宗像に総本社がある由緒ある神社で、幼いころより深い尊崇の念を抱いていた。

その夜、鐵造は国岡館にひとりで泊まり、翌日は店主室で、座禅を組んで瞑想した。

八月十七日の朝、社員たちが国岡館の二階にある大会議室に集まった。五十畳ほどの広さを持つその部屋は、入店式などの特別の催しのときにはホールとして使用していた。部屋にはそれらの催し用の雛壇もあった。

国岡商店の社員は約一千名いたが、七百名弱は海外支店と営業所にいて、二百名弱が軍隊に応召《おうしょう》中だった。ただ現時点では、その生死も消息もまったく不明だった。内地に残った社員は百四十九名。東京の本社に残っているのは六十名だった。

鐵造は毎年、年初に社員を集めて訓示をするが、それ以外の日におこなうことは滅多になかった。だから、この日の訓示は異例のことだった。

鐵造は壇上から社員たちを見渡した。皆、一様に不安そうな顔で自分を見つめている。戦争が終わったのは二日前だ。日本はどうなるのか、会社はどうなるのか、家族たちはどうなるのか――鐵造には彼らの恐怖が痛いほどわかった。だからこそ、彼らに言わなくてはならない。

「今から、皆の者に申し渡す」

鐵造はよく響く大きな声で言った。

鐵造の背は一七〇センチ近くある。明治十八年生まれとしては大柄な男だ。その鐵造を見つめる六十名の社員がいっせいに強張《こわば》った。

壇上で鐵造と少し離れて立つ常務の甲賀の全身にも緊張が走った。甲賀は、店主が国岡商店の終わりを告げるのだろうと思った。

国岡商店は鐵造が一代で築き上げた石油販売会社であったが、戦前戦中、活動の大部分を海外に置いていた。戦争に負けたということは、それらの資産がすべて失われるということを意味していた。鐵造のもとで三十年もともに頑張ってきた甲賀にとっては、国岡商店の解散は、終戦にも等しい悲しみであった。

鐵造はゆっくりと、しかし毅然とした声で言った。

「愚痴をやめよ」

社員たちははっとしたように鐵造の顔を見た。甲賀もまた驚いて鐵造を見た。

「愚痴は泣きごとである。亡国の声である。婦女子の言であり、断じて男子のとらざるところである」

社員たちの体がかすかに揺れた。

「日本には三千年の歴史がある。戦争に負けたからといって、大国民の誇りを失ってはならない。すべてを失おうとも、日本人がいるかぎり、この国は必ずや再び立ち上がる日が来る」

甲賀は自分の体が武者震いのようにふるえてくるのを感じた。

鐵造は力強く言った。

「ただちに建設にかかれ」

社員たちの背筋が伸びるのを甲賀は見た。ホールの空気がぴんと張りつめたような気がした。

しんと静まり返った中に、鐵造の声が朗々と響いた。

「昨日まで日本人は戦う国民であったが、今日からは平和を愛する国民になる。しかし、これが日本の真の姿である。これこそ大国民の襟度《きんど》である。日本は必ずや再び立ち上がる。世界は再び驚倒するであろう」

店主の気迫に満ちた言葉に、甲賀は体の奥が熱くなるのを感じた。

鐵造は壇上から社員たちを睨《にら》みながら、「しかし――」と静かに言った。

「その道は、死に勝る苦しみと覚悟せよ」

第一章　朱夏

昭和二十年〜昭和二十一年

一、馘首はならん！

昭和二十年九月十七日午前十時、銀座・木挽町《こびきちょう》三原橋《みはらばし》角に建つ国岡館三階の会議室で十人の男たちが細長いテーブルに顔を並べていた。テーブル端の中央には国岡鐵造、その両側には四人の常務と五人の取締役が座っていた。この日は、終戦から一ヵ月経《た》ってはじめて開かれた重役会議だった。

終戦の二日後に、「ただちに建設にかかれ」と号令した鐵造ではあったが、この一ヵ月は、日本中が混乱のただなかにあり、業務どころではなかった。

八月三十日に連合国総司令官マッカーサーが厚木に到着した。九月二日に米戦艦ミズーリ号の上で日本政府は降伏文書に調印し、陸海軍の解体命令が出された。一部で噂されていた陸軍の徹底抗戦もなく、連合国軍による武装解除は粛々とおこなわれた。占領軍は日本のマスコミに対し自分たちを「進駐軍」と呼ばせた。

九月八日、連合国軍は東京都内を占領、空襲を免れたビルのうち民間、公舎を問わず六百余りを接収した。皇居の東側に位置する丸の内付近のビルはほとんど残らず占有し、そこに拠点を置いた。連合国軍最高司令官司令部（General Headquarters）は英語の頭文字を取って「ＧＨＱ」と呼ばれた。その本部は日比谷の第一生命のビル内にあった。そこから国岡商店の本社までは一キロ余りしか離れていなかった。国岡商店が接収を免れたのは僥倖《ぎょうこう》であった。

日本は自治権をいっさい失い、すべてはGHQの管理下に置かれた。往来は米軍のジープが走り回り、米兵たちがわが物顔でのし歩いた。しかし大多数の国民にとっての焦眉《しょうび》は、政治的なことよりも日々の暮らしであった。配給の米だけではとうてい暮らしてはいけず、市中にはヤミ米が流通した。治安は乱れ、焼け跡の街にはヤミ市が立ち並んだ。

戦争中は軍部主導の統制と軍需産業への転化で何とかやっていた民間の会社や工場もほとんど閉鎖していた。国岡商店も例外ではない。工場原燃料である石油の販売を主たる業務としてきた会社だけに、終戦後は石油を手に入れるルートを失い、まさしく開店休業の有り様だった。

この日の重役会議の最重要議題は、今後の国岡商店をどうするのかというものであったが、あまりに重たい問題に、会議室は重苦しい空気に包まれていた。

「この際、思い切った人員整理をすべきです」

常務の柏井耕一が言った。その言葉に全員が黙って頷いた。

常務の甲賀治作は、たとえ人員を切ったところで国岡商店の未来はないのではないかと思った。海外の資産はすべて消失し、残っているものといえば莫大な借金だけだった。営業所もなければ支店もない。それ以前に仕事がない。ただ、店を解散するにしても、まずは人員を整理するところから始めなければならない。

「店主、思い切って、店員を切りましょう」

柏井が再び言った。

鐵造が眼鏡の奥からじろりと彼を見た。鐵造の目は幼いころから弱視のために視力が極端に悪い。それゆえ平素から眼光が鋭かったが、その光が厚いレンズを通していっそうの厳しさを帯びた。

「ならん」と鐵造は言った。「ひとりの馘首《かくしゅ》もならん」

柏井を含めた重役たちは一瞬黙った。

国岡商店は明治四十四年（一九一一）の創業以来、ただの一度も馘首がない。これは創業以来の絶対的な不文律だった。これまで幾度となく迎えた会社の危難のときにも、社員の首切りは一度たりともおこなわれたことがなかった。店主である鐵造の口癖は「店員は家族と同然である」というものだった。

「馘首がないのは、他の会社にはない国岡商店のいちばんの美徳ではあります。しかし、今回は事情がまったく違います」

常務の森藤恒美の言葉に、他の者もいっせいに頷いた。もうひとりの常務の林洋三が後を続けた。

「わが社の事業は実質的にすべて失われており、社員たちの仕事はありません」

「だから何だ」

鐵造の怒気を帯びた言葉に、林は怯《ひる》んだように口を噤《つぐ》んだ。

「たしかに国岡商店の事業はすべてなくなった。残っているのは借金ばかりだ。しかしわが社には、何よりも素晴らしい財産が残っている。一千名にものぼる店員たちだ。彼らこそ、国岡商店の最高の資材であり財産である。国岡商店の社是《しゃぜ》である『人間尊重』の精神が今こそ発揮されるときではないか」

甲賀たちは黙った。鐵造の「人間尊重」は彼の強い信念であり、金科玉条であった。それゆえ国岡商店には就業規則もなければ出勤簿もない。馘首もなければ定年もない。それが同業者たちから「異常だ」と言われた国岡商店独特の社風であり、甲賀たちもそれを誇りにしていたが、このときばかりは彼らも鐵造の言葉に頷くことができなかった。

収益を上げる手段が皆無なうえに、これからどんどん外地から店員たちが戻ってくる。さらに軍に徴兵された店員たちも復員してくる。八百名を超える彼らにどうやって給料を払っていこうというのか。

国岡商店のもうひとつの社是に「黄金の奴隷たる勿《なか》れ」というものがあるが、今やその黄金さえもない。

店主は意地になっていると甲賀は思った。三十年にわたって仕えてきた彼には鐵造の頑固な性格はよくわかっていた。

「それでは」と森藤が言った。「社歴が浅くて、すぐに兵隊に取られた若い者だけでも、辞めてもらうというのはどうでしょう」

他の重役たちも頷いた。わずかばかりの店員を切ったところで、大勢を変えるほどにはならないが、それでもそのあたりが精一杯の妥協点だった。これから少しずつ退職者の枠を広げていけばいい。

「馬鹿者！」

鐵造の怒鳴り声が会議室に響いた。一同は驚いて鐵造の顔を見た。

「店員は家族と同然である。社歴の浅い深いは関係ない。君たちは家が苦しくなったら、幼い家族を切り捨てるのか」

鐵造の激しい怒りに甲賀たちは震えあがった。鐵造が重役たちにこれほど怒りを顕《あら》わにした姿は見たことがない。店主は本気だ、と甲賀は思った。つまらない意地を張って首を切らないと言っているのではない。

「君たちは、店員たちを海外に送り出したときのことを忘れたのか。彼らは国岡商店が骨を拾ってくれると思えばこそ、笑って旅立ってくれたのではないか。そんな店員たちを、店が危ないからと切り捨てるなどということは、ぼくにはできん」

重役たちは黙って頷くしかなかった。

「もし国岡商店がつぶれるようなことがあれば――」

鐵造は言った。

「ぼくは店員たちとともに乞食《こじき》をする」

「乞食」という言葉に、甲賀たちは弾かれたように顔を上げた。この言葉はかつて鐵造の大恩人、日《ひ》田重太郎《だじゅうたろう》が語った言葉だった。国岡商店の店員で日田重太郎の話を知らない者はいない。

日田は自分の家を売って作った金を、二十五歳の鐵造に「国岡商店」の創業資金として無償で提供したのだ。そして鐵造が苦境に見舞われるたびに叱咤《しった》激励してこう言った。「絶対に諦めるな。もし失敗してすべてを失えば、一緒に乞食をしようじゃないか」

これは国岡商店の伝説であり、長く語り継がれていた話だったが、今、店主の口から「乞食をする」という言葉が出てきたのは、その脳裏に若き日の日田の言葉が甦《よみがえ》っているからだと重役たちは感じた。

しかし、と甲賀は思った。石油業界の風雲児と言われ、多くの財閥系の石油会社相手に暴れまわった国岡商店であったが、いよいよ三十四年にわたる事業を清算するときがきた。過去、幾度も絶体絶命の窮地に追い込まれながら、そのたびに奇跡のように甦ってきたが、今度ばかりはもう駄目だ。

しかし店主とならともに乞食をしてもかまわないではないかと甲賀は思った。店主に惚れぬいてここまで来たのだ。最後まで店主とともにいられるなら本望だ――。この部屋にいた重役たちも皆自分と同じ気持ちであることを、甲賀は確信していた。

重役会が終わり、ひとり会議室に残った鐵造は大きく息を吐いた。

鐵造には甲賀たちの気持ちはわかりすぎるほどわかっていた。店員をひとりも切らないと宣言したものの、何らかの方策があってのものではなかった。ただ信念だけが言わせた言葉であった。この信念を失えば、たとえ国岡商店が生き延びようとも、国岡鐵造は死んだも同然だった。

焼け野原になった東京の街を眺めながら、鐵造の胸には三十数年前の日田の言葉がまざまざと蘇ってきた。自分はまだ諦めるわけにはいかない。ここで諦めたなら日田の言葉を裏切ることになる。鐵造はかつて日田がおこなったように、店員のためなら自分の全財産を処分する覚悟ができていた。


九月になって疎開先から妻と娘たちを東京に呼び寄せた。

赤坂一ツ木町の屋敷は焼けてなくなっていたので、上野に家を借りていた。家族七人で暮らすには少々手狭だったが、雨露をしのぐ家もない人たちが大勢いる中にあって、贅沢《ぜいたく》は言えぬと思っていた。

その夜は四ヵ月ぶりに家族七人が揃っての食事だった。長男の昭一は妹たちに東京での悲惨な暮らしぶりを笑いを混じえて語った。妹たちも負けじと八月に熊谷《くまがや》上空に飛来した米軍の空襲の様子を語った。

鐵造は久しぶりに家族の団欒《だんらん》を楽しんだ。

夜が更けて、子供たちが寝静まった後、鐵造は妻の多津子に言った。

「財産を全部失ってもいいか」

妻の多津子は少し驚いた顔をしたが、笑って、「私はかまいませんよ」と答えた。

「お前が嫁に来るときに持ってきた着物も売り払うことになるかもしれん」

「生活のためなら、残念ですが、仕方ありませんよ」

「うん、生活のためもあるが、店員の給金を払わねばならん」

「それでしたら、喜んで手放しましょう」

多津子はにっこりと笑って言った。鐵造は無言で頷いた。多津子に礼を言いたくはなかった。礼を言えば、妻は怒るだろうことがわかっていたからだ。

寝間着《ねまき》に着替えながら、「乞食をすることになるかもしれんぞ」と言った。

「鐵造さんも一緒にやってくださるのでしょう。だったら、平気です」

鐵造は笑いながら、いい妻をもらった、と思った。

多津子は鐵造の二度目の妻だった。最初の妻、ユキとは十年以上ともに暮らした。ユキと結婚したのは国岡商店を立ち上げて三年目のことだった。ユキは献身的に尽くしてくれた。そんな妻を鐵造も愛した。心ならずも別れることになってしまったユキのことを思うと、今も胸が痛む。

鐵造はそんな気持ちを振りはらって、これからのことを考えた。

二、苦闘

国岡商店が長らく扱ってきたのは石油だった。元売《もとうり》会社から揮発油（ガソリン）や軽油などの石油製品を仕入れ、直営の小売店で広く販売してきた。しかし今や石油は日本中どこを探してもない。いや、終戦前から日本には石油はほとんどなかった。国内産の原油は昭和の初めにはほぼ採り尽くされ、原油及び石油製品のほとんどは米国からの輸入に頼っていた。

だから昭和十六年に米国から「石油全面禁輸」の措置が取られたことは、日本にとって死刑宣告にも等しい事態だった。石油がなければ経済活動はストップする。海軍が誇る聯合《れんごう》艦隊の軍艦や飛行機も動かすことができなければ、戦争状態にあった中国大陸へ兵員や物資を輸送することも不可能になる。

それまで日本政府も軍部も米英との戦争は何としても避けたいと考えていたが、米国が石油の全面禁輸をおこなったことにより、事態は急展開した。日本は石油を確保するために、連合国のオランダ領であるボルネオとスマトラの油田を奪わなければならなくなった。つまり日本は石油のために大東亜戦争を始めたのだった。

ちなみに「大東亜戦争」という呼称は、戦後GHQの思想改革によって禁じられ、「太平洋戦争」という言葉に変えさせられた。公文書ではもちろん禁止、一般書物でも事後検閲で発禁処分となったため、大東亜戦争という言葉は事実上、日本から消えた。

四年近い戦いの末、兵士約二百三十万人、一般人約七十万人、合わせて三百万人という尊い国民の命が失われた。また二百以上の都市が空襲に遭い、二百二十三万戸の家屋が焼失し、約九百七十万人の人が被災した。都市では多くの工場が焼かれ、国内産業の過半を無力化された。戦前世界三位を誇った海軍は壊滅し、数百隻の艦艇と数万機の飛行機が海の藻屑《もくず》となった。そして日本は明治以来手に入れてきた海外の領土と、そこに長い間かかって投資した資産をすべて失った。

戦前から海外で幅広く活動していた国岡商店も例外ではなかった。資産の大半を失ったばかりか、主力商品の石油を扱うことができなくなったのだから、会社を存続させることはもはや誰の目にも不可能であった。もっとも内地の企業や会社も終戦によって多くが廃業の憂き目にあっていた。

鐵造は九月の終わりに再び重役会を開いた。このころの国岡商店はほとんど仕事がなく、重役や店員たちの主だった業務は、失った海外の支店・営業所や財務関係の資料の整理くらいだった。また一部の店員は鐵造の命を受けて、店員たちのための食糧であるヤミ米の調達にあたっていた。

鐵造は重役たちを見渡して言った。

「この非常時においては、仕事を選んではならない。全店員、やれることはなんでもやろう」

「なんでもやる、というのは、いささか乱暴な言い方ですね」

柏井耕一の言葉に、林が賛同した。

「もう少し、業種を絞って言ってもらう必要があります。われわれは石油しか知らないのですから、やはり石油関連の仕事になると思いますが」

「もはや石油にはこだわらない。なんでもやると言ったのは、文字どおりなんでもやるということだ」

「それでは百姓も入りますか」

柏井の冗談に皆が笑ったが、鐵造はにこりともしなかった。

「百姓――いいじゃないか。さっそく、その方面での仕事を探せ。柏井、君がやれ」

柏井はぎょっとした顔をしたが、鐵造が本気で言っているのを知り、黙って頷いた。

「百姓だけじゃない。漁師だってやる。なんだってやるんだ。君たちに命じる。ありとあらゆる仕事を探せ。選り好みするな。すべての仕事が国岡商店の建設のためになり、日本のためになると心得よ」

鐵造の指令を受けた重役たちは店員たちとともに仕事探しに奔走した。

しかし戦後の混乱期に仕事など簡単に見つかるはずもなかった。巷《ちまた》には一千万人を超える失業者たちが溢《あふ》れていたのだ。


甲賀治作はさっそく、文書課の部下たちに、外地から戻ってくる店員の名簿の作成を命じた。五月の空襲で国岡館の一階が焼けた際に社員名簿を焼失したままだったからだ。数日後、部下たちが持ってきた名簿には、店員の名前はほぼ網羅されていたが、年齢や住所などの多くは空欄のままだった。

「書類なども多くが焼けていまして――」

申し訳なさそうに言う部下に、甲賀は「心配するな。俺が空欄を埋めていく」と言うと、名簿の空いたところに、年齢、入社年、郷里の住所、現在の赴任先を次から次へと書き入れていった。

「常務は全店員の名簿を覚えておられるのですか」

部下のひとりが驚いたような顔で訊いた。

「店員名簿などじっくり見たことがない」甲賀は答えた。「ただ、店員のことは皆、頭に入っている」

部下たちが目を丸くするのがわかったが、甲賀は黙って名簿を埋めていった。甲賀は目の悪い店主に代わって、あらゆる記憶の引き出し役を担ってきたという自負があった。国岡商店の経理の数字もすべて頭の中にあった。記憶を辿って店員たちの経歴を書き入れていくうちに、彼らの誰もが国岡商店にとってかけがえのない人材だとあらためて気が付いた。

三日後、ほぼ完全に復元した店員名簿を鐵造に提出した。そこには国内の支店・営業所で働く百四十九名のほかに、海外にいる六百七十一名と軍隊に応召中の百八十六名、計千六名のすべての経歴が書き込まれていた。

鐵造はそれを受け取ると、名簿のページを繰《く》りながら、「ほお、これが、ぼくの財産目録か」としみじみと呟いた。それから甲賀のほうを見てにっこりと笑った。

「国岡商店は何もかも失ったという者もいるが、それはとんでもない間違いだ。国岡商店のいちばんの財産はほとんど残っている」

甲賀はそのとおりだと思った。


重役たちにやれることはなんでもやれと言った鐵造ではあったが、本当に目指していたのはやはり石油であった。

十月初めのある日、鐵造はひとりで霞ケ関にある石油配給統制会社（石統）に向かった。

「石統」は戦中に軍部が石油の流通と販売を統制しようと作った国策会社である。それにより国内の石油は石統に加入している会社以外は扱えないことになっていた。鐵造は石統ができるときから、これに真っ向から反対してきた。自由な競争がなくては本当の商売にはならず、また国民のためにも国家のためにもならないという信念のためだった。協定で守られた業者たちは価格を好き勝手な高値で付けられたし、それを政府に認められていた。そして石統に反旗を翻していた国岡商店は当然のごとくそこから締め出されていた。

国岡商店が中国、満州、朝鮮の海外に活動の拠点を置いていたのは、国内の統制を嫌ったためだった。そのため人も資産もほとんどを海外に投資していた。しかし敗戦でそのすべてを失った。

鐵造は石統に頭を下げるしかないと思った。

石統の社長の鳥川卓巳は鐵造の訪問を驚いて迎えた。鳥川は日本で最大の石油元売会社である日邦石油の副社長でもあった。

「おやおや、どういう風の吹き回しだ。国岡さんが石統に来るとは」

「本日は鳥川さんにお願いがあってやってきました」

「国岡さんから喧嘩《けんか》を売られたことは数あったが、お願いははじめてですな」

鳥川は社長室の椅子に大きく凭《もた》れながら煙草《たばこ》に火をつけた。

「日本は戦争に負けた。過去のいざこざは忘れようではないか。今や全日本人が一丸とならなければならない」

「その考えはもっともだね」

「国岡商店も微力ながら日本の再建に尽くしたいと思っている。そのためには、石油が欲しい」

「石油なんて、今の日本にはどこにもないよ」

「いや、うちが調べたところでは、民需用の分が七万キロリットルはあるということだ」

「雀の涙ほどの量だよ。戦争が始まる前は七〇〇万キロリットルあったのと比べると、残り滓《かす》みたいなものだ。これっぽっちの油ではどうにもならん」

「その油は今どうなっている」

「さあね。ほうぼうに保存されているだろうね」

「配給も販売もされていないのか」

「このご時世に油を売る会社なんかあるもんか。いや文字どおり油なんか売ってる余裕はないだろうね」

鳥川は自分の冗談に腹を抱えて笑った。しかし鐵造はにこりともしなかった。

「それなら、うちで売らせてもらえないか。あんただってうちの販売力は知っているだろう。わずかでも国岡商店に回してくれれば、売ってみせる。そうすれば石統も助かるはずじゃないか」

鳥川は苦い顔をした。石油業界で国岡商店の販売力を知らないものはない。国岡商店は戦前、満州や中国で広く石油販売店を展開し、多大な販売実績をあげていた。店員たちはいずれも精力的で、他社の販売店よりもはるかに売り上げを伸ばし、「国岡商店の通ったあとは草も生えない」と同業者から嫌味を言われるほどであった。戦前の国岡商店がすべての石油業者から敵視されたのは当然とも言えた。

「あんたは石統に加入している業者じゃない」

「まだそんなことを言っているのか。もう戦争は終わったんだぞ。戦前に軍部が作った石統みたいな会社が今も残っているということがおかしいのだ。石統が石油業界を駄目にしたことがまだわからないのか。戦前は一万六千もあった石油業者が千を切ってしまったのは、自由な競争力を失ったからだ」

「そういうことは政府に言ったらどうだね」鳥川はにべもなく言った。「とにかく、あんたのところに石油は配給しない」

「なぜだ」

鳥川は黙って煙草をくゆらせた。そのうちに鐵造から目を逸《そ》らし、窓の外を眺めた。

鐵造はあまりの非礼に怒鳴りつけたくなるのを懸命にこらえた。自分は国岡鐵造一人ではない。両肩には一千名を超える店員たちがいるのだ。

鐵造は鳥川の前で深く頭を下げた。

しかし鳥川は鐵造を見ようともしなかった。沈黙が数分続いた。

「鳥川さん」と鐵造は言った。「この国岡鐵造がお願いする。販売できずに余っている石油をいくらかでも配給していただけないだろうか」

「国岡鐵造がお願いしたらどうだって言うんだ。何と言われても国岡商店に石油は回すことはできない」

「それならば、石統に加入させてもらえないだろうか」

「理事会に諮《はか》ってみますが、まず無理でしょうね」

鳥川は大きく煙草の煙を吐いた。その瞬間、鐵造の堪忍袋の緒が切れた。

「もういい！」

鐵造の怒鳴り声に、女性秘書がびくっとし、鳥川は煙草を落とした。

「金輪際《こんりんざい》、石統には頼まん。その代わり、石油は国岡商店が自力で取ってみせる」

鐵造が勢いよく立ち上がったので、椅子が後ろに倒れ大きな音が響いた。しかし鐵造は椅子を直しもせずに部屋を出た。


鐵造は国岡館に戻りながら、まさしく背水の陣だ、と思った。

退路は断たれた。石油の配給が不可能となった今、今後、国岡商店はどうなるのか。歩き疲れた鐵造は軽い目眩《めまい》を覚え、道端の瓦礫の縁《ふち》に腰かけた。まもなく外地から八百五十名の店員が戻ってくる。彼らを抱えて、いったいどうすればいいのだ。目を閉じると、自分が絶望の淵に沈んでいくような気持ちになった。

しばらくして目眩がおさまってから、目を開けると、視界に飛び込んできたのは、焼け野原になった市街地の風景だった。それを眺めていると、萎《な》えかけていた闘志に火がついた。ここにはビルがあり家があった。それらを失った人々がいる。いや、この戦争では命さえも失った人が三百万人もいる。家族を失った人たちはその何倍もいる。石油の配給がないくらいが何だ。そんなもので弱気になってどうするのだ。

「よしっ」

鐵造は声を出すと、立ち上がった。

外地からの引き揚げは秋から始まり、十月の終わりには国岡商店の店員も五十名以上が帰国した。この後も続々と日本に戻ってくる予定だった。しかし彼らに与える仕事はなく、鐵造は忸怩《じくじ》たる思いで自宅待機を命じるしかなかった。彼は自ら全国の社員たちのもとを訪ね歩き、「必ず、仕事を作るから、今しばらく待っていてくれ」と言い、当座の生活資金を与えた。

重役たちは、金は現金書留で送ればいいし、挨拶は別の店員に行かせましょうと言ったが、鐵造は聞き入れなかった。六十歳を超えた老人がぎゅうぎゅう詰めの列車で揉《も》みくちゃにされて全国行脚《あんぎゃ》する様子を目の当たりにした重役たちは、何がなんでも仕事を見つけなければならないと決意を強くした。

やがて鐵造のもとに、全国に飛んだ店員たちからもさまざまな仕事が見つかったという報告が入ってきた。

柏井は漁業の話を持ってきた。

「販売の橋本というのが郷里の三重県の知り合いの網元に話をつけてきたらしいのですが、定置網の権利を手に入れたそうです」

「定置網か」

鐵造は思わず身を乗り出した。

「さっそく、店員を数名派遣しようと思うのですが、いいですか」

「いいじゃないか。昨日まで石油を売っていた者が、魚を獲るのだな。愉快じゃないか」

鐵造は破顔したが、柏井は複雑な顔をした。

「どうした?」

「いや、店主に怒られるかもしれないと思っていました」

「なぜだ。農業でも漁業でもいいと言ったのはぼくだぞ」

「それはそうなのですが、船を丸ごと購入してのものでもない、ただの定置網の権利で、しかもうちの店員が自ら魚を獲るというのですから――」

「ぼくももう少し若かったら、一緒に魚を獲りたいくらいだ。三重の魚は旨いだろうな」

鐵造はそう言って豪快に笑った。


中国地方からは、農林省の緊急農地開発事業の委託を受けて鳥取の大山山麓《だいせん》に百町歩の荒れ地を開墾する権利を得たという報せがあった。鐵造はそこに十二人の店員を派遣した。茨城では醬油と酢を製造する簡易工場の取得に成功し、そこにも七人の店員を送り込んだ。

新たな事業にも乗り出した。都内では印刷工場を作り、また瓦礫を撤去する仕事にも乗り出した。

店員たちは新しい仕事に懸命に取り組んだが、慣れない業務のため、利益はなかなか上がらなかった。東京に住む人々にとっては、この時期は金よりも食糧のほうが切実な問題だった。配給米ではとても生きてはいけず、多くの人たちがヤミ米に手を出した。国岡商店の店員たち自身がヤミ屋の商売にも手を出した。

鐵造もまた店員たちの喰う米を手に入れるために、愛車オペルをはじめ売れるものはなんでも売った。若いころから集めていた書画骨董もヤミ米に代えた。戦前、高額所得者だった鐵造の道楽のひとつは書や茶器を愛《め》でることだった。それらはもはや趣味の領域を超えて人生の一部となり、財産の大半を注ぎ込んだそのコレクションは、一部の好事家《こうずか》の間では有名だった。しかし店員のためにそれらを手放すことにいっさいの躊躇《ちゅうちょ》はなかった。


十一月初めのある日、甲賀は重い気持ちで店主室を訪ねた。

ドアを開けると、炭火の匂いがした。見ると、部屋の片隅で鐵造が五徳に釜をかけていた。

「なんだ?」

甲賀は最近の事業の報告をした。どれも利益を出すまでにはいたらず、先の見通しも暗いという実情を正直に述べた。

「そうか」

鐵造はそう呟いた後、「店員たちの士気はどうだ」と訊いた。

「彼らは皆、慣れない仕事にもかかわらず、勇んで取り組んでいます」

鐵造は満足そうに頷いた。

甲賀が部屋を退出しようとすると、鐵造が「茶でも一服どうだ」と言った。

「ちょうど、茶を点《た》てるところだったんだ」

「ありがとうございます。いただくことにします」

甲賀はソファに座った。

鐵造は身軽な動作で立ち上がると、木箱から茶碗を取り出してテーブルの上に置いた。それは古唐津《こからつ》の奥高麗《おくこうらい》で、鐵造がとくに大切にしていたものだった。甲賀の記憶によれば、昭和十二年に鐵造が貴族院議員に当選したときに、購《あがな》ったものだ。そうとうな高額であったと聞いている。

「こんないいもので、よばれてもよろしいのでしょうか」

「もちろんだとも。茶碗は茶を喫《の》むためにある」

鐵造はそう言ってにっこりと笑った。「ただし、これで茶を点てるのも、今日が最後だ」

甲賀は驚いて店主の顔を見た。

「これはぼくのお気に入りだった」

鐵造は古唐津を慈《いつく》しむように両掌《りょうて》に包みこみながら、独りごつように言った。

「仕事が苦しいとき、これで茶を点てて、幾度心癒《いや》されたかしれない。これを手放すのは旧友と別れるように辛い」

甲賀は店主の気持ちを慮《おもんぱか》って胸が詰まった。鐵造はその気持ちを察したのか、甲賀の顔を見てにっこりと笑った。

「しかし、この古唐津が店員たちを救う一助になれば、これほどの喜びはない。老人の道楽に使われるよりもよほど値打ちのある生き方だ」

鐵造は釜から静かに湯を注ぎ、建水《けんすい》にその湯を捨てると、棗《なつめ》から茶を入れ、ゆったりと茶筅《ちゃせん》をふって甲賀のために茶を点てた。落ち着いた優雅な仕草だった。生涯を懸けて築き上げた会社が倒産の危機を迎えている還暦を過ぎた男の点前《てまえ》とは思えなかった。

甲賀は鐵造が点ててくれた茶を喫みながら、さきほどまで心を覆っていた重いものが晴れていくような気がした。同時に、長い間、これほど静かな気持ちで茶を喫んだことがないのに気づいた。茶道の心得は深くはなかったが、茶の湯の極意を、今、はじめて少し学んだ気がした。

三、ラジオ修理

戦後の占領下の日本は奇妙な政治体制が敷かれていた。というのはGHQが日本を直接統治ではなく間接統治していたからだ。

GHQは日本政府に覚書（メモ）と呼ばれる文書を発し、政府はそれに従って立法や行政をおこなうという二重政府の様相を呈していた。しかし日本政府がGHQの指令に逆らうことは基本的には難しく、実質的にはGHQが日本を統治していたと言える。ただGHQも一枚岩ではなく、統治方法や占領政策では内部で意見が分かれることが珍しくなかった。そこには組織や実務上の混乱以外に、GHQ内の権力争いもあった。だからGHQの発する覚書はしばしば一貫性を欠き、矛盾を生じることもよくあった。そのたびに日本政府は右往左往するはめとなった。

GHQの最大の目的は、日本の軍事力を解体し、アメリカにとって都合のいい国に作り変えることだった。占領直後は、日本の工業力を根こそぎつぶし、農業国にしてアメリカ製品の市場にするという計画であったが、これは後に方向転換された。ただし石油に関してだけは一貫して厳しい態度を見せた。石油の供給はほぼ完全にストップしていた。すなわちこれは石油が最重要な戦略物資であり、同時に経済の根幹をなすものだったからだ。

当然、国岡商店にとっても、石油を扱うことは不可能に近かった。

十一月の半ば、国岡商店にひとりの男が鐵造を訪ねてやってきた。

「藤本壮平《そうへい》という元海軍大佐の方が面会したいと来られていますが、いかがいたしましょう」

若い店員が鐵造に訊《たず》ねた。

「海軍大佐の藤本？　さて、記憶にないな。要件は何だ」

「ラジオ修理の仕事を頼みたいとのことです」

「ラジオ修理？」

鐵造は少し考えた。「うちにラジオに詳しい者はいるのか」

傍らにいた柏井は首をひねった。

「とにかく、会ってみよう」

店主室にやってきた藤本は、背は低いががっしりとした男だった。

鐵造は眼鏡の奥から藤本をじっと見た。彼は目が悪い。それで初対面の男の顔を凝視する癖があった。そういうとき、思わず目を逸《そ》らしたり、あるいは逆に睨みつけるような人物を信用しなかった。しかし藤本は動揺も見せず、自然体で鐵造の視線を受け止めた。鐵造はこの男の話を聞こうと思った。

「君は海軍で何をしていたのですか。船に乗っておったのですか」鐵造は訊いた。

「いえ、艦隊勤務ではありません。陸で無線を担当していました。技術部門です。真珠湾を攻撃するときの無線にも参加しました」

「たしか行田《ぎょうだ》から南雲《なぐも》艦隊に無線を送ったと聞いているが」

「はい。行田に無線塔を建てて、そこから『ニイタカヤマノボレ一二〇八《ヒトフタマルハチ》』の暗号を打ちました」

その暗号は「十二月八日午前零時を期して戦闘行動を開始せよ」というものだった。まさにその瞬間、大東亜戦争の火蓋《ひぶた》が切って落とされたのだ。

「太平洋の沖まで無線が飛んだわけだな。無線というのはすごいものだな」

鐵造は感心したように言った。

「ところで、その元海軍大佐がラジオの修理とはどういうことですか。さきほどの真珠湾の無線の話と比べると、ずいぶんと話が小さいが」

「面目ない。実は復員してからは生活のために、いろんな仕事をしました。肉体労働もしましたし、お恥ずかしいがヤミ屋の手伝いもしました」

鐵造は藤本の身なりを見た。上は背広だったが、下はまだ軍服のズボンのままだった。革靴は傷だらけだった。

この男も戦後は生きるのに必死なのだなと思った。海軍兵学校と陸軍士官学校は、かつては一高（第一高等学校。現・東京大学教養学部）と並ぶほどの難関校であり、エリート中のエリートだった。しかも海軍大佐と言えば、かなりの大物だ。そんな男でも戦後はヤミ屋の手伝いをしなければ喰えなかったのだ。鐵造はしかし、そのことを堂々と言う藤本に好感を持った。この男はすでに元海軍士官というつまらぬ見栄などは捨て去っている。

「ラジオの話を聞かせてください」

「きっかけは、友人からラジオを修理したいのでテスターを入手できないかと頼まれたことです」

「ラジオ修理にはテスターというものが必要なんだな」

「そうです。ラジオの場合、たいてい真空管が駄目になっている故障ですから、それを調べるためにテスターが必要なんです」

「それで？」

「内閣逓信院《ていしんいん》に出向していた後輩の元大尉の原田という男に何とかならないかと相談したのです。すると原田は、逆に大々的にラジオを修理しないかと言ってきたのです」

「大々的とはどういうことですか」

「ＧＨＱは財閥解体や農地改革をはじめさまざまな政策を打ち出していますが、これらを広く世に知らしめるために、放送施設の整備とラジオの普及を日本政府に命じました。しかし電機工場は戦争中、軍の通信機を作っていた関係で、何度も空襲に見舞われ、大半が焼けて稼働できない状況で、新規のラジオ製作は不可能です。それでＧＨＱは壊れているラジオの修理を急ぐように命じたというのです」

「うむ」

「戦前、わが国のラジオ受信機は八百万台ありましたが、戦災で半分が失われたと言われています。残りの四百万台のうち半分は壊れていて、満足に聞こえるのは二百万台ということです」

　鐵造は頷いた。たしかに家族の疎開先での玉音放送のときも、多くの村人たちが小学校まで集まって聞いていた。満足なラジオを持っている者は田舎ではほとんどいなかった。

「ＧＨＱは一年以内にラジオを八百万台普及させろと命じています。この数字はまず実現不可能な数字と思われますが、逓信院はとりあえず壊れている二百万台のラジオの修理を民間に委託しようということとになったのです」

「それを国岡商店がやらないかということか」

「そうです」

「しかしうちにはラジオに詳しいものはおらん」

「私が集めます。無線技術を持っている海軍の部下が大勢復員して仕事もないままぶらぶらしています。彼らの技術を活かすためにもやりたいのです」

「なぜ、君自身がやらないのかね」

「私は一介の技術者にすぎません。無線のことに関しては誰にも負けるつもりはありませんが、経営や販売に関してはまったくの門外漢です。しかし国岡商店なら全国に店舗を持っています」

「この事業で必要とする人員はどれくらいか」

「三百人は必要かと思います」

「その根拠は?」

「全国に店舗五十店を設けます。一店舗につき、営業と販売の人間三名と海軍の技術者三名の六名体制にします。修理資材は逓信院から払い下げてもらうために、ラジオ部長には逓信院からの人物を受け入れる必要もあります。御社なら、これをやれると思ってやってまいりました」

実は藤本が国岡商店にこの話を持ってきた理由はそれだけではなかった。

鐵造は覚えていなかったが、藤本はかつて軍令部にいたときに、一度ある会食で貴族院議員であった鐵造と同席したことがあった。海軍の軍令部は陸軍の参謀本部にあたるもので、いわば最高機関であり、それだけに利権を漁《あさ》ろうとして上級将校に取り入ろうとする民間業者が少なくなかった。しかし鐵造はそうではなかった。彼は席上、日本民族全体の利益ということを盛んに口にし、国岡商店の利益ということにはまるで頓着《とんちゃく》しなかった。藤本は末席にあり、鐵造と直接会話は交わしていなかったが、そのときの鐵造が語った談話に強い感銘を受けていた。

その後、蘭印における国岡商店の社員の素晴らしい献身ぶりを同じ海軍仲間から聞いていた。それで逓信院からラジオ修理の話を聞いたとき、国岡商店に持ち込もうと考えたのだ。

「よろしい」と鐵造は言った。「やりましょう」

藤本は思わず耳を疑った。鐵造があまりにもあっさりと決断したからだ。まさか最初の面談で決まるとは思ってもみなかった。店舗五十の計画案は、鞄の中に入れた書類に細かくしたためていたが、鐵造はそれも見ようとはしなかった。

「君の言うことは、わが国岡商店の大地域小売業の理念に合致している」

「大地域小売業」というのは鐵造が若いころから商いの理想として追い求めてきたシステムで、日本全国津々浦々に広く直営の小売店舗を構えて、中間搾取なしに商品を供給するというものだった。これによって消費者に安い価格で商品を提供することが可能になるというのが鐵造の哲学だった。藤本は初めて聞く言葉に、意味を摑みかねながらも、「ありがとうございます」と答えた。

「ただやるからには五十店舗では少ない。全国に三百店舗設置する目標でやってもらいたい」

藤本は驚いた。五十店舗の計画でさえ、おそらく実施の段階では半分ほどに減らされるかと覚悟していたからだ。しかし鐵造の次の言葉は藤本をさらに驚かせた。

「君をラジオ部の部長にする」

藤本は一瞬言葉を失ったが、ようやく「お待ちください」と言った。

「私はご存じのように海軍しか知らない男です。経営も商売も何ひとつ知りません」

しかし鐵造は平然と言った。

「帝国海軍も聯合艦隊も今はない。君の人生は、もう海軍にはないのだ」

その言葉は藤本の心に衝撃を与えた。それはたしかな事実であるにもかかわらず、終戦後、自分で受け入れようとはしてこなかった言葉だった。十五歳で海軍兵学校に入り、以来、人生のすべてを捧げてきた帝国海軍は消滅した。これからの人生は一民間人として生きていかなくてはならない。しかし藤本自身にはまだその覚悟がなかった。ラジオ修理をやろうと決めたのも、当座の生活と、職がなく困っている部下たちの生活をなんとかしてやりたいという思いだけだった。

戸惑《とまど》う藤本に鐵造は言った。

「これを計画したのは君だ。作戦を立てた者が前線に立つ覚悟がなくて、どうして人がついてくるのか」

「それはそうかもしれませんが、私はさきほども申しましたように――」

鐵造はにやりと笑った。

「帝国海軍の士官は率先垂範《そっせんすいはん》を旨とするのではなかったのか」

藤本は自分の体に緊張が走るのを感じた。そうだ、海軍は指揮官が常に先頭に立って戦うのを規範とした――。

「君が軍人上がりで商売の素人《しろうと》であるなら、これから玄人《くろうと》になればよかろう。誰もが最初は素人だ。それともアメリカとは戦えても、商売の戦いは怖いのか」

今度は藤本がにやりと笑う番だった。

「わかりました。やらせていただきましょう」

「ラジオ部にはうちの精鋭をつけるから、心配はいらん。逓信院にはぼくも知り合いがいる。貴族院議員を八年もやっているのだ。そっちのほうは何とかしよう」

藤本は自分の人生が今、大きく変わろうとしているのを感じた。


鐵造はすぐに行動を起こした。翌週には藤本を入社させ、臨時のラジオ部を作って彼を部長に据えた。藤本の下には武田新平が次長として付いた。ただしラジオ部の部屋はなく、総務の片隅に机が二つ与えられただけのものだったし、とりあえずは部長と次長の二人しかいない最小の部であった。

武田が言った。

「私は外地から引き揚げて、郷里に待機している店員に依頼して店舗を探します。部長はラジオの技術者を集めてください」

「わかりました。精一杯頑張りますので、よろしくお願いいたします」

藤本が言うと、武田は笑った。

「部長、そのような言葉遣いはおやめください。部長なのですから威厳をもって部下に命じてください」

「しかし私は商売のことに関しては何も知らないので」

「わからないことはお聞きください。しかし上に立つ者は下の者を強く引っ張っていかなくては、部の士気にさしつかえます。今のところは二人だけですが、いずれ大所帯になります」

「よし、わかった」と藤本は言った。「武田君は、店舗の候補地が決まり次第報告すること。私は技術者名簿を作る」

武田は黙って笑うと、海軍式の敬礼をしてみせた。

藤本は当面の計画を作ると、事業資金の計算をした。鐵造は三百店舗が目標と言ったが、それは一朝一夕には無理だろう。とはいえ春までには百店舗は確保したい。そのための当座の資金として五百万円は必要だった。しかしそれはとてつもない大金だった。

藤本は事業計画書を作ると、鐵造の元を訪れた。計画をひととおり説明したあと、「経理部から五百万円を調達してもらいたいのですが」と言った。鐵造はじろりと藤本を睨んだ。

「君はラジオ部の部長ではないか。他所《よそ》はどうか知らんが、わが国岡商店の部は、すべて一国一城の主だ。金の算段もすべて部長の責任である」

藤本は驚いた。五百万円などという大金が用意できるなら、最初からラジオ修理の仕事などは持ち込まない。いったいこれはどういうことなのか。茫然とする藤本に鐵造が言った。

「うちには五百万円などという金はない。なければ、どうする？」

「銀行から融資を受けるしかありません」

「君は、その金を経理部の連中に、銀行から借りてこいというのだな」

藤本には鐵造の言わんとしていることがわかった。

「私が自ら銀行に出向きます」

鐡造は頷いた。

「銀行は単なる金貸しではない。採算ある事業、たしかな未来のある事業と思えばこそ、融資もする。ラジオのことを何も知らない経理部長が行って、銀行家を納得はさせられない」

藤本は自らの甘さを恥じると同時に、自分はいまだ海軍気質が抜けていなかったのだなと思った。


藤本は経理担当の柏井常務と部下の武田と一緒に、都内の銀行を回った。交渉は自分が前面に出てやるつもりでいたが、これには勇気が要った。というのも海軍では借金は罪悪のように言われていたし、お金を貸してほしいと頭を下げるのは恥ずべき行為以外の何物でもなかったからだ。

最初に訪れたのは東和銀行の日本橋支店だった。支店長代理という三十過ぎの男が対応した。

藤本は事業計画書を机に広げ、懸命に説明した。しかし相手はさして興味なさそうに聞いていた。藤本が「五百万円を融資してほしい」と頼むと、「無理ですな」とにべもなく言った。

「ラジオ一台の修理代金でいくら利益を上げることができるんです？　二百万台のラジオを修理すると言われるが、二百人ばかりの技師で何年かかりますか？　一人が一日に五台直しても一千台。一年で三十万台でしょう。二百万台直すのに七年はかかる。私の予想ではそのころには新品のラジオが世に大量に出回っていますよ」

「いや、効率よく修理すれば、一日にもっと多くのラジオが修理できます」

「さきほどラジオの修理で必要なのは真空管とおっしゃっていたではないですか。それだけ大量の真空管は今は入手はできないでしょう」

「それはＧＨＱから手配してもらうつもりです。このラジオ修理の政策はもともとＧＨＱが打ち出したものなんです」

「真空管は一本いくらするんですか？」

「それはモノによります」

「アメリカ製の真空管となれば、結構な値段はするでしょう。もしかしたら修理の工賃よりも高くつく可能性もある。そこまでの金を払って、壊れたラジオを修理する人が二百万人もいますか？」

「ラジオはいちばんの娯楽です。ラジオが一台あれば、音楽も聞けるし、芝居も聞けます」

戦争中は大本営発表など戦争一色の放送をおこなっていた日本放送協会も、今では音楽や演芸、ドラマなど娯楽番組を復活させていた。

「今、そんな優雅な身分の人がどれだけいるのです」

「いや、こういうときだからこそ、娯楽が必要なのではないですか」

「ほう、海軍ではそういう考え方ですか」

支店長代理は鼻で笑った。「そんな甘い考えだから、戦争に負けたんじゃないですか」

藤本は思わず支店長代理の顔を見た。

「聞けば、戦艦大和は沖縄で沈められるまで一度も戦闘しなかったそうですね。トラック島に停泊したまま、長官たちがのんびり過ごしていたとか。毎日、軍楽隊に音楽を演奏させて、優雅な昼食を食べていたというではありませんか。なんでも『大和ホテル』と呼ばれていたそうですね。戦艦武蔵は『武蔵旅館』だとか」

藤本は自分がいたぶられている気持ちがした。怒り出したいのをぐっと我慢した。

「融資の件はお考えいただけないでしょうか」

「銀行は慈善事業ではないんですよ。採算が取れないと予測される事業に金は出せません」

「わかりました。今日はこれで失礼します。あらためて事業計画を書き直して、またお邪魔します」

支店長代理は黙っていたが、藤本たちが立ち上がると、皮肉っぽく言った。

「戦艦大和には国家予算の三パーセントが使われたというじゃないですか。銀行家から言わしてもらえば、何という無駄遣いですか。海軍は経済というものがまったくわかっていなかったのですね」

藤本は黙って支店長代理に頭を下げた。


「よく耐えられましたね」

銀行を出たとき、武田が言った。柏井常務は何も言わなかった。

藤本は褒められても嬉しくはなかった。むしろ交渉の最初に、「元海軍大佐」と名乗ったことを恥じていた。昔の肩書を言ったのは、どこかそれを誇る気持ちがあったからに違いない。今はこうしてラジオ修理のために借金の申し込みをしているが、元は海軍大佐なのだ、ということを相手に知ってもらいたい気持ちがあったのだ。しかしそれは何の効果もなかったばかりか、むしろ相手をかたくなにさせただけだった。

「それにしても、非常に失礼な男でしたね。戦艦大和は藤本さんとは関係ないですよね」

「いや、むしろあの男に感謝している。俺は今日から元海軍大佐という過去をいっさい忘れることにした。国岡商店の商人となって一から修行する」

そのとき、初めて柏井常務が笑顔を見せて言った。

「次に行きましょう」

一行はこの日、三つの銀行を回ったが、いずれからも融資は受けられなかった。

その週は全部で九つの銀行を回ったが、すべて空振りに終わった。

藤本は金を借りるということがこれほど難しいものとは思わなかった。しかしこのまま融資が受けられなければ、ラジオ修理の仕事は頓挫する。自分が声を掛けている元部下たちの仕事もない。

銀行を回りながら、藤本は市況についても随時調査していた。日々物価が上がっていくインフレを迎えて、銀行も大変なときだというのがわかった。国民の多くはわずかな預金を引き出し、何とかその日の生活をしのいでいた。預金引き出しが殺到する中、どこの銀行も融資の金どころか、預金引き出しの金を工面するのにさえ一苦労だったのだ。そんな状況で、総額で五百万円もの融資を受けるのは至難のわざだと藤本は思った。


翌週の月曜日の朝、いつもどおり出社した藤本は本社の廊下で鐵造に会った。

「どうだ、金は借りられたか」と鐵造が訊ねた。

「いえ。なかなかうまくはいきません」

「目標額の半分くらいか。それともその半分くらいか」

「いえ――」藤本は小さな声で言った。「まだ一円の融資も受けられておりません」

鐵造は顔色ひとつ変えずに言った。

「このまま、融資が受けられなければ、ラジオ部は解散する。わかっているな」

「はい」

「融資が受けられないのは、なぜなのかわかるか」

「現在の金融状況が厳しいからです」

「違う！」鐵造は一喝した。「君の真心が足りないからだ。至誠天に通じると言う。君が本当にラジオ修理の事業に命を懸けて取り組む気概があるならば、そしてその事業に利益が出るという信念があれば、その思いは必ず伝わる。そうではないか」

藤本は思わず、うっと唸った。

たしかに店主の言われるとおりだ。俺は必死でやっているつもりだったが、どこか他人事であったのかもしれない。これは俺にとって生きるか死ぬかの戦いだ。軍艦同士の命のやりとりではないが、俺の肩には部下たちとその家族の生活がかかっている。そして国岡商店の運命もかかっているのだ。

藤本は総務のラジオ部に行くと、武田に「明日からもう一度銀行詣でだ」と言った。

「どこへ行きますか。大きなところはあらかた回りましたが」

「これまで回ったところをもう一度回る」

「一度断られたところを、ですか」

藤本は頷いた。

「俺はこの事業が上手《うま》くいくと信じている。店主も信じてくれたからこそ、俺に任せてくれたんだ。融資が受けられなかったのは、俺の熱意と説明が足りなかったのだ。来週、もう一度、回る。ただし事業計画はさらに細かく書き直す必要がある。銀行を回って、今のような丼《どんぶり》勘定な計画では駄目だということもわかった」

「わかりました。今日中に新たに事業計画を書き直します」

「頼む」

翌週、藤本は柏井常務、武田次長をともなって、以前に訪ねた第一銀行（現・みずほ銀行）に出向き、支店長相手に新たに書き直した事業計画書を見せて、国岡商店がこの事業にいかに力を入れているかを懸命に語った。

さらに実際に持参した壊れたラジオを見せ、その場でテスターを使って、真空管を交換してみせた。この日のために家で何度も繰り返した作業だった。わずか数分のこの見世物は銀行家の注意を惹いた。支店長は藤本が器用にラジオを分解し、目の前でラジオが直されていく様子を興味深く見た。

修理を終えたラジオのスイッチを捻ると、英語が聞こえた。GHQの短波放送だった。藤本はチューニングを触って、日本放送協会に合わせた。ラジオから「リンゴの唄」が聞こえてきた。

支店長室にいた四人は雑音混じりの「リンゴの唄」にじっと耳を傾けた。誰も何も語らなかった。

やがて歌が終わり、アナウンサーの声が聞こえた。藤本は静かにスイッチを切った。

支店長はじっと黙っていたが、おもむろに口を開いた。

「融資を検討してみましょう」

「本当ですか」

藤本は思わず声が裏返った。

「融資をおこなうとは言っていません。検討してみます」

「ありがとうございます」

何度も頭を下げる藤本に支店長は苦笑した。

この日、藤本たちは何度も銀行を回り、事業計画書を見せた上で、ラジオ修理の実演を演じてみせた。多くの銀行家が興味深く眺めた。

一週間後、第一銀行から正式に融資が決まったという報せがあった。金額は六百万円だった。その数日後、東京銀行（現・三菱東京ＵＦＪ銀行）からも四百万円の融資が下りた。

二銀行を合わせると、一千万円という当初の計画に必要な額の倍の資金が手に入った。

「藤本部長、よかったですね」

二つの融資が決まった後、三人が東京銀行から出たとき、武田が藤本に祝福の言葉をかけた。

「武田君、俺はまだ夢でもみているようだ。柏井常務、ありがとうございました」

柏井はにっこりと笑った。

「よくやったよ、藤本君。しかし、これからが本当の戦いだよ」

「はい」

「融資は金を貰ったわけじゃない。きっちりと返済しなければならない。つまり絶対に事業を成功させなければならないのです」

藤本は「はい」と言いながら、自らの責任の重さを感じた。

年が明け、昭和二十一年の一月、国岡商店のラジオ部が正式に発足した。

鐵造は年頭の訓示で二階ホールに集まった店員に向けて訓示を述べた。

「新しい年を迎えた」鐵造は第一声でそう言った。「今さら言うまでもないことだが、戦争は終わった。まさしく新しい時代が来た。国岡商店も今年が勝負の年である」

鐵造は店員一同の顔を見た。

「今年は海外へ行っていた店員たちが戻ってくる。満州、中国、朝鮮、そして南方から仲間たちが戻ってくる。おそらく彼らは大変な苦労の末に帰国することだろう。私たちは彼らを勇気づけ、励まさなくてはならない。国岡商店の海外資産はすべて失ったが、国岡商店の魂は今も燃え続けているということを彼らに見せなくてはならない」

店員一同の顔が紅潮した。

「今年、わが社はラジオ普及事業を立ち上げたが、これに失敗すれば国岡商店は倒れることになる」

その瞬間、ホール全体の空気が張りつめた。

「しかし、この事業が成功すれば、国岡商店が目指してきた大地域小売業の理念が実を結ぶこととなる」

鐵造はそこで一拍置いた。

「まさしく国岡商店の興廃はこの一年にある」

藤本は全身が引き締まるのを感じた。そして、この戦いは絶対に負けられないと思った。

本社の五階部分がすべてラジオの修理工場になった。配電盤、各種コード類、計器やテスターなどさまざまな部品が大量に持ち込まれた。

全国に七つあった国岡商店の支店と営業所は「ラジオ修理」の店に代わった。しかしそれだけでは足りず、店員たちが各地に飛んで店舗を探した。

二月には、ラジオ修理の店は四十になり、さらに三月には倍になった。しかし店とは言え、たいていは民家を間借りしたもので、中には煙草屋の二階を借りた店舗もあった。店員たちはそこに国岡商店の看板を掲げ、「ラジオ修理をおこないます」と張り紙をし、また自らが壊れたラジオを求めて一軒一軒家を訪ね歩いた。

新たに店員となった旧海軍の無線技術者も全国を行脚した。その中には藤本の姿もあった。

「大佐自らが行かなくてもいいのではないですか」

海軍時代の部下で、今はラジオ部の部下となった石川秀樹が言った。

「大佐はやめろ。今はラジオ部の部長だ。呼ぶなら部長と呼べ」

「はい」

二人は上野から東北に向かう汽車の中にいた。二人とも相変わらず上は背広で下は軍服のズボンというでたちだった。ほかに着るものがないのだ。それは国岡商店のほとんどの店員が同じだった。いや、街を往く男たちのほとんどがそうだった。

「石川はちゃんと食べているか」

「食べていたら、こんなに痩《や》せてはいませんよ」

「お互いに給料だけでは食べてはいけないな」

「われわれはまだましです。街には仕事もない男たちが溢れかえっているのですから」

藤本は汽車の中を見た。男たちの多くがリュックを背負っていた。その中には衣類や小物類など、ヤミ米と交換する物資が入っているのだろう。配給だけではとても食べてはいけない。皆、顔色は悪く、栄養失調はあきらかだった。

「しかし、この事業が失敗したら、われわれもまた職を失うことになる」

藤本の言葉に石川は黙って頷いた。

仙台へは明日の朝に着く。そこで数日過ごし、次は盛岡へ移動する。そこから秋田へ行く予定だった。東京へ戻るのは四月になる。

「国岡商店に入って驚いたのは、店員たちの働きぶりだ」

藤本の言葉に、石川は「同感です」と言った。

「まさか民間会社の者たちがこれほどやるとは思っていませんでした。帝国海軍も顔負けですね」

藤本は大きく頷いた。

「それにしても半年前まで、まさか自分がこうしてリュックを担いで、全国を回ってラジオを修理するとは思ってもいませんでした」

藤本は、そうだな、と答えた。戦争が終わったのはわずか半年前だ。あのときは、自分は死ぬ覚悟だった。威容《いよう》を誇った聯合艦隊のほとんどの艦船は沈み、多くの将兵が海の藻屑と消えた。兵学校の同期の多くも死んだ。藤本たち生き残った海軍将兵たちは、陸戦隊として、上陸する米軍を迎え撃つ覚悟だった。その地がどこになるかはわからなかったが、そこが自分の死に場所と思っていた。おそらくは決戦のときは昭和二十年の秋——自分は新しい年を迎えることはないだろうと思っていた。

それが今、このようにリュックを担ぎ、かつての部下とともにラジオ修理のために東北を回っている。藤本は自分の運命の不思議を思うと同時に、亡くなった戦友たちのためにも生きねばなるまいと思った。日本を立て直すために、やれることはなんでもやる。藤本はさまざまな地方でラジオを修理した。基本的に現金決済だったが、田舎の人々はあまり金を持っていないことも多く、米などで支払いたいという者もいたが、これはむしろ有り難かった。

苦しい日々だったが楽しかった。壊れたラジオが直って、音楽やドラマが聴こえると、素朴に喜ぶ人々の顔を見るのは、とても嬉しかった。こんな感情は海軍時代には一度も味わったことがないものだった。

国岡商店との出会いが自分を変えたと思った。店主もすごいが店員たちもすごい。彼らは慣れない業務にもかかわらず、藤本たち元海軍の技術者たちが感心するほど真剣にラジオについて学び、修理の仕事に取り組んだ。店主が終戦後、重役たちの反対を押し切って店員をひとりも馘首しなかったという話を聞いたときは驚いたが、店員たちの優秀さを目の当たりにすると、それはある意味で当然とも思えた。これほどの男たちを馘首することなどできない。

自分が国岡商店の店員であることを誇らしく感じた。俺はここに骨を埋めようと思った。俺の死に場所はここだ。

四、東雲忠司《しののめただし》

「富士が見えたぞ」

誰かが叫ぶ声に、東雲忠司《しののめただし》は狭い船室から甲板に駆け上がった。

すでに甲板にはびっしりと人が並んでいた。東雲は舷側《げんそく》に並ぶ人たちの頭越しに北西の方角を見た。

そこには、夢にまで見た富士の頂がくっきりと浮かんでいた。

ついに帰ってきた——東雲は胸が詰まる思いだった。四年ぶりに見る祖国だった。

甲板の男たちは白い富士を見て涙を流していたが、東雲は泣かなかった。これからの苦難の日々が心を覆ったからだ。

南方からの初めての帰還船である旧海軍の駆逐艦《くちくかん》「神風《かみかぜ》」の中には多くの復員兵士たちに混じって、国岡商店の社員が十七名乗っていた。「神風」は旧式の駆逐艦で幸運にも生き残った船だったが、それでも二つある機関のうちのひとつは壊れて満身創痍《そうい》の状態だった。

二月十二日夕刻、「神風」が神奈川県の浦賀港に着いた。

港には米軍兵士がたくさんいた。東雲は彼らを見たとたん、日本は今、占領軍の支配下にあるのだということをあらためて思い知らされた。

船から降りた東雲らはいきなり頭から白い粉を浴びせられた。あとでＤＤＴという薬だということを知った。進駐軍から冬の軍服と外套《がいとう》を支給されたが、四年近く熱帯で暮らしていた身には日本の冬の寒さはこたえた。

その夜は倉庫の板の間に敷かれた薄い布団で、大勢の帰還兵に混じり、雑魚寝《ざこね》した。

「小松、明日はどうする？」

東雲は部下の小松保男に訊ねた。

「さあ、どうしましょう」

「おそらく本社はもうないだろう」

「はい。東京は焼け野原になったと聞いていますし、万が一、空襲に遭わないでいたとしても、店はもうなくなっているでしょう」

「店主が無事だといいが」

東雲は鐵造の顔を思い浮かべた。最後に会ったのは昭和十七年だ。あのころは日本は勝《か》ち戦《いくさ》だった。フィリピンからマッカーサーを追い払い、シンガポールの英軍を降伏させ、東南アジア全域を占領した。あれはわずか四年前だった。三十三歳だった東雲は三十七歳になっていた。

しかし今、日本は全土が焼け野原になり、噂によると、国民の多くは今日食べるものもないという。

薄い布団にくるまって震える東雲の脳裏に、四年前のことが蘇ってきた。

南方に赴く前に、鐵造は壮行会を開いてくれた。そこで鐵造は東雲に言った。

「国岡商店の店員として、誇りを持って働け。国岡商店のもとで培《つちか》った力を、国家のために尽くせ」

鐵造は東雲の手を強く握った。

「国岡商店のことよりも国家のことを第一に考えよ」

東雲の耳には鐵造の言葉が今もはっきり残っていた。

国岡商店の店員たちが軍からの要請を受けて、比島（フィリピン）、マレー、ボルネオ、スマトラへ派遣されたのは、現地の民需用の石油の管理と販売のためだった。しかしこの任務は辛いものだった。陸軍や海軍の軍人たちは石油のことは何も知らないにもかかわらず、しばしば筋の通らない理不尽な要求をして、東雲らを悩ませた。またマラリアなどの風土病が猖獗《しょうけつ》する熱帯の気候は厳しかった。

さらに十九年の後半以降は、油田地帯に連合軍の激しい空襲を受けた。比島では激しい銃撃戦もおこなわれた。このため国岡商店の二十七名の店員が病気や戦闘で命を落とした。そんな過酷な状況でも、国岡商店の店員たちは懸命に働いた。

二十年の八月、東雲はマレーで終戦を迎えた。陸海軍の将兵たちは敗戦という信じられない現実に呆《ぼう》然《ぜん》自失となり、終戦と同時に軍はタガが緩んだようになった。統制も秩序も失われ、物資の横流しや窃盗が頻繁におこなわれた。そうした中にあって東雲らは最後まで規律正しく行動した。揮発油（ガソリン）や軽油をドラム缶代用の木樽に入れて、兵隊たちに見つからないように各地の山に埋めた。敗戦となった今、それらの石油の所有権が何処《どこ》に帰すかはわからなかったが、国岡商店が管理したものには最後まで責任を果たすという信念ゆえだった。終戦後、占領軍が、軍需用の石油以上に国岡商店の民需用の石油が大量に保管されているのを見て驚嘆したという。

翌朝、東雲たちは浦賀港のキャンプを出た。

「とりあえず、一刻も早く郷里に戻って、家族に元気な顔を見せてやれ」

東雲は四年も苦楽をともにした部下たちに言った。

「東雲課長はどうされるのですか?」

「俺と小松はいったん、東京の本社に戻る。もし本社が残っていて、店主が無事なら、必ずお前たちを迎えに行く」

東雲は言いながら、自分の言葉に虚しさを覚えた。万が一、本社がかろうじて残っていたとしても、すべてを失った国岡商店は倒産するしかないだろう。もはや石油を扱うことは不可能だったし、いっさいの収入を断たれているのだから。いや、日本がこれからどうなるのかさえ、わからない中で、国岡商店が生き残れるとは思えなかった。

「課長は郷里には戻られないのですか?」

「俺は店主から直々に命を受けて南方に渡った。その報告だけは済ませないといけない」

東雲はもし国岡商店が焼け落ちていたなら、店主を訪ねて彼の故郷の福岡へ向かおうと思っていた。東雲の実家も同じ福岡だった。もし店主が亡くなられていたなら、墓前で報告をするつもりでいた。

「心配するな。お前たちの分もちゃんと報告しておく」

部下たちははじめて少しだけ笑顔を見せた。

東雲と小松は浦賀から汽車に乗って東京に向かった。

どの汽車もぎゅうぎゅう詰めだった。皆が軍服姿で背中にはリュックを背負っていた。背広の上に外套を羽織《はお》っている東雲と小松は乗客から不思議そうな目で見られた。

東雲は男たちが一様に痩せているのに気が付いた。

「これはそうとう栄養状態が悪いですね」小松が小さな声で言った。

「ああ、ろくに食べていないという感じだな」

しかしそう言う東雲たちも、収容所ではろくな食糧を与えられずに、二人とも痩せ細っていた。

「仕事もないようですね。乗客のリュックには何が入っているんでしょう」

「米か芋だろう」

東雲は言いながらも、東京の住人には米が満足には配給されていないのだろうと考えていた。

「店主は今年おいくつになられましたか」

小松の問いに、東雲は、生きておられれば、という言葉を飲み込んだ。

「数えの六十一だ」

「すごい年ですね。役人ならとっくに定年ですね」

「ああ、普通なら隠居老人のお年だが、店主は特別だよ」

「御無事であればいいんですが」


車窓から見える浦賀や横須賀の街には、空襲の名残り《など》はほとんど見えなかった。東雲は、古い街並を眺めながら、日本は本当に戦争に負けたのだろうかと思った。しかし、横浜に入ると、光景は一変した。そこには壊れたビル、剝《む》き出しになって折れ曲がった鉄骨、ひしゃげたタンク、屋根が吹き飛んだ工場、そして焼け野原になった町があったからだ――おそらく京浜工業地帯を狙って集中的に空襲を受けたのだろう。噂には聞いていたが、想像を絶するひどさだった。

横浜を過ぎて川崎に入ると、惨状はいっそうひどくなった。港に面したあたりはほぼ完全な廃墟だった。日本の産業を支えていた大工業地帯が完全に壊滅していることを示していた。

多摩川を越えて都心に入ると、一面が見渡すかぎりの焼け野原だった。二人はただ声もなく見つめているだけだった。戦争に負けるということはこういうことなのか――。兵隊が死ぬだけではない。国中が破壊され尽くすのだ。

東雲と小松は有楽町で降りたが、二人の記憶にある銀座の面影はどこにもなかった。駅から皇居が見えるほど、建物という建物は破壊され尽くしていた。

駅前にはテントやバラックが立ち並び、ボロを纏《まと》った人や浮浪児がたむろしていた。ここへ来る前にさんざん見てきた光景で覚悟はできていたとはいえ、実際に懐かしい町が壊滅しているのを見たときは、胸が締め付けられるようだった。もはや日本は立ち直ることなどできない、と思った。世界の三等国として、今後は惨めな暮らしをしていくことになるだろうと思った。あまりの絶望感に涙も出なかった。

国岡商店の本店が木挽町三原橋に移転したのは昭和十八年だから、前年に南方へ派遣された二人は一度も見たことがない。焼け落ちていたとしたら、その場所がどこかさえわからない。東雲と小松は瓦礫が残る晴海通りを無言で歩いた。

数寄屋橋を渡り、焼け残った服部時計店の前まで来たとき、外壁だけが残る歌舞伎座の隣に、五階建てのビルが見えた。

「課長！」

小松が叫んだ。同時に東雲の目もはっきりそれを捉えていた。そのビルの上に「国岡商店」という金色の文字が光っているのを。

国岡館はまるで東雲らを待つように、すっくと立っていた。

二人はほとんど同時に走り出していた。舗装が剝《は》げた道路の石に何度もけつまずきながらわけのわからない声をあげて走っていた。道行く人に奇妙な目で見られたが、まったく気にならなかった。

国岡商店に入ると、そこには懐かしい顔がいくつもあった。そこにいた全員が二人を見て歓声をあげた。東雲と小松も胸がいっぱいになったが、それよりもまず会わなければならない人がいた。

「店主は？」

「三階におられる」

二人は一気に階段を駆け上がり、店主室に飛び込んだ。

部屋には、鐵造と常務の甲賀と柏井がいた。

鐵造は二人の顔を見るなり「東雲、小松！」と叫んだ。柏井と甲賀も「おお！」と声をあげた。

「ただ今、戻りました」

東雲と小松は直立不動で言った。

鐵造はしばしの沈黙の後、「ご苦労であった」と厳かに言った。そしてすぐに満面の笑みを浮かべた。

「よくぞ、戻ってきた」

「十七名が復員兵とともに第一便として帰還いたしました。私と小松以外の者は浦賀からひとまず故郷へ戻りました。他の者もこの後、南方から帰ってきます」

鐵造は頷いた。

「戦争が終わってから、現地は大変なことであったろう」

「軍隊は戦争に負けましたが、私どもは負けませんでした」

東雲の言葉に鐵造の鋭い目が光った。

「国岡商店の店員として、店主から与えられた使命は果たして参りました」

鐵造は二人の顔をじっと見つめた。東雲はその目に涙が浮かんでいるのを見た。

東雲は終戦の日から国岡商店の店員たちがどのような働きをしてきたかを説明した。戦後も全員が自らの務めを果たし、占領軍をも驚かせるほどの働きをしたと聞いて、鐵造は満足そうに何度も頷いた。

「それでこそ国岡商店の店員だ」

鐵造は今や頬を伝う涙を拭おうともせずに言った。

「現地での資産はすべて失ったが、ぼくは君たちが務めを立派に果たしたことが何よりも嬉しい。国岡商店にとって、これほどの喜びはない。君たちはぼくの誇りだ」

東雲と小松ももはや流れる涙をこらえることができず、男泣きした。焼け野原となった日本を見たときでさえ、出なかった涙があとからあとから流れ出た。

二人を見つめる柏井と甲賀もまた目に涙を浮かべていた。

五、GHQ

宇佐美幸吉《うさみこうきち》がラバウルから引き揚げてきたのは、二十一年の二月下旬だった。戦争末期のラバウルは完全に補給が断たれ、食糧は自給自足だったが、とても満足のいく量は食べられず、兵隊たちは皆、飢餓に苦しんだ。宇佐美の体重も六五キロから五〇キロまで落ちていた。現地では多くの兵隊が栄養失調で亡くなった。哀れだったのは、引き揚げ船の中でも、少なくない兵隊が栄養失調で亡くなったことだ。

四年ぶりに郷里の宮崎の実家に戻ったとき、すっかり痩せこけた息子の姿を見て、母は泣いた。宇佐美の実家は小さな農家だったが、米だけはたらふく食べることができた。しかし帰ってしばらくは一膳のご飯さえ喉を通らなかった。すっかり胃袋が小さくなっていたのだ。それでも三月半ばには、体重も体力もかなり戻った。

ただ元気になっても何をする気も起きなかった。朝は遅くまで寝て、日がな一日ぶらぶらと過ごした。いつ死ぬかわからない極限の緊張状況から解放された反動による虚脱感――いわゆる「戦争ボケ」の状態だった。村には、宇佐美と同じように、軍隊から戻って、無気力なまま一日何もせずに、呆《ほう》けている若者が何人かいた。

そんな宇佐美を見ても父は何も言わなかった。二十歳で召集され結局四年間も戦地にいた息子を哀れに思っていたのだろう。

　ところがある日、宇佐美がいつものように縁側でのんびり日向《ひな》ぼっこをしていると、父がやってきて、「幸吉、これからどうする?」と訊いた。

「復員して、ちょうど二ヵ月だ。もう十分休んだだろう」

　もう二ヵ月も経つのかと宇佐美は思った。まだ二週間くらいしか経っていないような気がした。帰国してから時間の感覚がまるでなくなっていた。

「そうだなあ」宇佐美は生返事をした。

「国岡商店に戻らないのか」

「国岡に?」

　宇佐美は召集される以前は国岡商店に勤めていた。十八歳で福岡商業を卒業して二年目の年に赤紙《あかがみ》が来た。しかし店に籍が残っているはずはないと思っていた。

「お前の復員を知った国岡商店の社長さんから、元気になったら戻ってこいという手紙が来たぞ」

　それは意外だったが、復職する気はなかった。というか、焼け野原になった東京に行く気などなかった。都会では米さえ満足に食べられないという話は宇佐美も聞いていた。ここにいれば、少なくとも米は食える。それにどうせ国岡商店はつぶれる。

「やめとくよ」と宇佐美は言った。「国岡商店に戻る気はない。ここで親父の跡を継いで百姓をするよ」

　百姓を継ぐのは父の夢でもあった。それに反抗して都会の学校へ行き、国岡商店に入社したのだ。結局、巡りめぐって百姓をすることになるのも自分の運命なのだなと思った。父も喜んでくれるだろう。

「馬鹿もん！」

いきなり父が怒鳴った。

「国岡商店は、お前が軍隊に行っている間、ずっとうちに給金を送り続けてくれたんだ。辞めるなら、その四年分の恩返しをしてから辞めろ！」

宇佐美は父の剣幕にも驚いたが、国岡商店がずっと給料を払い続けてくれていたことにも驚いた。

「俺は息子をそんな恩知らずな男に育てた覚えはない」

これほど激高する父を見たのははじめてだった。

「わかった」父の怒りに圧倒された宇佐美は言った。「俺は国岡商店に戻る」

父はにこりともせずに大きく頷いた。

「米だけはたっぷりと持たせてやる。もしも社長さんが食う米に困っていたら、すぐに知らせろ。俺が東京まで米を持っていく」

翌日、宇佐美はリュックに米を山ほど詰め込んで、東京行きの列車に乗った。


重森俊雄《しげもりとしお》が比島（フィリピン）から引き揚げてきたのも、二十一年の二月だった。

再び生きて日本の地が踏めるとは夢にも思わなかった。重森はルソン島で、戦車を含むアメリカ軍の凄まじい攻撃を受けた。圧倒的な重火器の前に、日本軍は夥《おびただ》しい死者を出して壊滅した。ジャングルに敗走した重森たちを待っていたのは、飢餓だった。多くの兵隊が飢えて死んだ。重森のいた部隊で生き残ったのは一割にも満たなかった。彼は地獄を見たと思った。

石川県の実家に戻ってはじめて、戦地に行っていた二人の兄のうちひとりは戦死し、もうひとりは生死不明だということを知った。父は病に伏せっていた。戦争は日本だけでなく、重森家もぼろぼろにしていた。家には十代の妹が三人もいた。

重森が金沢高等工業学校（現・金沢大学工学部）を出て国岡商店に入ったのは昭和十二年だった。国岡商店には珍しい理科系の出身で、金沢高工では機械設計を学び、将来は国岡商店で石油の製油所施設を作るという夢を持っていた。十九年の春に二十七歳で軍隊に召集されたが、戦争が終われば国岡商店に復帰するつもりでいた。しかし、もはやそれは叶《かな》わぬことと悟った。病に伏せる父、年老いた母、そして妹たちの面倒を見なくてはならない。兄亡き後、今や自分が一家の大黒柱だった。

重森は国岡商店の店主宛に、自らの置かれた状況を綴り、心ならずも店を辞めなくてはならない旨を記した手紙を出した。

店主から巻紙に毛筆で書かれた長い手紙が来たのは、その十日後であった。そこには優しい慰藉《いしゃ》の言葉と力強い激励の言葉がしたためられていた。そして最後に「苦しいけれども頑張れ。いつか国岡商店に復帰できる日が来ることもある。国岡商店は君が戻ってくるのを待つ」と書かれ、少なくない金が同封されていた。その金は、貧窮していた重森家には旱天《かんてん》の慈雨とも言うべきものだった。

重森は手紙を読みながら何度も泣いた。

三月のある日、鐵造がいつものように出社すると、ひとりの店員が頬を紫色に腫らしているのを見た。

「どうしたんだ、その顔は？」

店員は悔しそうな表情で、「進駐軍に殴られました」と答えた。

「昨日、新橋の駅前で、おばあさんが屋台で売っているヨモギ餅を金も払わないで勝手に盗っていったアメリカ人たちに注意したら、いきなりこれです」

「腹が立つ気持ちもわかるが、相手が悪い」

「私も一つ二つなら黙っていました。ですが奴ら、十個も二十個も袋に入れて盗っていくんです。泣きそうなおばあさんの顔を見ていると、田舎のお袋を思い出して、つい――」

鐵造は財布から金を出すと、その店員に渡した。

「今夜はこれで一杯飲んでうさを晴らせ」

「こんなお金受け取れません」

「余ったら、明日、おばあさんのヨモギ餅を全部買ってやれ。課に差し入れしたらいい」

店員は腫れた顔でにっこり笑うと、「わかりました」と言った。

店員が去った後、鐵造の隣にいた甲賀が「進駐軍の狼藉《ろうぜき》ぶりは本当に腹立たしいです」と言った。

「怪我《けが》くらいで済んでよかった」鐵造は言った。「下手《へた》したら、命までも取られかねない」

当時、進駐軍兵士による犯罪自体は珍しいものではなく、殺人、強姦といった凶悪事件も後を絶たなかった。犯人が米兵とわかると、日本の警察はほとんど捜査をしようともせず、被害者の多くが泣き寝入りになった。鐵造は今さらながら、戦争に負けるということはどれほど屈辱に耐えなければならないことなのかをあらためて思い知らされた。

日本は一刻も早く主権を取り戻し、独立を勝ち取らねばならない。それこそ鐵造の悲願であった。それには経済の復興が不可欠だった。国岡商店の使命もそこにあった。

終戦の日から、鐵造は毎月十五日に、「詔書奉読会」を続けていた。東京の国岡館に働く全店員を集めて、天皇陛下の「終戦の詔《みことのり》」を読み上げ、日本が独立を果たすその日まで「臥薪嘗胆《がしんしょうたん》」で精進する気持ちを忘れないようにするためだった。そして詔書奉読の後は、鐵造自身の訓示が続いた。


「ラジオ部門はどうなっている?」

鐵造は店主室に柏井を呼ぶと、進捗状況を訊ねた。

「はかばかしくありません」

「そうか」

「そもそもラジオ修理の業務は、仕事のない店員や、いずれ海外から戻ってくる店員たちのために作った部門ではありますが、うちの店員にラジオの知識や修理技術を持った者はおりません。そのために藤本部長を通して元海軍から二百名ほどの技術者を採用したわけですが、以前からうちにいた店員で新たにラジオ部の仕事に就いた者は七十名ほどです」

「つまり七十名の店員に仕事を与えるために、国岡商店は二百名の店員を抱えたことになるのだな」

「そういうことになります」

柏井は少し弱った顔で言ったが、鐵造は豪快に笑った。

「今回採った二百名はいずれも素晴らしい技術を持った男たちだ。しかも多くが海兵（海軍兵学校）や海軍の整備学校を出た優秀な者たちだ。海兵は一高、陸士（陸軍士官学校）と並ぶ、戦前の三大難関校だ。また整備学校は、貧困のために中学へ進めず海軍に入った優秀な少年たちが選ばれて入っている。国岡商店は労せずして、素晴らしい財産を獲得したではないか」

「なるほど」

「それにラジオの修理は素晴らしい事業だと思っている」鐵造は言った。「そもそもはGHQが自分たちの政策を広く推し進めたいためのものであったのかもしれないが、ラジオは国民の生活にはなくてはならないものだ。今はまだ国民の多くが食べていくために懸命だが、いずれ娯楽が必要になってくる。いや、日々の生活に苦しい今だからこそ、ラジオから流れる歌や講談に心が癒されるのではないか。だから、ラジオ修理は日本人を精神の面で支える大きな仕事なんだ。たとえ儲けがなくとも、十分に意義がある」

柏井が退いた後、ひとりになった鐵造はラジオの業務報告書を閉じた。

柏井に語ったことは本心ではあったが、鐵造の頭の中には、やはり石油のことがあった。国岡商店創業以来三十五年にわたって石油一筋にやってきた彼にとって、石油は特別のものだった。一国を動かすものでありながら、同時に庶民の日常の暮らしに密着した身近なものでもある。その用途は無限に近い。これほど魅力に満ちた商品は他にない。鐵造は、戦争が終わった今、これからは平和な世界で石油を扱っていきたかった。

思えば、この十年は、石油も国岡商店も軍と政府に翻弄《ほんろう》されてきた。石油はひたすら軍事目的のために使われた。戦争末期、「石油の一滴は血の一滴」という標語を見たときは、何とも言えない気持ちになった。大東亜戦争とは、石油のための戦争であり、石油のために敗れた戦争でもあった。鐵造はそれが悲しかった。石油は本来、平和な産業に用いられるべきものだ。神戸高商を出て酒井商会に丁稚《でっち》として入店してこの方四十年の長きにわたって石油を扱ってきた鐵造はその信念を持っていた。

しかし今、石油配給統制会社（石統）から締め出されている国岡商店には、一滴の石油さえ入ってくる目途《めど》は立たなかった。国内に残っているわずかばかりの石油は石統に加入している石油元売会社が独占していた。

ただ、その量は戦前の七〇〇万キロリットル近い備蓄量の一パーセントにも満たなかった。さらに太平洋沿岸の製油所はGHQの命令ですべて操業が中止させられていた。そのため国内にわずかに残っていた油田も無用の長物だった。原油は製油施設で精製しなければまったく使うことができない。

東久邇《ひがしくに》内閣は終戦の年の秋に、現状のままでは日本人の生活が成り立たないとして、GHQに石油の輸入を請願したが、敗戦国が図々しいことを言うなとばかりに、その願いは一蹴《いっしゅう》された。

しかしGHQも、冬を迎えるにあたって、石油がなければ日本人の暮らしは立ち行かないと考えて、占領軍用の灯油を若干分配給することを了承した。ちなみに、その灯油は石統が配給と販売をおこない、国岡商店には一滴も回されなかった。

しかしそんなわずかな灯油で日本人の生活および経済が賄《まかな》えるはずもなく、日本政府は再三にわたってGHQに石油輸入を要請した。

度重なる日本政府の要求に対して、GHQ参謀部・第四部（G4）の兵站部《へいたんぶ》燃料補給班のアンドレー・チャン部長は「旧海軍のタンクの底にたまっている油を浚《さら》え」という覚書（メモ）を発した。これはあきらかな嫌がらせであった。というのもタンク底に残った油は、海軍の屈強な軍人でさえも汲み出せなかった油であったからだ。しかしこれを使わないかぎり、新たに石油は配給しないと言われれば、選択肢はなかった。

商工省（現・経済産業省）は石統にその業務を発注したが、石統に加入している業者はどこも手を上げなかった。

昭和二十一年三月、商工省から斎藤健治という役人が突然、国岡商店を訪ねてきた。肩書は鉱山課の課長となっていた。

鐵造は斎藤を店主室に通した。

「国岡商店に石油のことでお願いがあって参りました」

斎藤は言葉遣いこそ慇懃《いんぎん》だったが、どこか人を見下した雰囲気のある男だった。

「国岡商店は石統に締め出されておるのをご存じないのですか」

「存じています」

鐵造の皮肉が通じないのか、斎藤は平然と答えた。

「お願いと言うのは？」

「先年、ＧＨＱが旧海軍燃料廠《ねんりょうしょう》のタンクの底を浚え、と政府に命令しました」

「知っています。商工省は石統の業者を指定したはずですね」

「いや、いろいろあって結局、決まりませんでした。今も、旧海軍のタンクは手つかずの状態です」

「業者が決まらなかった理由は何ですか」

「人員です」と斎藤は答えた。「旧海軍のタンクは全国に八ヵ所。それだけのタンクを処理できる業者が見つからなかったのです。ほとんどの元売会社が戦後に大量の社員の首を切っていて、タンクの底を浚うだけの動員力がないのです」

「なるほど」鐵造は答えた。「タンクの底を浚うのは、並々ならぬ重労働だ。それだけの人間を集めるのは至難のわざでしょう」

「おっしゃるとおりです。今この国家事業を取りおこなえるのは国岡商店をおいてないだろう、と商工省が判断しました」

「たしかに国家事業です。おそらくはGHQの嫌がらせでしょうが、そのタンク底を浚わないかぎり、新たに日本に石油を入れないというのであれば、やるしかないでしょうな」

「やっていただけますか」

鐵造は頷いた。斎藤ははじめて笑顔を見せた。

「細かい事業計画および契約は、後日、取り交わしましょう」

斎藤が去った後、それまでずっと黙っていた甲賀が「店主、お言葉ですが――」と口を開いた。

「何だ？」

「タンク底を浚うのは簡単な仕事ではありません」

鐵造がじろりと甲賀を見た。

「われわれの調査では、タンク底を浚う業者があらわれなかったのは、人員不足だけが原因ではありません。その事業が大変な困難を要するものだから敬遠したという情報を得ております」

「それほど困難なのか？」

甲賀は頷いた。

「そのあたりの細かい事情に詳しいものはいないか」

「ラジオ部の旧海軍の連中の中には、よく知っている者がいるかもしれません」

「すぐに呼べ」

まもなく五階のラジオ部から、藤本と渡辺欣也《きんや》がやってきた。渡辺は藤本の兵学校の後輩で、三月に入社したばかりだった。海軍時代は燃料機関参謀の大佐で、終戦後は第二復員省の史実調査部におり、米軍に爆撃された日本の施設について調べる仕事をしていた関係で、旧海軍のタンクの実情についても詳しかった。

甲賀は藤本と渡辺におおよその事情を説明した。

「旧海軍のタンクの底に関しては、ある程度の知識があります」

初めて鐵造と話す渡辺は幾分《いくぶん》緊張しながら答えた。

「戦争末期には、油は払底《ふってい》していて、使える油はすべて使ったと言っても過言ではありません。もちろんタンクの底の油もすべて使いました。街道に生えている松の木まで切って松根油《しょうこんゆ》という油を作って燃料にしていたほどですから」

「あれで日本の松がそうとう伐《き》られたというではないか」

甲賀はそう言って笑ったが、鐵造はにこりともしなかった。

「つまりタンクの中には油はないのか」

「いえ」と渡辺は答えた。「あることはあります。しかしその油は雨水と泥が混じり、まさしく汚泥の中にわずかばかりに油が入っているといった有り様です」

「つまり、泥の中には油があるのだな」

「あります」

「そこから油を採ることは可能か」

「可能です」

「その作業は厄介なものか」

横から甲賀が渡辺に訊いた。

「タンクの底に下りて、泥を汲み上げ、そこから油を抽出するのは、大変な困難をともなう作業であると思います。そこはポンプも機械も使えません」

渡辺はそう言った後で、「これは旧海軍でさえもやらなかった作業です」と付け加えた。

「渡辺君は先般のＧＨＱの通達を知っているか」

渡辺は頷いた。

「どう思った？」

「無茶を言うにもほどがあると思いました」

「店主、この事案は断るべきです」

「私も甲賀常務の意見に賛成です。タンクの底を浚う作業は大変な重労働です。タンク内にはガスが充満し、しかもさきほど申し上げましたように、底はおそらく油と泥の沼のような状態だと思われます」

鐵造は「そうか」と呟くと、目を瞑《つむ》って腕を組んだ。

鐵造の眼鏡の奥の両目が開いた。そして小さいがはっきりした声で言った。

「やろう」

甲賀たちは一瞬耳を疑った。

「たしかに困難な仕事であることはわかる。しかし困難な仕事だからやり甲斐もある。よそがやれないと尻ごみする仕事だからこそ、うちがやる」

「しかし店主――」

「しかも何もない」鐵造は強い口調で言った。「国岡商店のモットーのひとつは『黄金の奴隷たる勿れ』だ。仕事は金で選ぶものではない」

甲賀たちは黙った。「黄金の奴隷たる勿れ」は店主の口癖のようなものだった。店員たちは若いころから、心に染みつくほどに言われてきた言葉だった。

「それに、国岡商店は油を扱う店だ。今はラジオ修理などさまざまな事業に手を出してはいるが、創業以来、ずっと油一筋にやってきた。たとえタンクの泥の中であろうとも、再び油を扱えることは、意義のあることだ。この事業を戦後の第一歩とするのだ」

「わかりました。店主がそこまでおっしゃるなら、私どもも全力で取り組みます。ただ、今度の請負では商工省の頼みを聞くわけですから、交換条件として石統に加入させていただきましょう」

「そんな料簡《りょうけん》でこの仕事をするのではない。そんな条件を出すくらいなら最初から受けたりはしない」

鐡造は続けた。

「タンクの底を浚う事業はひとり国岡商店だけのためではない。商工省の面子《めんつ》のためでもないし、こんなことで恩を売る気もない。この事業を成功させることによって、ＧＨＱから日本に石油が配給されることになれば、これほど素晴らしいことはない。すなわちこの事業は日本のためにおこなうものである」

「わかりました」甲賀は答えた。

渡辺は半ば呆れ半ば感動していた。命知らずの海軍でさえも手を出さなかったタンクの底に降りようと考えるとは。しかも、そのことで見返りさえも期待しない。日本中が自分のことしか考えていない中にあって、いったい何という人なんだ、この人は――。


甲賀たちが商工省と契約書を交わしたのは、四月の初めだった。

鐡造はさっそく、全店員に号令をかけた。久々の油を扱う仕事に、店員たちは沸きたった。困難な仕事と聞かされたが、尻ごみする店員などはひとりもいなかった。

鐡造はいくつかの不採算事業を清算し、この事業に約二百名を投入することに決めた。

旧海軍の燃料タンクがあるのは全国に八ヵ所、北海道厚岸《あっけし》、大湊《おおみなと》、横浜、四日市、舞鶴、呉《くれ》、徳山、佐世保だった。

六、タンク底

国岡商店による、海軍燃料タンクの底に残った残油を浚う作業が始まったのは、二十一年の四月の終わりだった。全国八ヵ所の旧海軍施設には、自宅待機していた店員たちもいっせいに馳せ参じた。彼らは各地で懐かしい顔に出会い、互いに再会を喜んだ。皆、国岡商店のために働ける喜びを感じていた。士気は大いに上がった。

しかしいざ作業を始めると、いきなり予想以上の困難さに直面した。密閉されたタンクの中の底に溜まった油を汲み出すためには、人がその中に入らなければならないからだ。

店員たちをもっとも手こずらせたのは徳山のタンクだった。戦艦大和が沖縄特攻に出撃した際に、ここから燃料を入れたという徳山の貯蔵タンクは凄まじく巨大なもので、コンクリート製で直径は八八メートル、それが空襲を避けるために丸ごと地面に埋められていた。一見すると何もない草地だが、手に入れた見取り図を見ると、天井部分から底までは一〇メートルもあった。ビルの四階に相当する深さだ。

重い鉄製の蓋《ふた》を開けると、中から強烈な異臭が漂った。

誰かが小石を投げ込んだ。少し遅れて、ぼしゃっという鈍い音が聞こえた。

「泥みたいな音だな」

東雲忠司が言った。南方から戻った東雲は課長から部長へと昇進していたが、タンク底の油を浚う事業の現場責任者となって徳山に来ていた。

ポンプで汲み上げるのは不可能だった。たちまち泥で詰まってしまうだろう。

「鉄梯子《てつばしご》を下ろすしかないな」

東雲はそう言って立ち上がると、服を脱ぎ始めた。「まず俺が行く」

そのとき、「私にやらせてください」と大きな声で手を上げる者がいた。

「君は誰だ」

「宇佐美幸吉です」

「よし、では俺のあとに続け」

「東雲部長、私がこの中ではいちばん若いです。それに田舎で米だけはたっぷり喰ってきたから、体力には自信があります」

東雲はじっと宇佐美を見ていたが、「それでは頼んだぞ」と言って、肩をぽんと叩いた。

宇佐美は軍服を脱いで褌《ふんどし》ひとつになった。四月下旬とはいえ肌寒い日だった。しかし宇佐美は寒さなど微塵も感じなかった。国岡商店の戦後はじめての油の仕事の先陣を切る喜びに全身が熱くなっていた。

蓋から折り畳み式の鉄梯子が垂らされた。宇佐美の体には安全のために命綱が付けられた。

「危ないと思ったら、大声を出せ。すぐに命綱を引き揚げる。声をかけて返事がしなくなった場合も引き揚げるからな」

「了解です」

宇佐美は心配そうに見守る先輩たちに笑顔を見せると、タンクの中に入っていった。

頭がタンクの中に入った瞬間、猛烈な異臭に、一瞬息が止まりかけた。注意深くゆっくりと息を吸った。吐き気がしそうな空気だったが、酸素はあった。しかし得体のしれないガスがあるかもしれない。長い間いると危険だなと思いながら、宇佐美は一段ずつ鉄梯子を降りていった。

まるで暗黒の底なし沼に下りていくような感じだった。上を見上げると、自分が入ってきた入り口部分は小さな白い穴のようになっている。穴の周りには先輩たちの頭の影が見える。一分おきくらいに上から「大丈夫か」と言う声がタンクの中に響いた。そのたびに宇佐美は「おう」と返事した。

不意に右足にぬるっと冷たいものを感じた。泥混じりの油だ。慎重に鉄梯子を降りていくと、下半身がどっぷりと浸《つ》かり、やがて足がタンクの底に着いた。

「底に着いた。バケツを降ろしてくれ」

宇佐美が天井に向かって叫んだ。周囲は完全な暗闇だった。ただ頭上の穴だけが小さな月のように見えた。一帯はガスが充満し、呼吸するのも苦しかった。

まもなくロープにくくられたバケツが二つ降りてきた。宇佐美は泥の中の上澄み部分をバケツに掬《すく》ってから、ロープを二度引いた。それが合図だった。バケツはするすると上に上がっていく。

宇佐美が二つ目のバケツに泥の上澄みを掬っていると、三つ目のバケツが降りてきた。

宇佐美は次から次へとバケツで廃油を汲み取っていった。やがて呼吸が苦しくなり、頭が割れそうに痛んだ。何度か目眩がしたが、懸命に頑張った。

もう限界だ、と思った宇佐美は上に向かって「上げてくれ！」と叫んだ。同時に体が引き上げられていった。

タンクから出た宇佐美を見て、全員が笑った。タンク底で作業をしているときに、飛沫を浴びていたのだろう、宇佐美の全身はまるでコールタールを塗ったように真っ黒だった。

しかし宇佐美は笑い返すこともできずにばったりと草の上に倒れた。

「大丈夫か」

東雲部長が声を懸けた。宇佐美は頷いた。

「私が中にいた時間は？」

「十八分だ」

「底には、そうとうガスが溜まっています。次に入る者は十分にしてください」

宇佐美は必死にそれだけ言って、意識を失った。


気が付けば、草の上の毛布に寝かされていた。体の上にも毛布がかけられている。

「気が付いたか」東雲が声をかけた。「大丈夫か」

東雲の体も油で真っ黒に汚れていた。宇佐美は体を起こした。

「何ともありません。軽い酸欠になっていたようです」

「そうか、それはよかった」

「他の者は大丈夫ですか」

「一人十分を限度に交代で降りている。それでも何人かは気分が悪くなって休んでいる」

見ると、草の上に先輩たちが何人も休んでいた。皆、裸で体中真っ黒だった。

空地にはドラム缶二本分の泥まみれの油が溜まっていた。

「もうこんなに採ったんですか？」

「ああ、常時、五人か六人が下に降りているからな。すごい勢いのバケツリレーだ」

宇佐美は体の上にかけていた毛布を取った。「俺もやります」

「お前はもう少し休んでいろ」

「大丈夫です」

「それなら、上でバケツリレーを手伝ってくれ」

宇佐美は立ち上がると、穴のほうに向かって歩き出した。


鐵造が横浜の旧海軍燃料廠を訪れたのは五月の初めだった。

敷地に足を踏み入れると、店員たちの勇ましい掛け声が聞こえた。やがてタンクが見えた。店員たちが懸命にバケツリレーをおこなっている。その動きは潑剌《はつらつ》とし、労働の喜びに満ちていた。鐵造が現場に近づくと、店員たちが作業を中断して挨拶した。誰もが油と泥で全身真っ黒だった。

「店主、わざわざお越しくださって、ありがとうございます」

現場を取り仕切る小松保男課長が言った。二月に東雲忠司とともに南方から戻ってきた男だった。彼もまた顔まで黒かった。

「小松くんまでタンク底に降りているのか」

小松は真っ黒な顔でにやりと笑った。

「店員たちがあまりに楽しそうに降りるので、やらせてもらっているのです。なかなか面白いですよ」

小松の笑顔に、鐵造は心の中で礼を言った。タンク底に潜る作業が楽しいはずはない。

鐵造がタンクの蓋の入り口から覗き込んでいると、下から真っ黒な店員が出てきた。

「君は誰だったか？」

「重森と、申し、ます」

その店員は荒い息をしながら挨拶した。油で汚れた顔は人相が変わっていて、誰だかわからなかった。店員の全身からは湯気が立ち上っている。タンク底でそうとう頑張って働いてきたというのがわかった。

「君はいつ、うちに来たのだ？」

「九年前です。二年前に徴兵に取られました。今年の冬に戻りました」

「思い出したぞ」と鐵造は言った。「重森俊雄くんだな。たしか郷里は石川ではなかったか」

「そうです。店主からお手紙とお金をいただきました」

「家は大丈夫なのか」

「生死不明であった兄が戻ってきました。父も元気になり、私が国岡商店に戻ることができました」

鐵造はあらためて重森を見た。体は痩せ、胸にはあばら骨がういていた。

「作業は辛いであろうな」

重森は首を振った。「私は比島にいました。ルソン島です」

ルソン島が激戦地であったことは鐵造も知っていた。何万もの兵士が戦闘で亡くなり、ジャングルを敗走した多くの兵士が飢えで倒れたという話だった。まさしく地獄であったとも聞いている。

「大変な戦場だったそうだな」

鐵造の言葉に、重森は何も言わずに小さく頷いただけだった。そのことが余計にルソン島の悲惨さを伝えるようだった。

「あのときの戦いに比べたら、タンクの底に潜ることなどなんでもありません」

重森はそう呟くように言った後で、胸を張った。「それに、こうして働けることは無上の喜びです」

鐵造は胸が熱くなって、思わず重森の体を抱きしめた。

「店主、服が汚れます」

「服など洗えば済む」

そう言うと、今一度、重森の体を抱きしめた。いつのまにか二人の周囲に店員たちが集まっていた。

鐵造は重森から離れると、店員たちに向かって大きな声で言った。

「みんな、国岡商店は必ず立ち直る。そして日本も必ず立ち直る」

期せずして店員たちの間から「万歳三唱」が起こった。

鐵造は車に戻りながら、店員たちが愛おしくてならなかった。彼らのうちの何人かは重森のように戦地に行っていた者たちだ。彼らは無事に戻ってきたが、戦場で斃《たお》れ、ついに祖国の地を踏むことができなかった者も大勢いた。重森のように立派な若者たちが何人も亡くなった。もし生きて戻ってきたなら、日本の復興のために懸命に働いた男たちだったはずだ。それを思うと、無念でならなかった。

七、公職追放

国岡商店の店員たちがタンク底で一丸となって頑張っている最中、国岡商店に激震が走った。六月に店主の鐵造に「公職追放令」が出されたのだ。

ＧＨＱが「公職追放」の覚書を発表したのは、この年の一月であった。「公職に適さざる者」として、次の七項目に該当する者を公職や会社役員から追放するというものだった。

Ａ・戦争犯罪人
Ｂ・陸海軍の職業軍人
Ｃ・超国家主義団体等の有力分子
Ｄ・大政翼賛会《たいせいよくさんかい》等の政治団体の有力指導者
Ｅ・海外の金融機関や開発組織の役員
Ｆ・満州・台湾・朝鮮等の占領地の行政長官
Ｇ・その他の軍国主義者・超国家主義者

日本政府はＧＨＱの命を受けて、翌月「公職追放令」を公布、地方に公職適否審査委員会を設置して「追放」する者の指定をおこなった。この覚書は何度も出され、そのたびに指定を受けた者は、官庁や職場から追放され、最終的には二十万六千人の人間が「パージ」された。その中には前記七項目に該当しない「冤罪《えんざい》」「言いがかり」としか言いようのない者も多数含まれていた。たとえば松下電器（現・パナソニック）の創業者・松下幸之助は戦前、軍の命令で木製飛行機を作っていたことで、「戦争協力者」と見做《みな》され追放処分を受けていたし、経済界では他にも多くの人間が追放処分にあっていた。

石油業界からも多くの追放者が出ていたが、いずれも国策会社である「石統」に関係していた者たちだった。鐵造は石統に加入していなかった自分には関係ないものと思って平然と構えていたが、六月初めに内閣官房長官名で「覚書該当者」として通告を受け、貴族院議員の辞職を勧告されたのだった。

鐵造は戦前から高額納税者として貴族院議員を務めていたが、もともと政治には興味がなく、推《お》されてなっただけのことで、その地位に執着する気はなかった。しかし追放されて辞めるのは自尊心が許さなかった。それにもまして鐵造を怒らせたのは、理由として挙げられた七項目だった。

「これではまるで、ぼくが軍国主義者と言わんばかりではないか」

鐵造は甲賀たちに胸中の怒りを吐露した。

「公職追放はあきらかにやりすぎと言われています」甲賀が言った。

「東京裁判といい、ＧＨＱの横暴はひどすぎる。断固、抗議する」

鐵造の言葉に甲賀たちは驚いた。

「店主、待ってください。お怒りはわかりますが、相手が悪すぎます。幸い今回のパージは、国岡商店の社長を退けというものではありません。ここはひたすら耐えるしかありません」

柏井が言うのも当然だった。当時、ＧＨＱの恐ろしさは「泣く子も黙る」と言われたほどだった。ひと月前には東条英機をはじめ戦前の指導者だったＡ級戦犯二十八人の「極東国際軍事裁判」（東京裁判）が開かれていた。ちなみに二十八人は四月二十九日、昭和天皇の誕生日に起訴されたが、これはGHQの露骨な嫌がらせと言われている。A級戦犯の多くの被告が死刑にされるだろうと噂されていた。というのも、B・C級戦犯はそれ以前から、簡単な審議で次々と死刑判決が下され、あっというまに執行されていた。GHQに睨まれただけで、命が危ないとも言われていた。

しかし鐵造は動じなかった。

「ぼくは貴族院議員の地位などは捨てても一向に惜しくはない。しかし軍国主義者と言われては、耐えがたい。国岡商店の店主はそのような男であったと世間から言われる店員たちの心情はいかばかりか」

甲賀も店主の気持ちはわかりすぎるほどわかっていた。しかしここでことを荒立ててGHQに睨まれては、国岡商店の存続も危うくなる。ところが甲賀たちの説得にも鐵造は頑として折れなかった。

鐵造は公職資格訴願審査会に抗議文を提出し、再審査を求めた。しかし審査会の返答は「追放令の決定変更は困難である」というものだった。鐵造はこうなればと、GHQにも抗議文を送ったが、その返答は「戦時中に軍部に協力した」と、にべもなかった。

「いったいどういうことだ」鐵造は甲賀に言った。「公職追放と言うなら、具体的な証拠があるはずだ」

甲賀たちもほうぼうに人脈を辿って、鐵造追放の理由を探った。やがて理由があきらかになった。

それは、国岡商店が戦争中、上海《シャンハイ》にあったテキサス石油会社の油槽所《ゆそうじょ》（石油タンク）を接収したというものだった。甲賀からその報告を受けた鐵造は呆れた。

「それはまったく事実と違うではないか。テキサス油槽所を接収したのは陸軍じゃないか」

「そうです。うちは上海の興亜院に管理者として指定されただけですし、しかも後に支那総軍の南京《ナンキン》自動車廠が横槍を入れてきて、軍部と密接な関係にあった業者に指定を変更されました」

「うちはむしろ支那総軍には嫌われていたんだ」

「これは書類の上でも証拠が残っているはずです。なぜ、うちがやられるのか理解できません」

「おそらく、国岡商店を陥れたいと思っている石油関係者か、旧陸軍の関係者がGHQにあることないこと吹きこんだのだろう」

甲賀は苦々しい顔をした。戦争中、国岡商店は軍部と結びついていた石統の連中とはずっと折り合いが悪かった。

「店主、正しい情報を政府当局の関係者に伝えてみます」

「いや、それには及ばん。政府当局に石統の息のかかっている者がいたら、そういう情報も握りつぶされてしまう」

「では、どうすれば――」

「直接、GHQに乗り込む」

甲賀も柏井も驚いた。

「今すぐ行く。ついてこい」

こうなったら誰も鐵造を止めることはできない。通訳は英語が堪能な若い飯田良太が選ばれた。

鐵造は甲賀と飯田を引き連れて、GHQの参謀部・第二部（G2）の「法務局」を訪ねた。このとき、法務局の部屋には三人の係官がいたが、そのうちの二人が鐵造と対応した。鐵造は飯田に自分を紹介させ、次に「公職追放を取り消すように伝えろ」と言った。

若い飯田は震える声で、途中何度もつっかえながら、そのことを係官に伝えた。長身の係官はガムを噛みながら聞いていた。もうひとりの男もにやにや笑いながら聞いていた。甲賀はあまりにも失礼な態度に腹が立ったが、鐵造は黙っていた。

飯田は、係官が「公職追放を取り消すつもりはない」と言っているのを鐵造に伝えた。

鐵造は飯田に再度、追放を取り消すように伝えろと言った。飯田はもう一度同じ要求を繰り返した。係官の返事も同じだったが、彼らは少しいらいらしているふうだった。

店主はこれを繰り返すつもりなのかと甲賀は思った。こんなことで「追放」が覆《くつがえ》るとは思えなかった。それよりも国岡商店の心証が悪くなるほうが心配だった。

鐵造は突然大きな声で、「米国は正義の国と聞いていたが、それは偽りであったか」と言った。

二人の係官は鐵造の大きな声に驚いたが、それを訳した飯田の言葉を聞いたとたん、顔色を変えた。

「無実の者に罪をかぶせて、恥ずかしくないのか。君らは神を信じるというが、その神に恥じることはないのか」

飯田が震えながらさらに伝えると、後方にいた上役らしき男が椅子を立って、鐵造たちのほうにやってきた。男は顔つきから見て日系アメリカ人だった。

男は鐵造に向かうと、静かに言った。

「話を聞こう」

鐵造は国岡商店がテキサス石油の油槽所を接収したのは事実無根であること、嘘だと思うなら今一度調べ直してみろ、と言った。飯田がしどろもどろに通訳したが、その中に「プリーズ」という言葉を耳にした鐵造は、「プリーズと言うな！」と鋭く言った。

「これはお願いすべきことではない。君はぼくの言葉を正しく伝えろ。彼らに喋《しゃべ》っているときは、全国岡商店員を代表して喋っているのだ」

店主の一喝を受けて、飯田良太は小さく頷き、それから大きく深呼吸した。甲賀はちぢこまっていた飯田の背中がすっと伸びるのを見た。

飯田はさっきまでの弱気な声ではなく、落ち着いた口調で鐵造の言葉を伝えた。

今や係官の三人は誰も笑っていなかった。ややあって日系人の係官は言った。

「パージを受けて、抗議に来た者は、あなたがはじめてだ」

飯田からその言葉を聞いた鐵造は、「無実の罪だから抗議するのは当然である」と答えた。

三人の男たちはいったん奥に集まり、何やら小声で話し合い、再び鐵造のもとへやってきた。

「あなたのパージについては再考する」

それを聞いた甲賀は思わず係官に頭を下げかけたが、鐵造が当然だと言わんばかりに大きく頷くのを見て、慌ててやめた。

GHQを出たとき、甲賀は飯田に、「よく通訳の大任を果したな」と声をかけた。

飯田は「はい」と答えたあとで言った。

「最初はアメリカ人が怖くてたまりませんでしたが、店主に国岡商店を代表しているんだと言われたとき、なんというんでしょうか、もう全然怖くなくなったんです」

甲賀は飯田の肩を軽く叩いた。

鐵造が去った後の法務局には彼の勢いの余韻がまだ残っていた。

係官のジャック・パウエル中尉が言った。

「これまで、ここにやってきた日本人は皆、追放を取り消してくれと泣き落としに来るものばかりでしたが、さっきの男は違ったね」

「ああ、堂々としていましたね」

飯田に対応したロン・ロバーツ少尉が答えた。「通訳も途中で態度が変わった」

二人の上官、ジョン・フジオ・アイソ少佐は頷きながら、不思議な感動を覚えていた。

アイソは明治四十二年（一九〇九）カリフォルニア生まれの日系二世で、このとき三十七歳だった。

高校時代から成績優秀で日系人としてはじめて名誉学生に選ばれたが、ここにいたるまでの道は平坦ではなかった。スピーチ・コンテストに優勝して多額の賞金とヨーロッパ旅行を獲得したとき、校長から「優勝を辞退するか、卒業生総代の名誉を放棄するかを選べ」と言われ、優勝を辞退した。あからさまな差別だった。

高校を卒業後、東京に留学して日本語を学び（このとき、日本名「相磯」と名乗っている）、アメリカに帰国後、ハーバード・ロースクールを出て、一九四一年に対日戦に備えて作られた陸軍の日本語学校の教師となり、六千人の教え子を太平洋戦線の情報部に送り出した。ほとんどが日系人である教え子たちは、捕虜の尋問、文書や資料の解読などで活躍し、マッカーサーをして「彼らの存在は太平洋戦争の終結を二年早め、百万人の米兵の命を救った」と言わしめたほどだった。

終戦後、アイソ少佐は占領軍とともに来日し、ＧＨＱの参謀部に所属していた。後の話になるが、アイソ少佐は退役して、カリフォルニア州で日系人としてははじめての判事となった。どんな場合でも公平な態度を貫き、日系人にえこひいきすることもアメリカ人におもねることもしなかった。そのことでアメリカ社会での日系人の評価と信頼を高めたとされる人物だった。

アイソ少佐は今一度、目の前の国岡鐵造のプロフィールが書かれた書類を眺めた。そこには一八八五年生まれと書かれてあった。「明治十八年か」とアイソ少佐は呟いた。父とほぼ同年代だった。彼の父もまた明治生まれの気骨を持った男だった。誇り高く、自らが正しいと思ったことは、けっして曲げない生き方を貫いた。日系人として多くの差別を受けながら、今日までくじけることなく頑張って生きてきたのも、そんな父の教えがあったからこそだった。

アイソ少佐は鐵造の姿に今は亡き父を重ね合わせた。しかしアイソは感情に流される男ではなかった。部下に上海のテキサス石油の油槽所のその後と、戦争中の国岡商店の行動の調査を命じた。

旧海軍の燃料タンクの底から泥混じりの油を採取する仕事は想像以上に困難を極めた。機械は役に立たないため、すべて人力でおこなわれた。そのため当初に計画していたペースではできず、人夫を雇うことになった。ところが、各地で雇った人夫たちはあまりの過酷な作業に、一週間も経たないうちに逃げ出してしまった。雇っては逃げられるということを繰り返すうちに、「国岡商店のタンクの底浚い」には近づくな、という噂が広がり、人夫はまったく集まらなくなった。それでやむやく店員たちだけでやり通すことになった。

鐵造は再びいくつかの不採算事業の営業所を畳み、店員たちを次々と各地のタンクに送り込んだ。

やがて夏が来て、タンクの中は灼熱《しゃくねつ》地獄となった。店員たちの多くはそれまで肉体労働などしたことがない者がほとんどだった。そんな彼らが人夫たちも逃げ出す過酷な労働に体を張った。四十歳を超えた管理職の店員までもタンクの底に降りた。彼らの多くが手や足がただれ、また作業中に疲労と呼吸困難で倒れる者が後を絶たなかった。しかし店員たちの意気は軒昂《けんこう》だった。仕事の不満などを口にする者は誰もおらず、むしろ笑い声が飛び交っていたほどだった。


「先日、舞鶴、四日市、呉、徳山の燃料タンクの現場を視察してきました」

八月初め、国岡館に戻った柏井は現地の様子を報告した。

「進捗状況はどうだ」

「はかばかしくありません。ようやく半分が過ぎたというところです」

「そうか」

他の燃料タンクの状況も似たようなところだった。

「すると、来年の春までには何とか目途が立つな」

「はい。しかし――」柏井は言った。「現場と店員たちの状況は過酷の一語です」

「わかっている」

「今のままでは、もしかしたら――」

「もしかしたら、なんだ？」

「ストライキの心配はないでしょうか？」

「そういう空気があったのか？」

「いいえ」と柏井は答えた。「しかし、このままの状態が続くと――」

柏井の心配はもっともだった。この年、日本全国に労働者ストライキの嵐が吹き荒れていた。

ＧＨＱの民主化政策のひとつが労働組合の育成だった。昭和二十年の暮れから多くの会社や公社で労働組合が結成され、秋には組織率四〇パーセント、組合員数は四百万人になろうとしていた。多くの労働者が自らの権利を主張し、資本家と闘う気運が高まっていた。また戦前は非合法であった共産党が認められ、長らく獄にあった共産主義者や社会主義者の活動家が釈放され、工場などに活動の場を広げていた。またストライキはしばしば激しい暴力をともなった。

柏井は国岡商店の店員たちにその波が及ぶのを恐れたのだ。

「国岡商店に労働組合は不要だ」

「はい」

国岡商店には創業以来、五つの社是があった。「社員は家族」「非上場」「出勤簿は不要」「定年制度は不要」、それに「労働組合は不要」というものだった。戦前においても、これらの制度は、多くの他の経営者たちから「非常識」と嗤《わら》われてきたものであったが、鐵造は「家族の中に規則があるほうがおかしい」と言って、信念を貫きとおした。出勤簿のごときは、経営者が社員を信用していないものとして、蛇蝎《だかつ》のごとく嫌っていた。

しかし、と柏井は思った。戦後、日本はすべての価値観が急激に変わりつつある。この時代の波には、国岡商店といえど、抗《あらが》うことは難しいのではないか——。

「もし、うちの店員たちが労働組合を結成し、ストライキを起こしたなら」

鐡造は柏井の目を見ながら言った。

「ぼくはただちに国岡商店をたたむ。会社のすべての資産と全財産を清算し、全店員に退職金を渡して、乞食をする」

鐡造の目はじっと柏井を睨んだ。

「店員たちはぼくの息子だ。息子に裏切られるような親なら、親たる資格はない」

「はい」

「息子と思わばこそ、過酷な仕事をやらせることもできる」

そう言いきった鐡造の顔はこれまで柏井が見たこともない怖ろしいものだった。柏井はこのときはじめて、店主が店員たちの辛い労働に身を苛《さいな》まれるような痛みを耐えていることに思いいたった。自分がストライキの心配をするずっと以前から、店主は覚悟を決めていたのだ——。

八、石統との戦い

店員たちがタンク底で懸命の作業を続ける中、鐵造の目はずっと先を見ていた。

国岡商店はいずれ再び石油を扱う日が必ず来る——これは彼の確信であった。日本が復興すれば石油は大量に必要になる。いや、石油なくして日本の復興はない。だからこそその日のために、石油をめぐる環境は整えておかねばならない。石統が石油業界を支配する戦中からの制度を残していては絶対に駄目だ。統制経済では石油の流通は潤滑にはおこなわれず、むしろ日本の産業の足を引っ張ることになる。

鐵造は同時にアメリカを中心とする国際石油資本を怖れていた。国岡商店は戦前、中国で欧米の石油会社と激しい戦いを繰り広げたが、彼らの恐ろしさは十分に知っていた。とくに世界最大規模を誇るアメリカの石油会社には、日本をねじ伏せるほどの力がある。彼らはいずれ日本が復興するときに、日本の経済支配に乗り込んでくる。

「だから、今が大事なのだ。急がねばならない」

鐵造は柏井らに言った。

「しかし店主、現状では日本の経済は簡単には復興はしないと思いますが」

「何を言っておるのだ。日本はこんな小さな島国で、何の資源もないにもかかわらず、戦前は世界三位の海軍を持っていたのだ。ドイツやソ連でさえも、日本の海軍力には遠く及ばなかったのだ。今は確かに日本中のほとんどの工場も閉鎖して、多くの会社が動けないでいる。しかし日本はこのままでは終わらない。必ずや復活する。十年、いや二十年あれば、再び世界の一等国になる」

鐵造は力強く言ったが、柏井は胸の内でため息をついた。二十年先と言えば、昭和四十一年だ。国中が灰燼《かいじん》となったこの国がそれまでに世界の一等国に復活することなど想像もできない。第一、そのころには店主はもう八十歳を超えているし、自分もとっくに引退している。

「日本が復興するとして、その中で石油業界をどうするというんですか」

「アメリカの石油資本が日本の石油業界を支配する前に、何とか手を打たねばならん」

「どうするのですか」

「日本の石油会社が小さな利害や敵対意識を捨てて、一致団結しなければならない。いや、ひとつにまとまる必要がある。そうでないと、必ず国際石油資本に蹂躙される」

柏井たちには、店主の言っていることはあまりにも壮大すぎているように思えた。ひとつにまとまるということは会社が合併することではないのか。だとすれば国岡商店はどうなるのか。大資本に呑み込まれてしまうのではないか。そのことを柏井が口にすると、鐵造は笑った。

「今はまだ合併などということは考えてはおらん。しかし、もし日本の石油会社が合併するのが最善の方法なら、国岡商店はなくなってもかまわない」

九月初め、鐵造は「日本の石油政策について」と題する建議書を作成した。「公職追放」の指定は受けていたが、建議書提出は禁止条項にはあたらないという解釈だった。

鐵造はその建議書を商工省の星島二郎《にろう》大臣、それに鉱山局やその他、政府の石油関連の部署に配布した。そこには要約すると、以下のような文章が記されていた。

「日本の石油市場を外国資本の石油会社の独占から守り、その搾取から守ること」

「日本の太平洋沿岸の製油所を復旧して再開すること」

「日本の石油会社は合同して大規模の製油所を関東と関西に作ること」

というものであった。

しかし商工省からも大臣からも、また鉱山局その他からもいずれもまったく反応はなかった。鐵造は徳山から東雲を呼び戻し、彼を連れて、商工省の鉱山局を訪ねた。鐵造は三十七歳の東雲を国岡商店の次代を担う男にしたいと考えていた。

鉱山局の石油課長である北山利夫《としお》が課長室で応対した。

鐵造は早々に挨拶を済ますと、「私が送った建議書はお読みくださったでしょうか」と切り出した。

「建議書？　それはいつ出されました」

北山はとぼけたように言った。

「昨今の郵便事情はあまりよくないと聞いていますので、もしかしたらまだ届いてはおらんかもしれません」

「そんなはずはない。建議書はうちの店員に届けさせたのですから」

「それを受け取ったのは誰ですか？」

「そんなものは知らん。しかし商工省の役人であることは間違いない」

「すると、仕分けの段階でどこかで紛《まぎ》れ込んでいる可能性もありますね。いずれにしても私は受け取っていないので、答えようがありませんね」

北山の応対はまさに木で鼻をくったような態度だった。

その対応を見ていた東雲は、北山は店主が公職追放令を受けて貴族院議員の辞職勧告をされていることを知っているなと思った。

「それでは、私がここで口頭で申し上げましょう」

北山は一瞬嫌そうな顔をしたが、鐵造はかまわず、建議書の内容をかいつまんで喋った。

しかし北山は窓の外を眺めながらあきらかに興味なさそうに聞いていた。にもかかわらず鐵造は一所懸命に自らの考えを述べた。

東雲は店主の気持ちを思うと、やりきれなくなった。自分よりもはるかに年下の商工省の課長にあからさまな無礼な態度を受けて、おそらく内心は腸《はらわた》が煮えくりかえるくらい腹が立っているに違いない。しかしその気持ちを抑えて、日本の将来のために切々と訴えているのだ。

「あのねえ、国岡さん――」

北山が露骨に面倒くさそうな表情で言った。

「勝手にいろいろやってもらっては困るんだよ。政府には政府の考え方がある。国岡商店も石油業界にいたければ、鉱山局の指導に従ってもらう必要がある」

そこに突然、ドアが開いて、ひとりの男が顔を出した。日邦石油の副社長であり石統の社長の鳥川卓巳だった。

　鐵造と鳥川は二人とも意外な場所で出くわして、驚いた顔をした。鳥川が国岡商店の業界復帰を拒み続けている中心的人物であるのは東雲も知っていた。

　北山は鳥川の顔を見ると嬉しそうな顔で立ち上がって、彼を出迎えた。

「鳥川さん、ようこそいらっしゃいました」

「ああ、ちょっと近くを通りかかったんでね。寄ってみたんだが――」

　鳥川はそう言うと、鐵造のほうを向いて、わざとらしく笑顔を作った。

「これは国岡さん、珍しいところでお会いしましたな。お元気ですか」

　鳥川は慇懃に挨拶した。鐵造も黙って一礼した。

「タンク底を浚っている噂は伺っていますよ」

「そうですか」

「なんでも雇った人夫が逃げ出すくらいきつい仕事だそうじゃないですか」

「それは違いますな。タンクの底に入るのは非常に危険な仕事なので、店以外の者に万一のことがあってはならんと、すべての仕事は店員たちでやり通すことに決めたのです」

「人件費が安くついて結構なことですな」

「あんた、何が言いたいんだ?」

「国岡商店はそこまでして金が欲しいのですか」

「馬鹿なことを言うな」鐵造が大きな声で言った。「タンクの底を浚う事業は日本のためにやってることではないか。もともとは商工省が石統にやらせようとしたにもかかわらず、きつい仕事なので誰も引き受けようとはしなかったというではないか。うちにしてもきついのは承知の上だ。それでもやると決めたのは、そうしなければＧＨＱが石油を廻さないからではないか。つまりこの事業は日本の石油業界のため、いや、日本のためではないか。あんたたちにはそれがわからんのか」

鐵造の剣幕にさすがに鳥川と北山もバツが悪そうな顔をした。

鐵造は北山に向かって言った。

「さきほど、私が申し上げたことは、日本の石油業界の将来の根幹にかかわることです。これを誤ると、取り返しのつかぬ事態となります」

鐵造はそれだけ言うと、部屋を出た。鐵造の後に続いて部屋を出ようとした東雲は、鳥川と北山が目を合わせてにやっと笑うのが見えた。二人が店主をドン・キホーテのような男と見做して笑っているのはあきらかだった。東雲はドアを閉めながら、今に見ていろ、店主の言葉が正しいことを思い知らせてやる、と誓った。

「ぼくの建議書だが――」鐵造は商工省を出るなり、東雲に言った。「あれは駄目だ」

「いや店主、あの建議書は正しいです」

鐵造は首を横に振った。

「石油業界に対する店主の先見の明は間違っていません」

東雲は強く言った。いずれ世界は石油を中心に動いていく。石油こそがあらゆる資源の中でもっとも重要なものになる。日本の復興は石油にかかっていると言っても過言ではない。だからこそ、石油をめぐるあらゆる法律を徹底して整備する必要がある。

東雲が鐵造の考えに同化できたのは、南方で実際に石油の採掘から精製、管理までおこなってきた経験があったからだ。軍隊は石油がなければ動けないという現実を目の当たりにもしてきた。いかにすごい戦闘機であろうと、いかに強力な戦艦であろうと、ガソリンと重油がなければ、ただの鉄屑である。いや、鉄屑さえ石油がなければ作ることもできないのだ。

「手ぬるい」

鐵造が小さな声で呟いた。

「何とおっしゃいました？」

「建議書は手ぬるかった。今、鉱山局で北山課長と鳥川社長に会って、そのことがわかった。今日の訪問はそのことでも意義があった」

「と、申しますと？」

「政府はこの期に及んで、まだ業界を統制することしか頭にない。石油業界の未来や日本の将来のことなど何も考えておらん」

「そのとおりです」

「すべての元凶は石統だ。まずそれを解体することから始めなければならん」

東雲は頷いた。石統は戦争中に軍部の後押しで作られたが、鐵造はその計画案が出たときから大反対していた。そのために石統から締め出され、日本ではほとんど石油を扱うことができなくなり、海外へ活躍の拠点を広げたのだ。

「石統はそもそも戦時立法で作られたものだ。それなのに戦争が終わった今も存続しているのがおかしい。もっとも今の日本は石油が入ってこないのだから、石統が存在することの弊害は実質的にはないが、かといってこのまま石統が残れば、いずれ石油が入ってきたときに、大きな問題になる。だから、今のうちに石統をつぶしておかねばならん」

東雲は鐵造がついに石統と正面切って戦うことを宣言したのを聞いて、体が熱くなった。


鐵造は国岡館に戻るなり、新たな書類作りに取り掛かった。それは「石油配給機構に関する意見書」と題するもので、政府と石油業界へ向けてのものだった。内容は「石統の早期解散と、新たなる石油配給機構の確立を目指す」ということを訴えたものだった。そこには戦中の石統の弊害が具体的に書かれ、さらにそれを戦後も放置していた政府と石油業界への強い批判も込められていた。鐵造はその意見書を政府や石油業界のみならず、ＧＨＱにも配布した。

政府や石油業界は前に送った建議書と同様、意見書も無視したが、ＧＨＱはそうではなかった。ＧＨＱのＧ４（兵站部燃料補給班）は鐵造の意見書に注目した。

九月の中旬、ＧＨＱは突然、商工省に「石油配給機構」の改革を迫った。鐵造が意見書を送って、一週間と経っていなかった。

「店主、ニュースを聞きましたか？」

翌日、東雲が店主室に飛び込むと、鐵造は熱い茶を飲んでいた。

「すごいタイミングですね」

「おそらく、ぼくの意見書を見ての判断だろう」

「意見書を送って一週間も経ってないですよ」

「これがアメリカのすごいところだ。利用価値があるとわかれば即座に決める。日本ではこうはいかない。おそらくアメリカは古い利権構造をぶっ壊してしまいたいのだろう」

東雲は頷いた。

「しかし油断してはならない。アメリカは日本の石油市場を支配したいという目論見《もくろみ》をもっている」

GHQから改革を迫られた石統は、九月の下旬、「石油配給統制会社」という社名から「統制」の二文字を削って、「石油配給株式会社」と名を改めると発表した。

それを知った鐵造は笑った。

「鳥川さんもやきがまわったか。そんなことでGHQの目をごまかすことができると考えるとは」

「商工省の役人の入れ知恵かもしれません」東雲が言った。

「そうかもしれんが。アメリカ人相手にそんな姑息《こそく》な手を使うと、かえってよくないことになる」

その直後GHQは、太平洋沿岸の製油所を十一月三十日までに閉鎖するように命じた。さらに十月に入ると、旧石統である「石油配給株式会社」の解散を命じ、それに代わる政府全額出資による新たな石油配給機関の設立案の提出を命じた。

旧石統の解散命令までは鐵造の予想内だったが、太平洋沿岸の製油所の閉鎖は鐵造にとっても衝撃だった。製油所がいったんスクラップにされてしまえば、いずれ石油の輸入が解禁されても、原油を精製して石油製品を作ることができなくなる。そうなれば、日本は外資系の石油会社から石油製品を購入するしかなくなってしまう。

鐵造は、今回のＧＨＱの覚書の裏には、「メジャー」と呼ばれるアメリカの大手石油会社の意志があると思ったが、その読みは正しかった。ＧＨＱには石油に詳しい者はおらず、そのためにメジャーから何人もの顧問を迎え入れていた。彼らは「石油顧問団（Petroleum Advisory Group）」、通称ＰＡＧと呼ばれ、Ｇ４に所属していた。ＰＡＧの構成メンバーはスタンバック、ライジングサン（シェル）、カルテックス、タイドウォーターの四社である（後にユニオンが加わる）。

覚書には、製油所をただちにスクラップにせよとは書かれていなかった。鐵造はそこに一縷の望みを託した。ＧＨＱの中にも、日本の石油業界を完全につぶしてしまうことに反対する勢力が残っていると見た。あるいはメジャーのやり方に疑問をもつ者がいるのかもしれない。

いずれにしても、今は製油所よりも配給機構のほうが重要だと考えた鐵造は、商工省に「新たな配給機構に関する案」を提出した。そこには弊害にしかならない長年の既得権や情実を持った者を一掃し、真に新しい時代に即した公正な配給会社を作る必要性を記した。

しかし商工省は「鐵造の案」を無視し、「石油公社案」を作って、十一月にＧＨＱに提出した。それは体裁だけは新しくしていたものの、機構と人員は旧石統をそっくり残した形になっていた。

その案を見た鐵造は呆れた。

「まだこんなことを繰り返しているのか。商工省の役人の頭はどうかしている」

東雲も同感だった。

このころ、毎日のように、東雲と鐵造は日本の将来の石油について熱く語っていた。ときには夜を徹して語ることもあった。鐵造が石油販売の歴史と実態について話すと、東雲は南方で見てきた原油の採掘から精製の実態の話をした。またときには、海軍の燃料局にいた渡辺欣也を部屋に招き、海軍の石油の実態についての話も聞いた。

二人があらためて確認したのは、戦前の日本政府の石油政策の拙《つたな》さだった。大東亜戦争は極論すれば「石油のための戦争」であった。戦前、日本はアメリカから石油の八割を輸入していたが、それを断たれたためにアメリカとの戦争に踏み切ったのだ。そして南方の油田を確保したが、制海権を失って、その石油を国内に還送する手段を奪われたとき、戦争継続は不可能となった。

「日本は石油のために戦争をし、石油のために敗れた。尊い犠牲を払って得た教訓を、今もなお政府も石油業界もわかっていないというのは、どういうことなんだ」

鐵造の予想どおり、「公社案」はGHQに却下された。そしてGHQは政府に代案を至急に提出するように命じた。

「店主の思っていたとおりになりましたね」東雲は言った。「関係者は大慌てだそうです。まさか公社案が一蹴されるとは思ってもみなかったということらしいです」

「馬鹿なことだ」と鐵造は言った。「そんなことも読めないとは、役人の頭の中はどうなっているのだ」

「呆れますね」

「政府や石油業界の連中にとってはショックだろうが、日本全体からみれば憂うべきことではない。むしろ新しい配給機構が生まれることになる。ただ――」

鐵造はそこで言葉を切り、少し表情を歪めた。

「残念なのは、それを生み出すのに、ＧＨＱの助けを借りることだ」

鐵造はタンク底の仕事を一刻も早く終わらせなくてはならないと思った。この仕事が成功すれば、国岡商店は再び石油業界に乗り出せるという確信に近いものがあった。それは終戦後、ずっと油を扱うことができなかった店員たちの悲願でもあった。

しかし秋が過ぎ、冬が来ても、タンクの底をすべて浚うことはできなかった。凍《こご》えるような寒さのタンクの中で、店員たちは頑張り続けた。多くの者がしもやけやあかぎれに苦しんだ。しもやけで破れた傷口やあかぎれに、冷たい泥や油が浸みこむと涙が滲むほど痛かった。

しかし、これほどの労苦に対して、天はついに微笑《ほほえ》まなかった。

「店主、思わぬ事態となりました」

十二月半ば、柏井と甲賀が深刻な顔で店主室にやってきた。

「どうした」

「タンク底の油のことですが、当初の利益は出ないことがわかりました」

「インフレか」

甲賀は頷いた。それは鐵造にもわかっていた。二十一年の夏あたりから爆発的なインフレが起こっていた。その勢いは師走《しわす》を迎えても収まらなかった。国岡商店が商工省と交わした契約は、廃油一キロリットルに対して二百五十円だった。事業前の見積もりでは、五百万円以上の利益が見込めたが、インフレにより、輸送料、倉庫保管料その他、人件費が高騰し、当初の予定は大幅に狂っていた。

「つまり、利益が出ない、ということか」

「このままのペースでインフレが続きますと、年明けには損益分岐点を超えます」

「汲み出せば汲み出すほど赤字を生みだすというわけか」

「そういうことになります」

「なんということだ」

鐵造はタンク底で働く店員たちの姿を脳裏に思い浮かべた。あれほど過酷な労働に耐えた末の結果がこれかと思うと、運命に対する激しい怒りを感じた。損益のことよりも、店員たちの苦労が実を結ばないということに、心の底から無念を感じた。天はどこまで国岡商店を痛めつければ気が済むのか――。

「今すぐ、契約を破棄すべきです。もともと契約には違約金などの条件は含まれておりません。出血が小さいうちに撤退すべきと考えます」

鐵造は目を閉じて腕を組んだ。甲賀と柏井は固唾《かたず》を呑んで店主の言葉を待った。

「それはできない」

鐵造は言った。柏井が何か言おうとするのを、鐵造は目で制した。

「たしかにタンクの廃油を集める仕事は利益を追求して始めたものだ。しかしそれだけではない。この仕事を日本人がやり通すことで、GHQに日本人の意地を見せることになる。この廃油をすべて集めれば、GHQは自らの発言の手前、日本に石油を配給しなければならなくなる」

鐵造は続けた。

「この事業は国岡商店だけのものではない。日本の石油産業の未来がかかっている。ここで撤退すれば、ＧＨＱに、日本人は腰抜けと嗤われるし、国岡商店の店員も馬鹿にされる。そんなことは絶対にさせない」

鐵造の意志は固かった。

「君たちに言っておく。この事業が赤字になりそうだということは、タンク底に潜っている店員たちには絶対に言ってはならない。わかったな」

重役たちは黙って頷いた。

九、武知《たけち》甲《こう》太《た》郎《ろう》

年が明けて昭和二十二年一月、ＧＨＱの法務局のアレックス・ミラー少佐は、書類の束を見ながらため息をついた。

「どうしたんです？」

同じ法務局のソニー・レドモンド大尉が声をかけた。

「例の公社案だが、いっこうに修正案を上げてこない。日本人は自分でものを考える能力がないのか」

ミラーは持っていた書類を机の上に投げ出した。

「日本はコネクションが大きな力を持つらしいですよ」

「利益よりもか」

「この国では、コネこそが利益なんですよ」

ミラーはわかるような気もした。日本の役人を相手にしても、彼らはビジネスよりもしばしば人脈を優先する。アメリカでも人脈は大事だが、ここまでひどくはない。日本では人脈はときとして、法令や規則よりも重んじられることさえある。省庁の官僚たちは仕事の能力よりも、出身大学が同じであるとか、郷里が同じであるとかいう理由で出世する。その程度なら可愛いものかもしれないが、利権で結ばれた汚い結びつきもある。商工省が提出してきた公社案の幹部クラスには、旧石統のメンバーが多数入っていた。おそらく日本語で言うところの「腐れ縁」とかいうやつだろうと思った。あるいは昔、利権を分け合った仲間が繫《つな》がっているのかもしれない。

法務局は、日本を経済的に立ち直らせるためには、石油業界の自立が必要と考えていた。日本の石油業界をメジャーによって支配しようとするＰＡＧ（石油顧問団）の意向とは正反対の意見だった。

ミラーは新しい石油配給機構には思い切った改革が必要だと思っていた。開き直って、このメンバーを総入れ替えするように命じることはどうだろうかとも考えた。しかしそれも無謀すぎるアイデアだ。素人ばかりの集団になっては、前よりも悪くなる。問題は政府と組んで利権を漁った会社や人物を排除できればいいのだが、提出された書類だけではそれは判断できなかった。

「ソニー」

ミラー少佐はレドモンド大尉に声をかけた。「君の知り合いの日本人で、石油業界のしがらみには染まっていないが、石油業界に人脈のある人物はいないか」

レドモンドは日本陸軍の実態を調べる仕事をしていた関係で、旧陸軍の情報部にいた元将校を何人も知っていた。彼らの中には政財界に人脈のある者も少なくなかった。

レドモンド大尉は少し考えていたが、「何人か心当たりがあります。当たってみましょう」と言った。

「そうしてくれれば助かる」

「石油業界に詳しい人物を探せばいいのですね」

「もし、そういう人物がいれば、その人物に会って話してみたい。ただし、いっさいの先入観なしに話をしたいから、お互いに身分は明かさないという条件で会いたい」

「わかりました。さっそく、何人かの男に当たってみます」

「できれば、秘密裏に進めたい。あまり広く声をかけるのは控えてほしい」

「了解しました」

翌日、レドモンドは銀座のレストランでひとりの旧陸軍将校と会った。

男の名前は武知甲太郎《たけちこうたろう》。明治三十年（一八九七）、山口県に生まれ、陸軍士官学校を卒業後、東京外事専門学校（後の東京外国語大学）で英語を学び、インド大使館やチリ公使館の駐在武官を務めた後、諜報・情報戦などをおこなう旧陸軍中野学校の教官になった異色の経歴の持ち主である。年齢は五十歳になる。かつて参謀本部にも勤務した経験があり、終戦時は軍務局の大佐だった。なお、中野学校の教官時代の教え子のひとりに、戦後二十九年経ってルバング島で発見された小野田寛郎《おのだひろお》少尉がいる。

戦後、武知は第一復員省で旧陸軍関係の戦後処理を担当していた関係で、ＧＨＱにも頻繁に出入りしていて、知人も多かった。英語が堪能であったから、ＧＨＱの職員の中には彼から日本語の手ほどきを受けた者も少なくなかった。

「わかりました。探してみましょう」

武知はそう言ったが、石油関係者に心当たりはなかった。

旧陸軍の燃料部にいた者に聞けば、何とかなるかもしれないと思っていたが、ことは秘密裏に進めてくれという要求だけに、簡単に声をかけるわけにはいかなかった。そこで終戦時に所属していた軍務局の局長であった永井八津次《ながいやつじ》少将に相談してみることにした。永井は陸軍での階級は武知よりも上だったが、士官学校では四歳後輩だった。

「そういうことなら、うってつけの人物がいる」

永井はそう言って、武知に国岡鐵造を紹介した。

永井はかつて支那総軍にいたときに、鐵造と出会っていた。財閥系の石油会社の者たちと親しい支那総軍の上級将校たちは、国岡商店を目の敵にしていたが、永井は鐵造に会ったとたんに、その人柄に惚れこんだ。二人の交友はしばらく途絶えていたが、戦後、ある一件が二人を結びつけていた。

終戦直後、鐵造は全店員たちに「玉音を拝して」という文章をガリ版で配布していたが、その中にアメリカの原爆投下を激烈に糾弾する一文があった。「凶暴なる悪魔の大虐殺」「人類の仇敵《きゅうてき》として許すべきにあらず」とまで書いた文章を、たまたま見つけた永井は、「占領軍が来るまでに、いち早く回収したほうがいい」とわざわざ忠告に行った。もっとも鐵造は「正しいことを言っただけだ」と回収することはしなかった。しかし身を案じて忠告してくれた永井の気持ちには大いに感謝し、その後、二人は互いに交友を続け、世代を超えた友となっていた。

だから士官学校の先輩である武知から、「石油業界に詳しく、公正な立場で率直に意見を述べる人物」を探していると言われたとき、まっ先に国岡鐵造の名が浮かんだのだった。

武知は永井の紹介で国岡鐵造に会ったとき、勇猛な将軍のようだと思った。長い陸軍生活で多くの軍人を見てきた武知の目には、国岡は本物の軍人だけが持つ威厳を備えているように見えた。

武知はＧＨＱからの依頼を説明した。ただしその話をした男が、どの部署の誰であるかは明かすわけにはいかないと付け加えた。

「GHQの意向は、お互いに相手の身分や名前をいっさい明かさないで会談したいということなのです」

「すると、向こうも相手がどういう人間かわからないというわけだな」

武知は頷いた。鐵造は腕を組んでしばらく考えた。

「もちろん、私の口からGHQに正体を明かすことはいたしません」

武知が言うと、永井も「武知は嘘を言うような男ではありません」と言った。

「永井さん」と鐵造は言った。「あなたが私に紹介する人物が嘘をつく男であろうはずはない。それに、武知さんが信頼に足る男であることは、一目見てわかった。その会談をやりましょう」

「おお、やっていただけますか」

永井は豪快に笑っていたが、武知は嬉しさよりも戸惑いのほうが大きかった。陸軍中野学校で情報戦と諜報戦に明け暮れていた武知にとって、会った瞬間に無条件に相手を信用する鐵造の態度は少々あけすけすぎるように思えた。実はこの日の会談は顔合わせのようなもので、具体的なことが決まるまで、鐵造の信頼を得るために何度も会う必要があると思っていたのだ。それが会って数分もせずに、了承するとは、経営者としてあまりにも不用心ではないのか。

しかし一方で、初対面の男を信頼して、これほどの大事を即座に決めてしまう鐵造に感動している自分もいた。もしかしたら、この人はよほどの人物かもしれない。

「ただ、ひとつ厄介なことがある」と鐵造は言った。

「何ですかな」と永井。

「ぼくが行けば、向こうも誰だかわかってしまうだろう」

「それはそうだ」

ＧＨＱの職員で石油に関係する者で、鐵造の顔を知らない者はない。

「陸軍中野学校の教官であった武知君に変装を教えてもらおうか」

鐵造の冗談に永井はおかしそうに笑った。武知も苦笑した。

「うちの店員で東雲という者がいる。彼なら日本の石油業界に詳しく、また非常に公平な男である。私の代わりに彼をやろう」

鐵造はそう言うと、東雲を店主室に呼び、武知に紹介した。

武知は東雲を見たとき、若すぎるように思った。ＧＨＱには舐《な》められるのではないかと心配したのだ。

鐵造と武知から話を聞いた東雲は動揺も見せずに、まず鐵造に「わかりました」と言い、次に武知に向かって「よろしくお願いします」と一礼した。正体不明のＧＨＱの局員を相手に話をすることに対する動揺はいっさいなかった。武知はその落ち着いた態度を見て、さすがは店主が自分の名代として遣わせるほどの男だと思った。

武知はＧＨＱに戻ると、希望していた男が見つかったとレドモンド大尉に報告した。

「よし、さっそく、明日にでも会いたい」

レドモンドは言った。彼はその男がどういう関係の者かいっさい尋ねなかった。もちろんそういう約束だったが、それでも何らかの質問はされるだろうと思っていただけに意外だった。

ＧＨＱを出た武知は自分たちが中野学校でやっていた諜報戦はいったい何だったのかと思った。互いに敵と見做した相手を全面的に信頼することは危険なことであるし、またときに裏をかく必要もある。しかしこのときの両者にはそんなものはいっさいなかった。

翌日の朝十時、ＧＨＱ本部の会議室で武知甲太郎、東雲忠司、それにアレックス・ミラーとソニー・レドモンドの四人の会談が開かれた。その中で正体が割れているのは武知ただひとり。あとの三人は互いに名乗らなかった。

東雲は鐵造から、「互いに身分も名前も明かさないで会談する以上、君は国岡商店のことを考える必要はない。一日本人として、石油業界はどうあるべきかを率直に語ればいい」と言われていた。

鐵造はその後にこう付け加えていた。

「もしその意見が国岡商店のためにならないとしても、日本のためになると思えば、斟酌《しんしゃく》することなしに率直に言えばいい」

東雲は見知らぬＧＨＱの役人を前にしても臆することなく、聞かれるままに自分の思うところを言った。通訳は武知が務めた。

「現在ある石油配給会社は組織として大きすぎます」と東雲は言った。「戦前、わが国の石油販売会社は一万六千ありました。旧石統はその上に君臨したわけですが、戦争中、軍部の統制による合併などで、販売会社は九百にまで減りました。末端の販売会社がこれほど減ったにもかかわらず、それを統括する旧石統の規模は縮小するどころか、さらに大きくなりました」

「規模が大きくなるとは?」とミラーが訊ねた。

「機構そのものが大きくなり、人員も増えたということです。政府からの出向役員も増え、下部組織としていくつもの外郭団体が作られました。その結果、石油が配給されるまでの間に、いくつもの組織を通ることになります」

「無駄が多いというわけだな」

「組織や団体を通過するたびに経費や手数料が上乗せされますから、最終的に末端価格が上がります」

「なぜ、そんなに無駄が生じる大きな組織になるのか」

「これは日本のすべての組織について言えることですが、日本ではまず『組織』が先に作られ、トップが決まります。そして下部組織が作られ、その管理者が決まります。順次、そうして下部組織が作られていくために、最終的に非常に大きな組織になってしまうのです」

二人のGHQの役人は頷いた。

「末端の職員には決定権がなく、小さなことを決めるにも、上に伺いをたてることになります。そのために巨大な組織はしばしば非常に柔軟性のない組織になります」

「なるほど」とミラーは言った。

「大事なことは、まずその仕事にどれくらいの人員が必要なのかということです。そしてそれを適材適所に配置する。あとはそれを管理する上の者を最低限揃えればいい」

武知は通訳しながら、内心で唸った。こういう組織論は目から鱗《うろこ》だった。この言葉を聞いているミラーたちも感心したように聞いていていた。

「自由主義経済の下では、すべてのものが政府の統制によらず、自由に販売されなくてはなりません。しかしながらあらゆる物資が欠乏している現在の日本では、統制および配給もやむを得ないものがあります。しかし、これはあくまで一時的な緊急措置であらねばなりません。石油もまたしかりです」

ミラーが先を促した。

「石油の輸入がいずれ自由化されたときには、政府による統制や配給は必ず問題を起こします。価格も自由に決められず、市場に満足のいく量が行き渡らない状態が常に起こるでしょう。経済は生き物です。管理しようとしても、計算どおりには動きません。市場が混乱すると、いちばん損をするのは消費者であり、もっとも得をするのは利権を持った者たちになります。このことは、共産主義国家の経済を見ればあきらかでしょう」

二人のアメリカ人は大笑いした。

この日の会談はこれで終わった。

武知と東雲がGHQから戻り店主室に入ると、鐵造が熱い茶を淹《い》れてくれた。

東雲がその日の会談の内容を報告しようとすると、鐵造はそれを押しとどめた。

「君は今日、国岡商店の店員として行ったのではない。一日《いち》本人がGHQでどんな話をしたのか、ぼくの関知するところではない」

「わかりました」

「今日は、疲れただろう。休んでいいぞ」

「いえ」と東雲は笑った。「午前中は店員としての仕事は休みましたから、午後から取り戻します」

鐵造はその言葉を聞き、豪快に笑った。そして武知のほうを向くと、

「武知君、わずかで申し訳ないが、今日の通訳の報酬だ」

そう言って、机の引き出しから封筒を差し出した。

「私も今日は一日本人の友情として通訳を買って出ただけですので、報酬は結構です」

鐵造はにやりと笑い、楽しそうな声で言った。

「ここに立派な日本人が二人いるな」

武知は心の中で、いや三人です、と言った。


数日後、東雲は再び呼び出された。このときも通訳は武知で、同じメンバーでの会談だった。

「もし新しく配給機構を作るとすれば、どういうものがいいのか？」

この日はいきなりミラーが核心に踏み込んできた。

「旧来の人事や組織とのしがらみをいっさいご破算にして考え直す必要があります。真に熱意と意欲を持って、日本のためにやるという人を選ばなくてはなりません。人物重視です。それでこそ民主主義ではないでしょうか」

「そういう人物がいるのか？」

東雲は、国岡鐵造こそその人物だと言いたい気持ちをぐっとこらえた。自分は一日本人として来ているのであって国岡商店の店員として来ているのではない。ここで店主の名前を出すわけにはいかない。

しかしそう思った次の瞬間、いや一日本人として国岡鐵造の名前を上げるのはむしろ当然ではないかと

いう気がした。国岡商店の店員としてではなく、一日本人として国岡鐵造こそ新しい石油配給機構のトップに立つにふさわしい人物だ。

しかし東雲は鐵造の名前を口にはしなかった。それは東雲の意地と誇りだった。いずれ国岡鐵造の名は必ずこの二人の耳に届くことになる。しかしそれは国岡商店の店員の口からであってはならない。

三度目の会談のとき、ミラーとレドモンドは自らの身分と名前を明かした。東雲は二人が法務局の高官であることに少し驚いた。てっきり経済科学局（ＥＳＳ）と思っていたからだ。

「本来、石油政策はＥＳＳの担当だが、局内でもさまざまな意見が飛び交ってまとまらないでいる。それで他の局も意見が求められ、法務局も乗り出したというわけだ」

東雲は頷いたが、おそらく日本の石油政策をめぐって、ＧＨＱ内で法務局と経済科学局の派閥抗争があるのだろうと思った。

「よければ、あなたも身分を明かしてもらえないだろうか」

東雲は一瞬迷った。というのは、店主が数ヵ月前に法務局に乗り込んで公職追放を取り消せと猛抗議したことを思い出したからだ。そのときの係官は「再調査する」と言ったらしいが、その後は音沙汰がなく公職追放も解かれないままだった。もしかしたら法務局内では店主も国岡商店もブラックリストに載せられているのかもしれない。

しかし東雲は大きな声で言った。

「私は国岡商店の店員、東雲忠司と言います」

二人は少し驚いたような顔をした。

「国岡商店と言えば、ミスター・クニオカの会社か？」

「そうです」と東雲は胸を張った。「店主は国岡鐵造です」

「クニオカの噂は耳に入っている」ミラー少佐が真面目な顔で言った。「サムライと聞いている」

東雲は思わず立ち上がって、ミラーに握手を求めた。ミラーとレドモンドも椅子から立って東雲と握手をした。

「道理で、お前は肝が据わっているはずだ」再び椅子に座ったミラーが笑いながら言った。「シノノメは戦争に行っていたのか」

「私は行かなかった。戦争中はインドネシアで石油の採掘と管理をおこなっていました」

四人はその後、互いの戦争中の話に花を咲かせた。


「まさか国岡商店の社員だったとはな」

ミラーの言葉にレドモンドは頷いた。

法務局内で国岡鐵造は有名だった。いや法務局内だけでなく、他の部署でも彼の名はよく知られていた。公職追放の猛抗議と石油配給機構に関する意見書提出が理由の第一だが、それだけではなかった。実はタンク底の廃油を浚う仕事を国岡商店がおこなっていることにGHQは注目していたのだ。人夫を使わず、劣悪な環境で懸命に働く国岡商店の社員たちの仕事ぶりは、GHQも把握していた。国岡商店は他の石油販売会社とは少し違うのではないかという空気がGHQ内で生まれつつあった。

ミラーは東雲忠司についても調べた。数週間後、東雲が戦中に所属していたインドネシアでの国岡商店の調査報告を見てミラーは唸った。それによると、国岡商店は終戦に備えて、民需用の石油を大量に保管、管理し、その量は現地の日本陸軍が所有する石油量をはるかに上回っていたという。また現地人とのトラブルもいっさいなかった。終戦後も一糸乱れぬ行動で、石油施設の管理をおこない、連合軍にほぼ完全な形で引き渡したという。戦争中、杜撰《ずさん》な管理しかせず、終戦後も無秩序状態であった軍の連中とはまったく違っていた。

ミラー少佐は報告書を持って、ジョン・フジオ・アイソ少佐の元へ行った。

アイソ少佐は興味深く眺めていたが、「これを見たまえ」と、ミラーの報告書と交換するように、数枚の書類をミラーに渡した。

「中国での国岡商店の活動を調べたレポートだ。さきほど、届いたものだ」アイソが言った。「テキサス石油の油槽所の接収に関しては、国岡商店はまったくの無実だった。それどころか、国岡商店は軍部に反発していて、常に睨まれていたんだ」

「それはなぜですか?」

「軍による統制に反対していたのもあるが、中国の民衆に灯油を販売していたのも大きかったようだ。当時は『国賊』とも呼ばれていたらしい」

「なるほど、それで今も旧石統や商工省から嫌われているのですね」

「日本という国は、和を乱すと、除け者《のけもの》にされてしまう風土がある」

「それを意味する諺《ことわざ》がありましたよね」

「よく知ってるな。村八分と言うんだ」

「アメリカにはない風習ですね」

アイソは苦笑した。アメリカにはたしかに「村八分」はないが、その代わりに苛烈な人種差別がある。日系人としてどれほど厳しい差別を受けてきたことか。戦争中は多くの同胞が収容所に放り込まれた。苦労して築いた財産を国家に没収された者もいる。

自分が教えた陸軍の日本語学校の教え子たちの多くも、両親が収容所に入れられたままだった。彼らはアメリカに忠誠を尽くすことを証明しなければならなかった。そのために父母の祖国と戦い、そのために日本語を学び、日本兵の捕虜の尋問やスパイ活動に飛び込んだのだ。マッカーサーが「彼らの存在が戦争終結を二年早めた」と言って称賛したが、彼らの多くは父母の祖国を裏切ったことによる心の傷を負った。しかし、このことをミラーに言っても仕方がない。

「驚くべきことは、終戦後、中国にあった国岡商店の営業所は、雇っていた中国人たちへ退職金を支払っていることだ。こんな会社はほとんどない」

ミラーは書類を見た。報告書にはたしかにそう書かれていた。終戦直後、多くの会社が資産を持って一目散に中国から逃げていた。現地で雇っていた中国人に退職金を支払った会社はおそらく他にはないのではないか。

「すごい日本人だよ」アイソは呟くように言った。

ミラーは彼が自分の中に日本人の血が流れていることを誇らしく感じているのがわかった。

「国岡鐵造の公職追放は間違った判断だ」

「私もそう思います」

「さっそく、日本政府にメモを送る」

アイソは鐵造の追放解除の上申書を上司に送った。すんなり通ると思っていたが、民政局（ＧＳ）から抗議が入った。

もともと公職追放に関してはＧＨＱの中でも意見の統一がなされていなかった。わずかでも軍にかかわった者たちを徹底的に排除して民主化を進めようとする民政局に対して、参謀部第二部（Ｇ２）は、杓子定規《しゃくしじょうぎ》に追放を決めては有能な人物を多数失うことになるという現実的な考えから、追放に関してはケースバイケースで臨むという方針を持っていた。アイソ少佐がいた法務局はＧ２に所属していた。

鐵造の追放解除が民政局からのクレームで認められなかったと聞いたとき、アイソは民政局に出向いた。対応したのはアラン・フォックス少佐だった。

「テツゾウ・クニオカの追放解除がなぜ認められないのですか？」

「彼は戦争中、テキサス石油の油槽所を接収した」

「それは誤りです。上申書に、それが誤りであることを証明する資料も付けたはずです」

フォックスは苦い顔をした。アイソは彼が資料を読んでいないなと思った。

「資料にもう一度目を通してください」

「クニオカの公職追放はテキサス石油の件だけではない。戦争中、軍部に協力した」

「われわれが調べたかぎり、その証拠はありません」

「戦争中、国岡商店は社員の七割を占領地や中国に送っている。日本国内の営業所よりもはるかに多い。これは軍部に協力した証拠だ」

「それは逆です」とアイソは言った。「国岡商店は日本の軍部の統制に反対して、日本国内で活動がやりにくくなったため、海外での営業に踏み切ったのです。それはレポートの中に書いてあります」

フォックスは呆れたような顔をした。

「なぜ、そこまでクニオカの追放解除にこだわるのか」

「クニオカにこだわっているわけではない。ただ、無実の罪で追放されたものは救われなければならない。誤った判断は訂正されるべきだと信じます」

「テキサス石油の一件に関しては誤った可能性があるかもしれない。しかしクニオカの追放はそれだけではない」

「それではその証拠を示してください」

「証拠はいずれ出る」

「証拠が出たときに追放命令が下されるべきでしょう。なぜ追放解除を拒否するのですか。面子ですか」

フォックスは顔色を変えた。

「君こそ、おかしいぞ。同じ日本人だから、救いたいのか」

「いつ、私が日系人だから追放に関して不正な判断をしたのか、ここで指摘してほしい。それができなければ、あなたに謝罪を要求する」

フォックスは苦い顔をしたが、アイソは続けて言った。

「私は法律の専門家である。法は常に正しくあるべきです」

フォックスは黙ったまま答えなかった。

「国岡鐵造に関しては、再考を願います」

アイソはそれだけ言って民政局を辞した。


数日後、鐵造のもとに「公職追放」が解かれる報せが届いた。

甲賀は大喜びしたが、鐵造はにこりともしなかった。

「無実が晴れただけだ」

「でも、いいことじゃないですか。喜ぶのは当然でしょう」

「そんなことで大喜びするのは、自分たちが奴隷であると証明しているようなもんだ。本来GHQなどに裁かれる理由はない。勝手に罪をでっち上げておいて、間違っていましたと言われて、怒りこそすれ喜ぶものではない」

甲賀ははっとした。戦争に負けて占領軍に統治されてから、自分たちはいつのまにかGHQを君主のように思っていたのではあるまいかと思うと、自らの不明を恥じた。しかし店主は違う。統治はされていても、精神的には常に対等であったのだ。

十、スタンバック

三月初め、鐵造の元にGHQの石油課から呼び出しがかかった。

鐵造が出向くと、石油課の責任者であるアーヴィング・モア大佐という男が出迎えた。日本の石油政策をどうするかということで悩んでいたモア大佐はミラーとレドモンドから国岡商店のことを聞いて興味を覚え、国岡鐵造について調べたレポートを読み、彼に会ってみたいと思ったのだ。

鐵造はモア大佐に訊かれるままに、日本の実情を説明し、また自らの石油構想を語った。

「日本は戦争に敗れて、何もかも失ったが、このまま終わるようなことはない。これからは平和な国として、武力ではなく経済で世界と戦っていく。そのためには石油は必要不可欠である、だからこそ、石油の自由化が急がれる」

「それは日本の立場だけを考えていないか？」

「それは違う。アメリカにはたしかに石油が豊富にある。しかしアメリカだけでその石油を賄いきれるか。そうではあるまい。今のままでは供給過剰となって、価格も落ちる。ものには適正な需給バランスがあるはずだ。アメリカのメジャーにとっても、日本の市場は魅力的なはずだ」

モア大佐は鐵造の慧眼《けいがん》に恐れ入った。石油顧問団（ＰＡＧ）に所属するメジャーの考え方も基本的には鐵造と同じだった。ただ、日本に石油をふんだんに与えると、それが軍事利用されるのではないかという危惧《きぐ》が、政府内やGHQの中にもあった。四年近く戦った日本軍の恐ろしさは多くの者が知っている。ゼロ戦をはじめとする優秀な戦闘機、それに米太平洋艦隊をさんざん苦しめた空母艦隊。今は占領下にあり、羊のようにおとなしい国民だが、ひとたび牙を剝けば、あのカミカゼアタックのように、命を懸けて戦ってくる恐ろしい国民なのだ。そうならないように日本人の牙と爪をすべて抜いてしまうというのが、GHQの使命のひとつでもあった。それゆえ、経済物資でもあると同時に戦略物資でもある石油の扱いについての意見が分かれていたのだ。

しかし鐵造ははっきりと言った。

「日本人は本来、平和を好む民族である。あの不幸な戦争は、『植民地時代』という歴史の中で、アジアと欧米が衝突したことによって起こったものだ。しかし、戦争は終わった。これからは、日本においては、石油は平和産業のために使われる」

「そうなることを願っている」

モア大佐は、会話を続けているうちに、国岡鐵造という人物を気に入った。日本人にしては背が高く痩せた男だったが、豪放でありながらも細心、時折見せる笑顔は人を引き込む魅力があった。しかしモア大佐が何よりも惹かれたのは、鐵造の国を想う気持ちの強さだった。彼の夢は石油の輸入が解禁され、それによって日本が豊かな社会と暮らしを築く日が来ることだった。その夢を語るとき、彼の頭の中には国岡商店のことさえないように見えた。

一時間の会談予定が気が付けば三時間にもなっていた。

「今日は大変実りのある会話ができてよかった。また会えるだろうか」モア大佐は言った。

「もちろん」

二人は立ち上がって握手した。

鐵造が部屋を出ようとしたとき、モア大佐が言った。

「ミスター・クニオカは、その昔、パイレーツ（海賊）だったそうだな」

鐵造は一瞬驚いた表情を見せた。「なぜ、それを？」

「ＧＨＱの調査力はだてじゃない」

鐵造はにやりと笑った。それを見てモア大佐も笑みを浮かべたが、それ以上は何も言わなかった。

鐵造は軽く手を振ると、部屋を出た。


その後、モア大佐は何度か鐵造と会談した。

モア大佐は鐵造と話していると、彼の年齢を忘れた。ときとして自分と同年代の四十代の男と会話しているような錯覚に陥った。だから時折、彼の実年齢が六十一歳であることを思い出し、戸惑った。こんな六十一歳がいるのか。どうみても四十代ではないか――。

ある日、モア大佐は鐵造にダニエル・コッドという男を紹介したいと言った。

「その男は何者ですか？」と鐵造は訊いた。

「石油顧問団（ＰＡＧ）のトップのひとりです」

「ということは、メジャーの重役のひとりですな」

「そうです。スタンバックの者で、横浜の最高責任者です」

その名前を聞いて、鐵造の顔が曇った。「スタンバック」は正式名称を「スタンダード・ヴァキューム・オイル」と言い、スタンダード・オイル・オブ・ニュージャージー（通称ジャージー・スタンダード）とスタンダード・オイル・オブ・ニューヨーク（通称ソコニー）が作った石油販売会社だ。ジャージー・スタンダードは世界一の石油会社で、世界の石油を支配していると言っても過言ではないほどの巨大企業だった。もちろん「メジャー」の頂点に君臨する。

スタンバックと国岡商店はかつて中国大陸において石油販売で戦ったことがあった。そしてその争いで、国岡商店は店員たちの販売力でスタンバックのシェアを大幅に食った。世界のスタンバックが、日本の一商店相手に敗北を喫したのだ。彼らにとって、国岡商店は憎んでもあまりある敵である。

「なぜ、ぼくに紹介したいのですか？」

「ご存じのようにGHQには石油の専門家はいません。そのためにメジャーの石油会社から集めたメンバーたちによる石油顧問団をGHQ内に作りました。しかし彼らもまた日本の石油政策をどうするかということについて、意見が分かれているのです。コッドに会って、国岡さんの意見を直接聞かせるのは、日本のためにもなるのではないですか」

「なるほど。そういうことなら会いましょう」

鐵造はモア大佐から紹介状を書いてもらうと、女性の通訳をともなって、ダニエル・コッドが滞在する日比谷の帝国ホテルに出向いた。

部屋はスイートルームだった。帝国ホテルの最上級の部屋だ。鐵造は広い応接ルームに通された。窓からは皇居が一望できた。

まもなくコッドがあらわれ、二人は短い挨拶を交わした。コッドは五十代初めくらいの体の大きな男だった。日本人としては背が高い鐵造よりも頭ひとつ大きかった。

「クニオカ、俺は戦前、中国にいたんだ」

ソファに座ったコッドは言った。「上海支店長だった」

「そうだったのか」

「国岡商店が中国に進出してきて、スタンバックは大変な目に遭った」

「われわれは何も汚いことはしていない。まっとうに商売で戦った」

「わかっている。国岡商店は正々堂々とやっていた。スタンバックよりも高い値段で石油を仕入れていながら、スタンバック以上に安く売った」

「そうしないと、戦えないからだ」

「スタンバックは国岡商店のために中国から追い落とされた。それ以来、スタンバックにとって、国岡商店は忘れられない敵となった」

そう言うコッドの目には敵意はなかった。

「戦後、日本に来たとき、国岡商店がどうなっているか知りたかった。するとどうだ、ほとんどの資産を失って、倒産寸前になっていた」

「そうだ」

「お前は終戦後、仕事が何もないにもかかわらず、社員の首を切らなかった。そして彼らに仕事を与えるために、農業や漁業や電機屋までやったそうじゃないか」

鐵造は黙って頷いた。

「クニオカお前は素晴らしい。国岡商店の社員たちも素晴らしい」

コッドの表情には、鐵造に対する真心と尊敬の気持ちが溢れていた。それを読み取ったとき、鐵造の胸に熱いものが込み上げてきた。

終戦後、同じ日本人でありながら、商工省や旧石統の連中は国岡商店を苛《いじ》め抜き、排斥してきたのに、かつての敵でありアメリカ人のこの男が、これほど心のこもった言葉をかけてくれるとは——。

「コッド、ありがとう」鐵造は言った。「あなたの言葉は終生忘れない。店に戻ったら、全店員に今の言葉を伝える」

通訳がその言葉を伝えると、コッドは嬉しそうに笑って、もう一度鐵造の手を強く握った。

「クニオカ。私にできることがあれば、なんでも言ってくれ。助けになろうじゃないか」

「それなら石油輸入の自由化を認めてほしい」

「それはぼくの一存では難しい。アメリカ政府の考えもあるからだ」

鐵造にもその事情は理解できた。

「その代わり、スタンバックとして、国岡商店に何かできるかもしれない。たとえば、国岡商店をスタンバックの特約店にしよう」

鐵造は驚いた。「うちがスタンバックの油を売ってもいいのか?」

「ああ、ただし全部は無理だ。とりあえず八店舗ほどを契約するのはどうだ?」

願ってもない申し出だった。しかし鐵造はすぐに返事をしなかった。

今は日本の石油業界が一丸となって頑張らねばならない土俵際である。そこに国岡商店一社が抜け駆けでスタンバックの特約店になるようなことがあれば、石油業界はまとまるどころか、われもわれもと勝手な特約店契約に走り、結局は外資系の石油会社に蹂躙されてしまうことにもなりかねない。

喉から手が出るほど欲しい特約店契約であったが、鐵造は断った。

「コッド、その申し出は涙が出るほど嬉しい。しかしながら、今はGHQの石油政策も決まっていないし、また日本の配給機構もできていない。いずれ、これらが決まったときに、あらためて特約店のお話をしたいと思うが、どうだろう」

コッドは大きく頷いた。

「そのときは、ぜひうちは国岡商店とともに仕事をしたい」

「こちらこそ」

「中国では、国岡商店の店員たちは、スタンバックの社員の二倍も三倍も働いた。あれは恐ろしかった。まるで虎のようだった」

「今はその虎たちは、タンクの底に潜っている」

「知っている。横浜のタンクで働いているのを見たことがある。あんな真似は誰にもできない。彼らがまたタンクから出てくる日を待っている」

「ありがとう」

二人は立ち上がって握手をして別れた。

政府の公社案はGHQから大幅な手直しを迫られ、三月の終わり、その修正案にしたがって「石油配給公団法」が作られた。この公団はGHQの指示により、政府が三千万円の全額を出資した非営利公共団体となる。商工大臣の監督下に置かれ、経済安定本部総務長官の指示を受けるものとされた。

翌四月、内閣は公団設立委員を任命し、委員長には商工大臣の石井光次郎《みつじろう》が就任した。石井は鐵造と同郷で、神戸高商の三年後輩であった。高商時代は二人でミルクホールにも行った仲だった。

石井は神戸高商を卒業後、東京高商を経て警視庁警部や台湾総督府の秘書などを歴任した後、朝日新聞社に入社、後に同社の専務取締役になった。終戦の翌年、衆議院選挙に日本自由党から出馬して初当選し、この年（昭和二十二年）、商工大臣に任命されたばかりだった。

鐵造はさっそく、懐かしい後輩を議員宿舎に訪ねた。

「国岡さん、お久しぶりです」

「石井は偉くなったな」

「やめてくださいよ。たまたまです」

このとき、鐵造は六十一歳、石井は五十七歳だった。久しぶりの再会だった。

「石井がまさか政治家になるとはな」

「国岡さんも貴族院議員ではないですか」

「ぼくはただ戦前に高額納税者ということで、推薦されたにすぎない。国会において貴族院議員などはお飾りにすぎぎん。いずれは貴族院そのものがなくなると見ている」

「そうですか」

「そんなことより、石井は石油配給公団の設立委員会の委員長になったそうじゃないか」

「そうなんです。新聞の世界しか知らない男がいきなり大臣とは、ぼくも驚いています」

「いや、むしろ、民間で働いてきた者が大臣になるというのはいいと思う。政治しか知らない人間が政治をやるというのは、何かが違うような気がする」

石井は感心したように頷いたが、すぐに鐵造は笑った。

「今日は政治談議をしにきたんじゃない。石油配給公団の人事のことを聞きたかったんだ」

「GHQは、公団の役員は民間ではなく官吏から選べと言っています。おそらくGHQはこの公団を永続的なものとは見ていません。あくまで緊急措置的なもので、必要でなくなったらつぶすと考えているようです」

その情報は鐵造も武知から聞かされていた。政府出資の公団にしたのもそのためで、民間会社にしてしまうと、必要がなくなったからといって簡単にはつぶすことができない。

「しかし旧石統の人たちは一筋縄ではいきませんぞ」

「わかっています。私も商工大臣として最善を尽くします」

石油配給公団の従業員組合は新総裁に旧石統の社長である鳥川卓巳の起用を要求したが、石井は断固拒否し、総裁と副総裁には、商工省の官吏を就任させた。石井は新聞社にいた時代、軍部の統制がいかに民需を圧迫してきたかを知っていたから、その名残を残す人事はもってのほかだった。

しかし旧石統のメンバーは狡猾《こうかつ》だった。総裁と副総裁以外の幹部クラスや従業員のほとんどは旧石統の社員たちが占めた。ＧＨＱから人事の刷新を要求されていた設立委員会だったが、石油という特殊な物資を扱うため、ずぶの素人だけに任せるわけにはいかなかったのだ。そういう意味ではやむを得ない人事ではあったが、機構や施設も旧石統のものがそっくり残った。

鐵造はそのことを知りながら、抗議はしなかった。実はＧＨＱから「公団は一年かぎり」と聞かされていたからだ。

四月のある日、元陸軍中野学校の教官であった武知甲太郎は鐵造を訪ねた。

「どうした？　またＧＨＱから東雲を呼びに来たのか」

店主室に武知を通した鐵造は軽口を言った。

「いいえ」と武知は少し緊張した面持ちで言った。「今日はお願いがあって参りました」

「武知君にはいろいろ世話になった。ぼくにできることならなんでも言ってほしい」

武知はいざ言おうとすると、なかなか言葉が出てこなかった。

「どうした？　通訳でも必要か」

鐵造の冗談に武知の緊張が解けた。

「それでは申し上げます」武知は言った。「私を国岡商店の店員にしてください」

「わかった」

鐵造のあまりにもあっさりとした答えに、武知は少し拍子抜けの感じがした。

「私を店員にしていただけるのですか？」

「今、そう言ったはずだが」

「ありがとうございます」

武知は頭を下げた。

この三ヵ月余り、ＧＨＱで東雲の通訳をこなしながら、何度か鐵造と会ううちに、彼の生き方と人間に心酔していた。そして五十歳になったのを機に、この人のもとで働いてみたいという気持ちが抑えられなくなったのだ。

「ただし、ひとつ言っておく」と鐵造は言った。「うちの給料は安いぞ」

武知はニヤッと笑った。「知っています」

武知は国岡商店の現状の厳しさも知っていた。ＧＨＱのミラー少佐に東雲を紹介するときに、国岡商店のことはあらかた調べ上げていたからだ。元陸軍中野学校の教官だけに、そのあたりは抜かりはない。国岡商店の戦後の経営状態は予想以上に悲惨なものだった。しかしそれを知ってもなお、国岡のもとで働きたいという気持ちはいささかも減じなかった。いやむしろ、だからこそここで頑張ってみたいという意を強くした。もし店主のもとで、自分の力を役立てることができるなら、これほど嬉しいことはない。

鐵造は立ち上がって武知に握手を求めた。六十一歳とは思えぬ力強い手だった。

「今日から、君はぼくの家族だ」

その瞬間、武知の体は喜びで震えた。

十一、逆転

昭和二十二年六月一日、石油配給公団が設立された。しかしそのころには、公団の寿命は短いというのが公然と囁《ささや》かれていた。

各石油販売会社は公団が指定する「販売業者」になろうと活動を始めた。いずれ公団はなくなり、石油輸入が解禁される。だからこそ将来の大きな布石のために、今、指定業者になっておかねばならない。もし、ここで指定業者から外れると永久に浮かび上がれない可能性もある。

各社は商工省や石油配給公団に日参し、指定をもらうためにさまざまな活動をした。

公団が設立されてまもないある日、商工省の石油課の会議室で、石油課の北山課長と旧石統の幹部が集まって非公式の会議がおこなわれていた。彼らは大手七社の重役たちだった。

議題のひとつは、指定業者の選定基準をどうするかということだったが、彼らを悩ませていたのは国岡商店の存在だった。

「国岡商店をどうしますか?」

最初に口を開いたのは、日邦石油の鳥川卓巳だった。このあいだまで旧石統の社長だったが、今は公団の理事におさまっていた。

「あれに大暴れされるとかないませんな」

大和石油の常務の丸山が言った。

「国岡の連中は働きすぎます」

東洋石油の谷本が言うと、丸山が「あの結束力は異常ですな」と言った。何人かが相槌《あいづち》を打った。

「タンク底での仕事ぶりなどはちょっと考えられない」鳥川が呆れたように言った。「海軍の連中さえも手を出せなかったのに、大学出や高商出の男たちがタンクの中に入るんだから」

「まあでも、彼らがやってくれたおかげで、ＧＨＱの石油政策が少し甘くなったのですから、国岡商店には感謝しないと」

石油課の北山課長が言った。

「感謝はしても、仲間にはしたくないですな」鳥川が憎々しげに言った。「とにかく国岡は指定業者から外れてもらいたい」

会議室にいた全員が黙って頷いた。

「しかし指定業者の銓衡《せんこう》から国岡を外すのは難しいのではないですか？」

谷本が北山課長に訊ねるように言った。

指定業者の選出は、まず公団の各都道府県の委員会に届けられた希望業者から適格者を選び出し、そこから公団の中央委員会で選定するということになっていた。最終的には総裁が目を通し、主務大臣の認可を得て指定されることになる。密室での選定ではあるが、国岡商店が選に漏れたとなれば、ひと悶着あるのは避けられなかった。下手をすれば、ＧＨＱから再選考を要求されるかもしれない。

「要するに、国岡商店を募集の段階で落としてしまえば、問題はないわけです」

北山課長は言った。

「そんなことが可能なのですか？」丸山が訊いた。

「業者の希望を募《つの》る前に、販売業者指定要領というものを作成します。そこに国岡商店を排除する項目を入れればいいのです」


六月十日、石油配給公団設立後はじめての会議が開かれた。集められたのは公団幹部十人と、地方商工局と公団支部の代表者二十五人だった。その席上で「販売業者指定要領案」が配られた。これは商工省石油課と公団本部が事前に秘密裏に作成したものだった。

その要領には「販売業者指定」を受ける業者の有資格者として、「現存業者、転売業者および海外からの引揚業者」とあった。「引揚業者」の備考として、「内地に実績のない引揚業者は外地において明瞭な販売実績のあった者を有資格者とする」と書かれていた。ところが、その最後のところに「注記」として、ある一文がさりげなく記されていた。それは「内地に本社を有したる引揚業者は認めない」というものだった。つまり、海外でいかに販売実績があろうと、国内に本社があった業者は「引揚業者」としては認めず、その業者は販売指定業者にはなれない、というものであった。そして、この注記に該当する業者は、国岡商店ただひとつだった。

この会議で、公団本部の増山浩業務部長ははっきりと言った。

「国岡商店はこれに該当するので、指定からは除外される」

公団幹部の面々は満足そうに頷いた。本部の意見に口を挟《はさ》む者はなかった。増山の言葉を受けて、北山課長が発言した。

「本日配った要領案は、現時点では経済安定本部にもGHQにも未提出、未了解のものであり、各業者に対する影響もあるので、口外は控えていただきたい」

石油課と公団幹部たちは、表向き「指定業者」を広く募り、その実、裏でこうした「要領」を作成して、国岡商店を第一段階の委員会での選考で落としてしまおうと考えたのだ。

六月十三日、徳山でタンク底の廃油を集めていた宇佐美幸吉は、一日の仕事を終えて、ステテコ姿で飯場の前の空き地の床几に座って夕涼みをしていた。宇佐美の前の床几では同僚が将棋を指している。仕事終わりの一服は美味かった。

タンク底に潜って一年以上になるが、宇佐美はこの辛い労働を楽しんでいた。いや宇佐美だけではない。全員が喜びをもって仕事をしていた。その証拠に仕事中は笑いと冗談が絶えなかった。皆、ろくなものも食べていなかったにもかかわらず、驚くほどたくましい体になっていた。

宇佐美は、一年前に父の言葉に従って国岡商店に戻ってよかったとしみじみ思った。あのまま田舎にこもっていたら、この喜びは味わえなかった。今はこうしてタンク底に潜ってはいるが、いずれ国岡商店は再び石油を扱う日がきっと来る——。

そこへ地元の廃油業者の稲葉が顔を出した。宇佐美たちは稲葉の会社に廃油を卸していた。

「やあ、稲葉さん」と宇佐美は言った。「廃油はまだそんなに集まっていないよ」

「そんなことじゃないんだ」

稲葉の深刻そうな顔を見て宇佐美は「何かあったのか?」と訊いた。

「国岡商店が今度の指定業者から外されるぞ」

「何だって!」宇佐美は思わず立ち上がった。「稲葉さん、それはどういうことだ」

「今日、販売業者の会合があったんだが、そこへ商工省の役人が来ていて、指定業者の要領案を見せてもらったんだが、それには国岡商店に資格がないみたいなことが書かれてあった」

「本当か! 詳しく教えてくれ」

「いや、えらく難しいことが書いてあって、俺にはよくわからなかったけど、同業者が後で教えてくれたところによると、どうやら国岡商店が外されてるようだと——」

「そんな馬鹿な話があるか。俺たちは日本のためにどれだけ頑張ってると思ってるんだ。このタンク底だって、商工省に頼まれたからやってるんじゃないか」

宇佐美は怒鳴るように言った。

「俺に怒らないでくれよ」

「すまない」と宇佐美は言った。

「商工省の役人は、この文書の存在は公にするなということだったが、国岡商店さんにはお世話になってるから、黙っていられなかったんだ」

「ありがとう。稲葉さん、恩に着るよ」

宇佐美はすぐに事務所に戻り、服に着替えた。事務所には何人かの店員がいた。

た。

「どこに行くのか、宇佐美」

「今からすぐに本社に戻る」

当時、長距離電話は非常にかかりにくかった。交換手を呼び出して、先方に繋がるまで、一時間くらいは珍しくなく、ときによっては数時間かかることもあった。夕方から夜になると、さらにかかりにくかった。そのため西日本と東京で緊急連絡を取りたい場合は汽車に飛び乗るのがもっとも早い手段だった。後に「東京―博多」間を走る急行「ハト」に乗ることから、これらの緊急便は「ハト便」と呼ばれた。

宇佐美は徳山から夜行列車を乗り継ぎ、翌朝九時前に東京に着いた。不安と怒りで一睡もできなかった。公団ができたら、国岡商店は指定業者になるんだ、再び石油を扱えるのだと、店員は一丸となって頑張っていた。タンク底の苦しい廃油集めがようやく報われる日が来るはずだったのに、指定から外されたなら、国岡商店はおしまいだ。今もタンク底で頑張る仲間たちのためにも、絶対にそんなことがあってはならない。稲葉の情報は曖昧《あいまい》なものだったが、それでも店主にいち早く届ける価値がある情報だと確信した。

国岡館に着いたのは九時過ぎだった。店主はすでに出社していた。

宇佐美の報告を聞いた鐵造は顔色を変えた。柏井や甲賀たち重役もあきらかに動顚《どうてん》している。

「その情報はどこまで正確なのか？」甲賀は詰問するように言った。

「デマじゃないのか？」と柏井も言った。

「実際のところはわかりません。確認が取れていません」

「もしデマだったら、どうするつもりだ。混乱するだけだぞ」

宇佐美は返答に困った。たしかによく考えれば、あまりにも不確定な情報だった。気が動顛して慌てた行動を取ってしまったのかもしれないと思った。

「宇佐美くん――」

黙っていた鐵造が口を開いた。

「ご苦労だった。よくその情報を届けてくれた」

「ですが、常務がおっしゃったように事実の確認はしておりません。あるいはデマの可能性もあります」

「いや、情報は速さが何よりだ。よくぞ、素早く行動してくれた。ありがとう」

宇佐美は頭を下げた。

「甲賀」と鐵造は言った。「武知を呼べ」

すぐに武知が店主室にやってきた。

鐵造は宇佐美にもう一度説明させた。武知は黙って聞いていた。

「宇佐美君の情報を確かめてもらいたい」と鐵造は言った。

「わかりました。やってみましょう」

「できるか?」

武知はにやりと笑った。

「諜報活動ならお任せください」

鐵造は頼もしそうに頷いた。

武知はすぐさま陸軍中野学校の仲間や教え子たちに連絡を取った。そして商工省にパイプとコネのある人物をピックアップしてもらい、彼らをそうした人物に接近させた。武知と国岡商店の名は表に出ないように、すべては隠密裏におこなわれた。それなりの金も使った。

三日後、武知は公団の「販売指定業者要領案」の入手に成功した。宇佐美の情報は正しかった。

要領案を見た鐵造は激怒した。

「こんな馬鹿なことがあっていいのか！」

甲賀は悔し泣きした。

「店主、こんなに情けないことはありません。店主ほど、日本のことを考えておられる人はいないのに、どうしてこんな仕打ちを受けねばならないのでしょうか」

武知は本当にそのとおりだと思った。日本という国の悪いところだ。いや官僚の悪いところだ。彼らは国全体の利益を見ようとはけっしてしない。常に目先の利、狭い集団の利益ばかりを追求する。思えば、自分が属した日本陸軍もそうだった。本当の敵である連合軍を前にして、海軍とのつまらぬ利権争いにどれだけ無駄な精力を注ぎ込んだか。

武知には、国岡商店が政府に睨まれているもうひとつの理由もわかっていた。それは鐵造がこれまで省庁の天下り官僚を断固として受け入れなかったことだ。これは官僚から見れば、宣戦布告に映ってもおかしくはない。

「甲賀」と鐵造は鋭い口調で言った。「嘆いても仕方がない。これは戦いだ」

重役たちははっとした。たしかに今すべきことは泣くことではない。この絶体絶命の危機をいかに打開するかだ。

「今から商工省に抗議に行く」

甲賀と柏井は「はい」と言った。


鐵造は石油課の北山課長に会うと、努めて怒りを抑えながら言った。

「北山さん、ある筋から指定業者の要領案を手に入れましたが、これについて説明していただきたい」

「いったい何の話ですかな」

「これです」

鐵造は要領案の写しを北山の机の上に置いた。

「何ですか、これは？」

「とぼけるのもいい加減にしたらどうです」

「別にとぼけているわけではありませんよ。こんな書類は見たこともありません」

「石油課と公団本部が作ったものじゃないか」

「その証拠はありますか」

鐵造は北山のあまりの不誠実な言動に呆れた。

「あんた、それでも日本人か」

「日本人ですよ」北山は平然と答えた。「商工省の役人は日本国籍を持っていないとなれないんですよ。知りませんでしたか」

その言葉を聞いたとき、鐵造は怒りよりも虚しさを覚えた。

「あんたは――日本人ではないよ」

鐵造はそう言うと、「失礼した」と言って、部屋を出た。誇りを失った男と議論しても無意味だったからだ。

鐵造はその足で公団に向かった。

対応したのは鳥川だった。彼は北山のようにとぼけたりはしなかった。その代わり、要領案のどこが悪いのかと開き直った。

「要領案に不備はないですよ」

「国岡商店を締め出す条項が入っているじゃないか」

「別に国岡商店を締め出すために作ったわけではありません。国内業者と引揚業者の二つに明確に絞っただけのことです。たまたま国岡商店は国内業者でも引揚業者でもなかったということですよ」

「そんな条項に引っかかるのはうちだけじゃないか」

「それは調べてみないと何とも言えませんね。他にも該当する業者があるかもしれませんよ」

「なぜ、そんな条項が必要なのか？　国内業者であろうと引揚業者であろうとかまわないじゃないか」

「有資格者を無制限にすると、申請が殺到して対応できないんですよ」

鐵造は怒鳴りたいのをぐっとこらえて頭を下げた。

「鳥川さん、お願いする。この条項を削ってくれ」

鳥川は答えなかった。

「お願いだ。指定が取れなければ——国岡商店はつぶれる」

横に立っていた甲賀はいたたまれない気持ちになった。店主は今、耐えがたきを耐え、屈辱に震えながら、頭を下げている。

しかし鳥川は横を向いて煙草をくゆらせていた。

「たった一行を取り除いてくれるだけでいい」

「無理ですよ。今さら、要領案の変更はできません」

「そこを何とかお願いしたい」

鐵造はひたすら頭を下げ続けた。

「申し訳ない。今から所用があってね」

鳥川はそう言うと、急に腕時計を見ながら立ち上がった。


鐵造の猛抗議にもかかわらず、商工省石油課は翌日の六月十八日、「要領案」をGHQに提出した。

鐵造は二日後、「公団指定に関する理念」と題する文書を記し、甲賀たちに商工省と公団本部に届けさせた。さらにその四日後、記者会見を開き、石油行政と石油配給公団のやり方のおかしさを世間に訴えた。しかし商工省も公団も鐵造の行動を完全に無視した。鐵造の怒りは蟷螂《とうろう》の斧《おの》だった。

鐵造たちが苦悶しているとき、武知がGHQに赴き、ひとりの男を訪ねていた。

武知が会おうとしていたのは、一年前、石油を懇願する日本政府に対して、「タンク底の油を浚え」と命令した参謀部・第四部（G４）のアンドレー・チャンだった。

六月終わりのある朝、商工省石油課長の北山は突然、GHQのG４から、ただちに出頭するようにと呼び出しを受けた。

北山は午後の仕事をいっさいキャンセルして、急いでGHQに向かった。GHQから名指しで呼び出されることなどはじめてだっただけに、緊張と不安でいっぱいだった。戦前の第一生命ビルには何度も来たことはあるが、戦後GHQに接収されてからは一度も訪れたことはない。馴染《なじ》みのある石造りの玄関だが、入り口に背の高い二人の兵隊が立っている姿を見ただけで、足が震えた。

受付で、慣れない英語で自己紹介し、呼び出しを受けたことを伝えた。エレベーターに乗っていると、鼓動が速くなってくるのがわかった。

G４の部屋に通されると、背の高い茶色い髪の男が待っていた。北山が自己紹介をすると、男は不機嫌そうな顔で睨みつけた。男はアンドレー・チャンと名乗った。その名前を聞いて、北山は驚いた。石油課の役人でその名前を知らない者はない。

チャンは机の上に書類を投げるように置いた。北山はそれが先日提出した「要領案」の英文コピーであることがわかった。

「この要領案には不可解な一文がある」チャンは激しい口調で言った。「説明しろ！」

北山は彼がどの文章を言っているのかおよそ想像がついたが、「どの一文でしょうか？」と訊ねた。

チャンは苛立ったように、あるページの文章を指で叩いた。そこは例の引揚業者の注記の部分だった。北山はつっかえながら、その条項の説明をしたが、チャンは北山の説明が終わる前に、「ナンセンス！」と怒鳴った。

その声の大きさに北山は震えあがった。チャンは、要領案の書類を摑むと、北山に投げつけた。

「GHQを愚弄するおこないは慎んだほうがいいぞ」

チャンはそう言った後で、「修正して再提出せよ」と言った。

北山が立ち去った後、チャンは「腐った役人め」と呟いた。

卑怯《ひきょう》で、卑屈で、男らしさのかけらもない。ああいう男は、立場が下の者には逆に横柄に振る舞うのだろう。日本の官吏にはあの手の男たちが多い。この二年間で何人も見てきた。日本は武士道の国と聞いていたが、そうではなかった。役人はどいつもこいつも狡賢《ずるがしこ》いネズミみたいな連中だ。

しかしサムライのような男もいる。この要領案で問題になっている国岡鐡造はそのひとりだ。彼はGHQをも恐れなかった。戦前は軍の統制に逆らい、戦後は敗戦により会社が壊滅的な状況になりながらも、社員をひとりも解雇しなかった。そして、すべての石油会社が怖気づいたタンク底の廃油を集める仕事に取り組んだ。チャンは半年前に見た横浜の旧海軍タンクで働く男たちの姿を思い出した。

全身真っ黒な油だらけになって過酷な仕事をしながらも、彼らの顔には悲壮感はなかった。疲労困憊《ひろうこんぱい》しながらも、彼らは笑顔を忘れなかった。あれはいやいやながらに仕事をしている顔ではない。生き甲斐と喜びをもっていなければ、あんな表情はできない。

チャンは部下から、彼らはもともと肉体労働者ではなく、カレッジやユニバーシティを出たホワイトカラーと聞いていっそう驚いた。おそらく彼らがボスと仰ぐ男は大変な魅力を持った男なのだろう。そしてその男の下で働く若者たちもまたとんでもない男たちに違いない。他の石油会社たちが怖れるのも無理はない。国岡商店に翼を与えれば一気に天に舞い上がるだろう。

最初は日本政府に対する嫌がらせで命じたタンクの廃油集めだったが、その過酷な仕事に一民間会社の若者たちが懸命に頑張る姿は、見ていたチャンの胸をも打つものがあった。

しかし折からの急激なインフレで国岡商店は利益どころか大変な損失を負うことはほぼ確実だった。GHQ内に「国岡商店に損を与えてはならない」という空気が次第に生まれていたが、その気持ちはチャンも同じだった。

そこへやってきたのが武知甲太郎だった。武知とは旧陸軍の戦後処理の仕事で何度か会っていた。中野学校の教官をしていたという武知は頭の切れる男だった。久しぶりに会ったとき、彼は何と国岡商店の社員だった。そして一束の書類を持参していた——。

北山は商工省に戻ると、ただちに公団幹部を呼び寄せた。

そして理由も告げずに、彼らに要領案の修正を命じた。具体的には例の「注記」の一行を削ることだった。公団幹部は石油課長の突然の豹変《ひょうへん》に、異を唱えたが、北山は「なんでもいいから、言われたとおりにやれ！」と癇癪《かんしゃく》を爆発させた。公団幹部たちは狐につままれた気持ちだったが、石油課長の厳命とあればいたしかたなかった。

数日後、例の一文が削除された要領案がGHQに再提出された。しかしGHQはその修正案にさらに修正を要求し、指定業者の資格について、条件を「必要店舗設備を有する」という点に絞らせた。そして業者を選定する地方委員会として「民主的な都道府県諮問委員会」を設立することを命じた。

「武知君、君のお蔭だ」

要領案が訂正されたということを知った鐵造は、店主室に武知を呼んで、礼を言った。

「いいえ、私はたまたまGHQにコネクションがあっただけです。G4のチャンが国岡商店を助けたのは、タンク底での仕事ぶりを認めていたからです」

「そうか——。アンドレー・チャンが店員たちの頑張りを見ていたのか」

タンク底の仕事は最終的に国岡商店に大きな損失を与えることは決定的だった。社運を懸けた大事業であり、また多くの店員に非常に厳しい試練を与えたにもかかわらず、このような結果になったことは慙愧《ざんき》に堪《た》えない思いであった。しかし、それは無駄にはならなかったのだ。

鐵造は、店員たちに助けてもらった、と思った。

「しかし店主」と武知は言った。「戦いはこれからです」

鐵造は頷いた。

「そのとおりだ。国岡商店はようやく戦いに参加することができたにすぎない。さっそく、指定業者に申し込む」

公団が許可する指定店は全部で千五百、そこに全国から四千以上の応募があった。国岡商店は六十五店舗の申請をした。

ところが国岡商店が申請をして少し経ったころ、公団が国岡商店の業者指定は独占禁止法にふれる恐れがあると言ってきた。これには鐵造も苦笑するしかなかった。

独占禁止法はGHQの指令によってこの年の四月に公布施行されたばかりの法律だったが、その趣旨は財閥解体のあとを受けて、カルテルやトラストやコンツェルンの出現を防ぐためのものだった。

「店主、どうします?」

甲賀が心配そうに言った。

「どうもこうもない。国岡商店が独占禁止法にふれるなら、日邦石油や大和石油がまず問題になるべきだ。第一、うちのような店のどこが独占なんだ。石油が扱えないから慣れないラジオ業務までこなして糊口をしのいでいるというのに」

「どう見ても、国岡商店を指定から外すためのこじつけにすぎません」

「そういうことだ」と鐵造は言った。「ほうっておけばいい」

しかし国岡商店への誹謗《ひぼう》中傷は減るどころか、いっそう激しくなった。

商工省や石油課、さらにGHQにも国岡商店に対するさまざまな非難文書が幾通も投げ込まれた。

ある日、武知はGHQのチャンから、そうした怪文書なるものを見せられた。そこには戦前に国岡商店が軍部と結びつき、汚い方法で利権を漁った政商であると書かれていた。

「まったくの事実無根です」

怪文書を読み終えた武知は言った。

「わかっているよ」

「ありがとう」

「うちで調べたところによると、国岡商店を非難するのは、すべて石油業者と役人だ。国岡商店の取引先や消費者からの非難はまるでない。むしろ賞賛する声のほうが多い」

武知は頷いた。

「それにしても」とチャンは少し首を傾げながら言った。「なぜ国岡商店はこれほど敵が多いのだ?」

武知は苦笑した。

「うちの店員は働きすぎるのです」と武知は苦笑しながら言った。「戦前、満州では、国岡商店が歩いたあとには草も生えないと言われたそうです」

チャンは笑った。戦前の国岡商店の社員たちの働きぶりはしらないが、タンク底で油まみれになって頑張る彼らを見れば、十分頷けた。いざ石油を手にすれば、どれほどの仕事をするのか——他の石油業者が怖れるのも無理はないと思った。

「また店主は戦前からあらゆる統制に反対してきました。商工省の中には今も『国岡商店憎し』の声が残っているようです」

「なるほど」チャンは言った。「話はわかった」

翌日、チャンは再び北山課長を呼び出した。

チャンは北山に、国岡商店の非難が書かれた怪文書の束を見せた。

「うちで調べたところ、これらの投書は根も葉もない中傷であることがわかった。これらの投書が収まらないようだと、誰が出しているのか本格的に捜査することになる。ＧＨＱにはそれだけの力はある。関係者は軽くない処分を受けることになるだろう」

チャンはそれだけ言うと、もう用はないとばかりに手を振った。

その日以降、国岡商店への怪文書はぴたりとやんだ。


十月初め、各諮問委員会の選考を経て公団は業者指定の発表をした。

国岡商店は六十五店舗の申請で認められたのは二十九店舗だった。九州地区は門司《もじ》、若松、福岡、苅田、唐津、佐世保、枕崎、油津《あぶらつ》、大分、別府の十店舗。中国地区は下関、徳山、萩、広島、松江の五店舗。近畿地区は大阪、神戸、舞鶴、京都の四店舗。四国地区は丸亀、松山、八幡浜の三店舗。東海北陸地区は名古屋、四日市、清水、金沢の四店舗。関東地区は東京、横浜の二店舗。そして北海道地区は砂川の一店舗だった。

その日、鐵造は国岡館の二階ホールで、店員たちを前にその報告をした。

「認められた店は少ないが、いよいよ石油業界に足を踏み出せた。これもすべて、君たち店員のお蔭に他ならない。ここに集まる店員だけでなく、今もなおタンク底で頑張っている店員たち、ラジオ修理で頑張っている店員たちの力があったればこそである」

鐵造はそこで言葉を詰まらせた。涙が溢れ、眼鏡をはずして目頭を押さえた。それを見てホールに集まった店員たちから嗚咽《おえつ》の声が漏れた。

「国岡商店の戦いはこれからだ。いよいよ本当の戦いに打って出るときが来た。今日まで雌伏した店員たちよ。わが国岡商店はついに翼を得た。これからは龍が天に向けて翔《か》け上がる」

武知は鐵造の言葉を感動とともに聞いた。かつて十代で陸軍士官学校に入学し、人生は陸軍に捧げたつもりでいた。そして敗戦とともに人生も終わったと思っていたが、今、新たな命を与えられたと思った。自分の前半生が陸軍にあったならば、後半生は国岡商店とともにある——。


鐵造はホールでの訓示を終えると、店主室に戻った。

壁には大きな日本地図が貼られてある。指定店のマークが書き込まれた地図を見ながら感無量の思いを嚙みしめた。石油配給指定店になった全国の二十九店舗はすでに「国岡ラジオ」の看板を下ろし、本来の「国岡商店」の看板を高々と掲げていた。

再び石油を扱える日がとうとうやってきたのだ。敗戦直後、ひとりの店員も首を切らないと決意した日から、二年の月日が流れていた。危難をくぐり抜けた鐵造ははじめて心安まるときを得た。しかし、実はそれは嵐の前の一瞬の静けさにすぎなかった。国岡商店を一撃で葬り去るほどの強大な敵が迫りつつあるのを、このとき、鐵造は知らなかった。

それは、「七人の魔女」とよばれる怪物だった——。

第二章　青春

明治十八年〜昭和二十年

一、石油との出会い

鐵造は明治十八年（一八八五）、福岡県宗像郡赤間村《むなかたぐんあかまむら》（現・宗像市赤間）に生まれた。維新の騒乱も収まり、さまざまな法令が敷かれ、明治の足固めが始まったころだった。最後の内乱である「西南《せいなん》の役《えき》」は八年前に終わっていた。

鐵造が生まれた年、日本国政史上はじめての内閣が誕生し、初代総理大臣に伊藤博文が就任した。「大日本帝国憲法」が発布されるのは四年後の明治二十二年である。翌二十三年には第一回衆議院議員選挙がおこなわれ、多くのヨーロッパ諸国に倣《なら》って立憲政治が始まった。しかし当時、選挙権を持つのは国税十五円以上を納めた満二十五歳以上の男性で、これは全国民のわずか一パーセントあまりにすぎず、民主国家とよぶにはほど遠い国家体制であった。

日本は欧米列強に追いつけ追い越せで、ひたすらに富国強兵を唱え、海外への進出を図り、明治二十七年（一八九四）、朝鮮半島の支配をめぐって清と衝突し、日清戦争を起こした。鐵造が赤間尋常《じんじょう》小学校を卒業した明治二十八年、関門海峡を隔てた下関で、日本の全権大使の伊藤博文、陸奥宗光《むつむねみつ》らが清国の李鴻章《りこうしょう》を迎え、講和談判がおこなわれた。極東の小さな島国が「眠れる獅子」とよばれた大国、清を打ち負かしたことは世界を驚かせた。鐵造は子供心に日本人であることに勇気と誇りを感じた。

赤間村は九州の大名たちが参勤交代で行き来する唐津街道にあり、江戸時代は宿場町として大いに栄えた町である。幕末には、西郷隆盛、高杉晋作、中岡慎太郎など多くの勤王の志士や浪士たちが何度も訪れている。しかし維新後は急速に寂《さび》れ、福岡郊外の田舎町となっていた。

赤間村がある宗像の地の歴史は古い。古事記や日本書紀にもその名は記され、天照大神《アマテラスオオミカミ》が三女神をこの地に遣わせたとある。遠祖は宇佐八幡宮《うさはちまんぐう》の大宮司《だいぐうじ》家と伝えられている国岡家は、戦国時代に戦火を避けてこの地に移り住んだという。そのため幼少のころより、鐵造の宗像神社に対する尊崇の思いはひとかたならぬものがあった。

鐵造の父、徳三郎は染め物業を営んでいた。徳三郎が生まれた嘉永六年（一八五三）に浦賀に黒船が来ている。維新を十六歳で迎えた徳三郎は、進取の気性を持った商人となった。明治の初め、瀬戸内海を走り始めた洋型の外輪船《がいりんせん》に乗り、阿波徳島から藍玉《あいだま》を仕入れ、商売を広げた。鐵造が子供のころは、国岡家は赤間村では有数の裕福な家だった。

徳三郎は鐵造を含む八人の子供たちに「一所懸命に働くこと」「質素であること」「人のために尽くすこと」の三つを厳しく教え込んだ。子供が家の手伝いや親が命じた仕事をおろそかにすると、雷を落とした。鐵造の生涯を貫いた「勤勉」「質素」「人のために尽くす」という三つの柱は、父から幼少期に叩き込まれたものだった。母の稲子はおとなしく従順な人であったが、いったんこうと決めたら、誰が何と言っても頑として意志を曲げない女であったという。長じて後、しばしば周囲の人を驚かせた鐵造の頑固な性格は母から譲り受けたものだったのかもしれない。

小学校のころの鐵造は、才気煥発《かんぱつ》なところがまったくない子供だった。体が弱く、よく風邪をひいて寝込んだ。体力もなく、体育の授業ではよく落伍した。高等小学校卒業時の成績表は、学業成績「乙」、行状「乙」、挙動「静粛」、体格「虚弱」、体質「近視」とある。近視となったのは小学校二年生のとき、友人と山で遊んでいて、草の葉で眼球を傷つけてしまったためだ。幸いにも失明は免れたが、視力は大幅に落ちた。そのため本をほとんど読むことができなくなり、教室でも黒板の字が見えなかった。

また幼いころから神経症を患っていた。毎夜、眠りにつくたびに恐ろしい夢を見る。夢の内容はいつも同じで、鐵造は崖の縁に立っている。谷の向こう側で母が「こっちへおいで」と呼んでいるが、目の前の谷は深く、しかも濃い霧が立ち込めている。どうしても向こうへ行けない鐵造は泣きながら崖の上を歩くのだが、このとき、実際に寝床から起き上がって、夢遊病のように泣きながら部屋を歩く。この悪夢には四十歳過ぎまで悩まされた。

明治三十二年、十四歳で東郷高等小学校を卒業した。当時の学制は尋常小学校四年、高等小学校四年だった。鐵造は中学へ行きたかったが、父に許されなかった。当時、日本全国で中学校への進学率は五パーセントに満たず、赤間村のような田舎では小学校卒業と同時に働くのが当たり前の時代だった。鐵造の三歳上の兄の万亀男《まきお》も高等小学校を卒業後、徳島の商家に丁稚の修業に出ていた。そのひとつ下の姉ミツももちろん進学はしていない。

鐵造は家の仕事を手伝うことになったが、進学の夢は捨てなかった。虚弱な肉体、眼疾《がんしつ》、それに神経症という三つの弱点をもった自分が世の中に伍して戦っていくためには、教育を身につけることが必要だと思っていたからだ。それで、仕事の合間に父に隠れて勉強を続けた。

高等小学校を卒業した翌年、福岡に商業学校が新設された。鐵造は、これからの商人にとって商業学校で学ぶことはきっと役に立つと思い、願書を取り寄せた。ところがこの願書は父に握りつぶされてしまい、鐵造は受験さえできなかった。

このとき、鐵造の母譲りの闘争心に火がついた。こうなれば何がなんでも商業学校で学ぼうと決意し、翌年はこっそりと願書を取り寄せ、父には内緒で受験した。試験当日は、父を油断させるために野《の》良着《らぎ》で家を出て、道中で家から持ち出した父の仙台平《せんだいひら》に着替えて受験会場へ行った。

受験者百十九名中、合格者は七十七名。その中に鐵造の名はあった。合格通知と入学許可書が家に届いたとき、父は呆れたが、今度はもう反対はしなかった。

設立されたばかりの福岡商業の校舎はまだ建築中で、学校は材木町《ざいもく》（現在の福岡市中央区天神）にある少林寺の書院を借りて仮校舎とし、学生たちは正座して講義を聞いた。

鐵造は博多にある父の取引先だった紺屋の二階に下宿した。博多には父の商売の営業所もあり、鐵造は学業にいそしむ一方で、得意先を回って注文を取ったり、ときには売掛金の集金をして父の仕事を手伝った。あれほど進学に反対していた父であったが、博多に来るたびに鐵造のもとを訪れ、「頑張れ」と励ました。鐵造は父の言葉が嬉しかった。

鐵造は自らの病弱な体と心を鍛えるために、短艇《たんてい》部に入部した。福岡商業の短艇部は波の荒い玄界灘が練習所である。彼はそこで毎日、懸命にオールを漕いだ。また弁論部にも所属し、一年生のときには部の委員を務めている。勉強のほうもけっしておろそかにはしなかった。一年終了時には学年で二番、二年一番、三年三番、四年三番という成績を残している。三年生になったころには体もすっかり強くなっていた。かつての弱々しい子供時代の面影は消え、自信に満ちた少年になっていた。

このころ、鐵造は生涯愛することになる「仙厓《せんがい》」と出会っている。

ある日、父と福岡の町を歩いているときに、骨董屋の店先で一幅の掛け軸が目に止まった。それは布袋《ほてい》が天を指差し、子供が嬉しそうにその指を見つめている様子が、ポンチ絵のような単純な線で描かれたものだった。作者の仙厓義梵《ぎぼん》は江戸時代後期の臨済宗の禅僧で、洒脱で飄逸《ひょういつ》な禅画を多数描き残したが、当時はまったく無名であった。もともとは美濃（岐阜県）の生まれだが、博多の聖福寺の住職を二十年も務めていたことから、北九州には多くの絵が残っていた。このとき、父にせがんで購ってもらった『指月《しげつ》布袋画賛《がさん》』と呼ばれる絵は、後に仙厓の代表作として世に知られることになる。禅宗の教えでは「月」とは悟りのことで、それを示す「指」は経典である。そのころの鐵造はそんなものは知らなかったが、その絵に魅了され、晩年にいたるまで仙厓を追い求めることになる。

鐵造は福岡商業を卒業したら、商業の最高学府である東京高等商業学校（現・一橋大学）に進みたいと思っていた。当時、日本で唯一の高商だった東京高商は天下の難関校として知られていて、福岡商業から進むのは難しいと言われていた。というのは、高商や高工を含む旧制高等学校の入試科目は一般の中学（旧制中学）の履修科目に従って作られているためだ。事実、実業学校から旧制高校への進学はほとんどなく、鐵造も進学は難しいと思っていた。

ところが鐵造が三年生のときに、日本で二番目の高商として設立された神戸高商（現・神戸大学）の受験制度は旧来のそれとはまったく異なったものとなっていた。初代校長に就任した水島銕也《みずしまてつや》は、実業学校出身の優秀な学生が欲しいと考え、彼らのために、入試科目を出身学校の履修科目から選択できるようにしたのだ。そして入学後は予科をいったん二つのクラスに分け、それぞれに不足する教科を補ってから本科に進ませるという制度を取った。それを知った鐵造は神戸高商に進もうと考えた。

明治三十八年三月、十九歳の鐵造は神戸高商を受験するために福岡を旅立った。このとき、はじめて関門海峡を渡った。家を出るときには、合格するものと疑わず、布団から日用品まで生活用具一式を用意した。新設校とはいえ、日本で二つしかない高等商業学校である。傲然《ごうぜん》たる自信としか言いようがない。

鐵造は四倍の競争率をくぐりぬけ、晴れて神戸高商の学生となった。

鐵造が入学したときの同期生には俊秀《しゅんしゅう》が揃っていた。後に日商（現・双日）の会長となった高畑誠一《たかはたせいいち》、同じく日商の社長を務め後に貿易庁長官ともなった永井幸太郎《ながいこうたろう》、富士通の社長となった和田恒輔《つねすけ》らがいる。他にも大手銀行の頭取や大手商社の社長、重役になった者は枚挙にいとまがない。高畑と永井は鐵造と同じ下宿で生活していた。

そんな中にあって鐵造は特別に目立つ学生ではなかった。福岡商業時代にはあれほど勉強したにもかかわらず、学問にはあまり力が入らなくなっていた。学友たちが懸命に試験勉強をしているのを横目で見ながら趣味の筑前琵琶《ちくぜんびわ》を弾き、経済の本よりも『盤珪禅師語録《ばんけいぜんじごろく》』など禅関係の本を好んで読んでいた。

しかし後年、鐵造はこの時代にあまり勉強してこなかったことを悔いている。国岡商店を立ち上げて何年か経った後、学校に戻って勉強し直す夢を頻繁に見るようになった。一時は店を店員たちに預けて学校に戻ろうかと真剣に考えたこともあったほどだった。しかしそれは生涯叶わぬ夢となった。

鐵造が神戸高商で学んだのは経済学そのものよりも、商人としての生き方だった。これは「愛国の教育者」と言われた校長の水島銕也の力が大いに与《あずか》った。

水島の父・均は豊前中津《ぶぜんなかつ》藩士で福沢諭吉とは姻戚関係にあり、開明の思想を持った人物であった。その均の長男として元治元年（一八六四）に生まれた銕也は東京高商を出た後、横浜正金銀行《よこはましょうきんぎんこう》（後の東京銀行。現・三菱東京ＵＦＪ銀行）に入った。ニューヨーク支店に出張中、日清戦争後の「三国干渉」の報に接して、慷慨《こうがい》した彼は、日本が欧米列強の圧力に屈しないためには、軍の力もさることながら、経済力も必要だと痛感する。そのためには国際的な舞台で戦っていける真の商業人の育成が急務と考え、三十八歳のとき、神戸高商の設立を聞いて、実業の世界から教育の世界に身を投じた。

水島は教授や学生たちをまるで弟のように遇した。学生たちを自宅に招き、将来の希望を尋ね、人生の相談相手となった。生活に困っている学生は親身になって助けた。同窓生や実業家時代の知人友人を通じて、卒業生一人ひとりの就職を世話し、社会に巣立ってからも、連絡を欠かさず安否を気遣った。後に関東大震災で卒業生が罹災《りさい》したと聞いたとき、すぐさま見舞いに駆けつけ、金銭的な援助をした話も残っている。多感な鐵造は水島のそんな生き方に、大いに感銘を受けた。後に国岡商店を作ったときに、店員たちは家族だと考えるようになったのは、あきらかに水島の影響だった。

鐵造が神戸高商に在学中、世の中は日露戦争の戦勝気分による空前の投機ブームが起こっていた。株式投機で大儲けする者が多数あらわれ、「成金《なりきん》」という言葉が生まれた。カフェで女給たちに金《かね》をばらまいて奪い合いをさせたり、紙幣を燃やして照明代わりにする成金たちの話が新聞などにも載った。この熱に煽《あお》られ、一般市民もまた株式投機に手を出す者が後を絶たなかった。

鐵造たち神戸高商の学生たちは、青年らしい高潔な精神から、そんな風潮を苦々しく見つめていた。いずれは実業界に進みたいという漠然とした夢を持っていた鐵造であったが、同級生たちと同じく「金儲け」ということに嫌悪感を抱き始めてもいた。

そんな折、神戸高商で神戸商工会議所の会頭の講演が開かれた。会頭は居並ぶ学生たちを前にこう言った。

「商売は、とどのつまりは銭儲けである。この一言に尽きる」

学生たちに動揺が走った。

「学者先生や教授先生は、商売というものにいろいろ理屈をつけて立派なことを申しておられるが、そんなことは意味のない言葉である。商売は学問でもなければ政治でもない。商人が考えるべきはただひとつ、利潤の追求である」

この言葉は鐵造にとっても衝撃的だった。もちろんそうした考え方はこれまでにも何度もふれていたし、商人の言葉としては不自然とも思わなかった。しかし神戸商工会議所の会頭という立場の人の口から、はっきりと「商売は銭儲け以外の何物でもない」と断言されたことに、激しい反発心を覚えた。

鐵造と同じ気持ちを持った学生は少なくなかった。

「銭儲け、銭儲けと馬鹿のひとつ覚えみたいに言いやがって――。銭儲けがすべてじゃないだろう」

「そのとおり！　世の中の人が全部そんな考えでいたら、殺伐とした社会になる」

「金がいちばんという思想は許しがたい」

学生たちは講演が終わったあと、口々に会頭の言葉を否定した。やがて誰かが「黄金の奴隷にはなりたくない」と言った。その言葉は理想に燃える学生たちの心を摑んだ。以後、彼らの間で「黄金の奴隷たる勿れ」という言葉が流行《はや》った。

鐵造は多くの学生たちのように声高には語らなかったが、「黄金の奴隷たる勿れ」という言葉は、鋭い鑿《のみ》で彫ったように胸に深く刻まれた。そしてそれは生涯彼の胸から消えることはなかった。

しかし講演を聞いて以来、いずれ実業界に入るとしても、何を目的として仕事をしていけばいいのかますますわからなくなった。「商人とはいかにあるべきか」というのが、このころの鐵造のもっとも大きな命題であった。いや、そもそも商人とは何であるか――。ひとりで考えても、また学友と話しても、答えを見つけることができなかった。

そんな鐵造に天啓をもたらした人物がいた。神戸高商の内池廉吉《うちいけかねきち》教授（後に東京高商教授）だった。鐵造は内池教授の講義を受講してはいなかったが、たまたま開かれた校内の講演会で、彼の「商人論」を耳にしたのだ。

内池教授は言った。

「経済と産業はこれからますます発展していく。消費は非常な勢いで伸びていく。需要は多様化し、従来の問屋がいくつも介在するシステムでは追いつかなくなる。今後は生産者と消費者を結びつける役割を持つ商人の存在がいっそう大きくなる」

この言葉を聞いたとき、鐵造は、あっと思った。生産者と消費者を直接結びつける——これによって産業が隆盛し、消費者は潤う。社会はこのシステムが整備されたら、さらなる発展を遂げるに違いない。これこそ世のため人のためとなる仕事ではないのか。

自分の使命はこれだと確信した。しかし二十二歳の鐵造には、どんな商品を扱えばいいのか、具体的なものは何も思い浮かばなかった。

明治四十年、三年生になった鐵造は夏休みを利用して東北旅行をした。

とくにあてのない旅だった。将来の進むべき道を探しあぐねていた彼にとって、束《つか》の間《ま》の解放感を得るためのものだったのかもしれない。仙台、盛岡、花巻と気軽な旅を続けたが、九州で生まれ育った鐵造には、東北は異国に近い印象をもった。気候もまるで違ったし、何より地元の人の言葉がほとんどわからなかった。

十日近く旅を続け、そろそろ神戸に帰ろうと思ったその日、花巻でたまたま買った地元新聞を読んでいると、小さな記事が目にとまった。それは油田に関する記事で、秋田市の八橋《やばせ》という地に油田が発見され、この年から開発が始められているというものだった。

米国では油田から大量の石油が出て、それらが灯油や機械油になっているということは知っていたが、日本でも油田があるという事実に驚いた。大いに興味を惹かれた鐵造は、秋田まで足を伸ばしてみようと思い立った。これが鐵造と石油の運命的な出会いとなった。

七年前に奥羽本線が延伸していたため秋田までは汽車で行けた。夏というのに空気は肌寒く、空の色も九州のような明るさはまるでない。同じ東北とはいえ、太平洋側の仙台とも気候が違う気がした。

秋田市の八橋と呼ばれる地区には草生津川《くそうづ》という川が流れていた。「草生津」は石油の和名である。もともとは「臭水」と書かれ、「くそづ」ともよばれていた。おそらく大昔から、この川には滲出《しんしゅつ》した原油が流れていたのであろう。聞けば、八橋は昔から原油がたびたび田畑や水田に流れ込んだという。江戸時代には原油などは無用の長物どころか、農民にとっては作物を駄目にする厄介ものでしかなかったのだろう。原油はそれだけではランプにも機械油にも使えない。蒸留装置を使って精製し、そこから灯油、軽油、機械油、揮発油などの「石油製品」にしなければならない。鐵造もそんな漠然とした知識だけは持っていたが、現実に原油を見たこともなければ、精製とはどのようにおこなうのかも詳しくは知らなかった。

油田開発の現地は荒れ果てた草地に掘っ立て小屋のような事務所と従業員用の飯場小屋が二棟あるだけの粗末なものだった。原野には三つの油井《ゆせい》があった。開発している日邦石油の技師ははるばる神戸から油田を見に来た学生を珍しがって丁寧に案内してくれた。

櫓《やぐら》状に組んだ油井の上には、長い鉄製の棒が備え付けられていた。柄の両端には綱が垂らしてあり、人夫がそれを交互に引いていた。柄は櫓の上でシーソーのような動きをしていた。

柄の動きに合わせて地面に突き刺したパイプからゴボゴボという音を立てて、真っ黒な液体が噴き出し、大きな木製の樽の中に流れ落ちていた。

「これが原油ですか」

鐵造が訊ねると、技師は、「そうだよ。水も混ざってるけどね」と答えた。

「触ってみていいですか」

「いいよ」

鐵造は樽の中に腕を伸ばして原油を指ですくってみた。どろっとした感触が異様だった。見た目は墨のようだったが、異臭がすごかった。

「臭いですね」

「ああ、硫黄《いおう》が入っているからね。そのまま燃やすと、悪臭で耐えられない。石油が長い間ランプに使われなかったのは、そのせいだ。精製技術ができて初めて石油が利用できるようになった」

「精製はどうするのですか」

「簡単に言えば蒸留だ。いったん気化させてから液体化する。原油にはいろんなものが混ざっているが、蒸留してやれば不純物はなくなる。それをさまざまな種類の油にわけていくんだ。原油から灯油、軽油、重油、揮発油、機械油などができる」

「どうやって、いろんな油に分けるのですか」

「それぞれの油は皆、沸点が違う。だから蒸留すれば、いったんすべての油は気化するが、それを冷やすと、沸点の高いものから順に液化していくわけだ」

「なるほど」

「世界一の富豪と言われる米国のロックフェラーは、石油の精製で莫大な財をなしたと言われている」

「ということは、石油にはそれだけの需要があるということですね」

技師は少し曖昧な表情をした。

「かつてアメリカで油田が発見された当時は、石油需要のほとんどは灯油だった。電気がなかった時代には、灯油は大変重宝された。しかし今は日本でも都会は電気があるし、ガス灯もある。だから灯油の将来性は高くはない。ただ電気が通っていない地方では、まだまだ灯油の需要はあるから、いますぐに不要のものになることはない」

「アメリカはどうなんですか」

「灯油の需要は減っているらしい。ただ、オートモビルという乗り物が発明されて、揮発油の需要が増えているらしいが、さて、どうなるか」

「でも、燃えるということは、石炭の代わりになる可能性を秘めていませんか」

「それはない」技師はあっさりと答えた。「輸送の簡便さがまったく違う。液体は運びにくいし、保管もしにくい。それに石炭の代わりに使うとなれば、大量に必要になる。精製にも金がかかりすぎる」

技師は石油の将来性に関しては、希望的な観測を持っていなかった。それでも八橋油田から採れる機械油は今後も需要が増えるだろうと言った。

鐵造は神戸に戻ってから、石油について猛然と調べた。

石油の存在は大昔から知られていたものの、本格的に利用され出したのはわずか五十年ほど前だということを知って、大いに驚いた。人類は二千年以上、使い道を見つけられなかったのだ。

安政六年（一八五九）にアメリカでドレイク大佐という男がペンシルバニア州で油田を掘り当てたのが、世界ではじめての本格的な石油採掘だった。日邦石油の技師が言ったように、当時は原油から灯油を作ることが目的だった。灯油を使った石油ランプは、当時アメリカで「世界一美しい光」と言われた。

文明国にとって夜の時間を使うことは非常に重要なことだった。灯油を使う以前のアメリカでは、ランプの燃料には鯨油《げいゆ》を使用していた。そのために捕鯨が発展し、十九世紀の半ばには国を代表する一大産業になっていた。嘉永六年（一八五三）にペリーが来航して通商条約を要求したのも、捕鯨船の補給基地が欲しかったからだ。ドレイク大佐が油田を発見したのは、その六年後である。

原油から作られた灯油によるランプの光は明るかった上に、鯨油に比べて価格が極端に安かった。そのためアメリカの捕鯨産業は一気に衰退し、一八〇〇年代の後半には、完全に衰退産業となっていた。その事実を知った鐵造は複雑な思いがした。もし、ドレイク大佐が油田を発見するのが十年早ければ、ペリーは日本に来航しなかったかもしれない。そうなれば明治維新ははたしてどのような形になっていたのか想像もつかない。そう考えたとき、鐵造は日本の運命をも変えたかもしれない石油というものの持つ不思議な力に魅せられた。

日邦石油の技師は、石油の将来性については悲観的だったが、鐵造には、いずれ石油は世界を変えるような漠然とした予感があった。しかしこのときはまさか自分が生涯をかけて扱うことになるとは想像もしなかった。

二、日田重太郎《ひだじゅうたろう》

鐵造は学内でも目立たない学生だったが、ひとりだけ彼の中に眠る何かに気づいていた男がいた。それは高商の近くに住む日田重太郎《ひだじゅうたろう》という男だった。

日田は淡路島の資産家だったが、実家との折り合いが悪くなり、神戸に移り住んでいたのだった。仕事はせず、茶や骨董を楽しむ風流人だった。明治の終わりにはこうした高等遊民が少なからずいた。年は三十二歳だが、髪の毛は薄く、天神髭《てんじんひげ》を生やしたその風貌は、一見すると禅僧のようでもあった。

日田が鐵造と出会ったのは、布引《ぬのびき》の滝近くにある橋本医院の客間だった。医院の主、橋本茂は学生が好きで、よく彼らを自宅に招いた。橋本はお茶や菓子を出し、集まる学生たちの語る若者らしい理想論や天下論を聞くことを楽しみとしていた。橋本の妻は日田の妹であったから、この会にはよく日田も顔を出していた。そしてその学生の中に鐵造の姿もあった。

日田は活発な意見を交わす学生が多い中、どちらかといえば寡黙な鐵造に注目した。彼が時折話すことは高邁《こうまい》なものではなく、どちらかといえば、一見凡庸に思えるものだった。

一度、将来何をやりたいという話になったとき、多くの学生が国家を動かす銀行や商社で働きたいと言ったが、鐵造は「商人になりたいです」とぼそりと言った。

日田は「国岡はんはどんな商人になるんや」と訊いた。

「中間搾取のない商いをしたいと思っています」と鐵造は答えた。

「それはどういうもんや」

「たいていの商品は生産者がいて、それを問屋が買って、小売店に回します。商品によっては、問屋がいくつも間に入る場合もあります」

「そうやな」

「ぼくは生産者から直接、消費者に販売したいんです。そうすれば生産者も消費者もともに潤います。それを全国の広い地域でおこなうことができたらと思っています」

学生の誰かが「それは無理だよ」と言った。何人かが相槌を打った。

「なんで無理なんや」と日田が彼らに訊ねた。

「そういう商売は、たくさん人手がいるんです。効率が悪すぎて、話になりません。ひとつの会社では全国に商品を流通することは、効率や利潤を考えると不可能です。効率を追求した結果、いくつもの問屋が存在するんです」

日田は「なるほどな」と言ったあとで、「国岡はんはどう考えてるんや」と訊いた。

「問屋の制度はそれなりにいい面もあります。でも、やはりそれが存在することで中間搾取が発生するんです。生産者と消費者を直接結びつけることができれば、商品はより安く供給できるはずなんです」

「そやけど、そんなことしてる会社はあるんか」

「今のところはありません」

「ないということは、どっかに何か、欠陥があるんとちゃうんか」

「そうかもしれません」鐵造は言った。「でも、もしかしたら、誰もやらなかっただけかもしれません。いずれは大地域小売業の時代が来るような気がするんです」

誰かが「そんな日は来ないよ」と言うと、多くの学生は笑った。しかし鐵造は別に恥ずかしがるわけでもなく、淡々としていた。

数日後、日田は義弟の橋本に言った。

「茂。国岡という男はなかなか見所があるな」

「そうですか。なんかあんまり冴えた感じはしまへんけど」

「ほうか」

「高商にはもっと利発な学生がようけいますよ」

橋本はそう言って何人かの学生の名前を挙げた。しかし彼らは日田の心には残っていなかった。

「わしには国岡鐵造はいずれ何か大きなことをやるような男に見えるんやけどなあ」

「義兄《にい》さん、それはないですわ」

橋本は笑った。日田も苦笑したが、それ以上は何も言わなかった。


日田が鐵造と出会って半年ほどしたある日、彼は鐵造に中学受験をする息子の勉強の指導を頼んだ。

「なぜ、私に」

鐵造は訊ねた。日田とはそれまでじっくり話をしたことがなかったから、その疑問は当然だった。

「頼んだら、あかんんか」

「いえ、そういうわけではありませんが――」と鐵造は答えた。「息子さんの勉強の指導なら、ぼくよりももっとふさわしい者がいます」

「もっとふさわしい者というのは、どういうものや」

「ぼくよりも勉強のできる者です」

「国岡はん、君は勉学にすぐれた教師がいちばん偉いと思うんか」

鐵造は言葉に詰まった。

「神戸高商の学生はんは、そら優秀や。けどな、勉強の優秀さやったら、京都帝国大学の学生はんのほうが優秀やで」

鐵造は日田が京都にも別宅を持っていることを思い出した。

「わしが国岡はんに、息子の勉強を頼んだのは、国岡はんやったら息子を任してもええと思うたからや。勉強さえできたら誰でもええんと違いまっせ」

日田が自分のどこを気に入ってくれたかはわからないが、ここまで見込まれたら断るわけにはいかなかった。それで、「よろしくお願いいたします」と頭を下げた。

鐵造にとってもこの話は願ってもないことだった。というのも数ヵ月前から、実家の商売が思わしくなくなったと聞いていて、仕送りが減っていたからだ。それで食費を切りつめて何とかやっていたが、さらに仕送りが減れば、学校を辞めることも考えていただけに有り難かった。しかも日田が提示した給金はかなりの額だった。

しかし初日に事件が起こった。幾何《きか》の問題を解いているときに、日田の息子、重一がこっそりと答えを覗き見たのを見つけた鐵造は厳しく叱責し、膝を竹の定規で打った。重一は泣き出し、母親に訴えた。母親の八重は鐵造に対して、息子に謝罪するように要求したが、鐵造は聞き入れなかった。八重はその場で鐵造に首を言い渡した。帰宅してそのことを聞いた日田は、妻に対して烈火のごとく怒った。

「なんちゅうことをするんや！」

「なんでですか、うちがお金を払ってるんですよ」

「アホ。金を払うもんが偉いんか。今度、国岡に会《お》うたら、お前が謝れ」

日田は言いながら、いい男を選んだと思った。わしの目に狂いはなかった。あの男は面白い。

家庭教師に復帰した鐵造は週に何度か日田家に通うことになった。

鐵造の教え方は徹底したものだった。重一が少しでも怠けたら厳しく怒った。命じた宿題をしなかったりしたときは、怒鳴り声が両親の部屋にまで聞こえるほどだった。あまりの叱責に重一は何度も泣いたが、鐵造はいっさい容赦しなかった。

「あれではあんまりです」

見かねた八重が日田に言った。「お父さんから、一言、国岡さんに言ってください」

「わしは国岡にすべてを任せたんや。それに今まで重一を甘やかしすぎた。このあたりで国岡に鋳なおしてもろうたらええ」

八重はまだ何か言いたそうだったが、日田は「今後、その話はいっさいしまへん」と言い切った。

八重の心配とは裏腹に、鐵造が指導するようになって重一は見違えるようになった。以前のようにわがままを言うこともなく、ひ弱なところもなくなった。

半年ほどしたある日、八重は夫に言った。

「重一はしっかりした子になりました」

「うん。国岡のお蔭や」

八重は頷いた。日田はぼそっと呟いた。

「あいつは人を育てる才能があるのかもしれん」


鐵造はやがて最終学年の四年生になり、卒業論文に取り掛かった。余談だが、その後、全国に数多く作られた官立の高商はすべて三年制だった。それを見ても東京高商と神戸高商の二校が別格とされていたのがわかる。後に市立大阪高商（現・大阪市立大学）が変則ながらも四年制を採用した。

卒業論文のテーマは筑豊炭田の将来についてだった。毛筆でしたため二百枚を超える大作となったこの論文で、鐵造は石炭の将来性は悲観的と書いている。さまざまな資料から、石炭の寿命は七十五年で終わると言い、筑豊炭田は五十一年後に採掘し尽くすと断言した。ある意味で、この予言は的中する。鐵造が論文を書いた五十一年後の昭和三十四年（一九五九）、三井三池炭鉱で大争議が起こり、筑豊地帯の炭田は一気に斜陽産業となった。

しかし鐵造がこの論文を書いた明治四十年代は、石炭は花形産業の主役であり、富国強兵を支える最重要軍需物資だった。製鉄所も火力発電所も、輸送機関の船も鉄道も燃料はすべて石炭であった。オートモビルと呼ばれていた自動車は石油から作る揮発油を燃料としていたが、この論文が書かれた明治四十一年の日本には九台しかなく、一般庶民には手が出せない好事家の遊び道具のようなものだった。

それでも鐵造が石炭の将来性は暗いと断じたのは、石油と比較したからだった。日邦石油の技師は石油に未来はないと言ったが、鐵造はその後もこつこつと石油について調べていた。すると熱効率は軽油や重油が石炭を上回っていることがわかった。精製コストを考えると石炭に軍配が上がるが、それはいずれ技術革新で何とかなるだろう。現にアメリカやヨーロッパでは年々供給量が増えている。こうした状況をもとに、鐵造は将来的に石油が石炭の代わりとなると予見したのだった。

論文の最後の章は、「国家の統制に対する批判」だった。ここで鐵造は明治三十八年（一九〇五）にドイツでおこなわれた石炭産業の国家管理に言及し、国による統制と管理にはっきりと反対している。これも後に鐵造が生涯にわたって貫いた思想であった。鐵造は後に石油商として世界を相手に戦うと同時に、国内においても「国家の統制」に対して戦うことになるが、この論文はまさに彼自身の人生の予言の書となった。この毛筆で書かれた論文は今も神戸大学に残っている。

明治四十一年、鐵造は水島校長の勧めで鈴木商店の採用試験を受けた。

鐵造の頭には最初から金融業界という選択肢はなかった。生産者と消費者を結びつける仕事に就きたいと考えていたからだ。当時の鈴木商店は新興の商社だったが、急成長を遂げていた。この数年後には年商で三井物産を抜いて日本一の商社になっている。

しかし一緒に受けた友人の高畑誠一に採用通知が届いたにもかかわらず、鐵造の元には届かなかった。一度は気落ちした鐵造だったが、逆に自らの進路に対するはっきりした指針を決めた。すなわち大商社に入って巨大なシステムの歯車になるよりも、小さな店で縦横に暴れてみたいと考えたのだ。

腹をくくった鐡造が選んだのは神戸の酒井商会という従業員三人の小さな店だった。その店に決めたのは、主人の酒井賀一郎《かいちろう》の働きぶりを見たからだ。はじめて店を訪れたとき、前掛けをして小麦の袋を運んでいた賀一郎を見て、鐡造は従業員かと思ったほどだった。話してみると、朴訥《ぼくとつ》で誠実な人柄というのはすぐにわかった。

ところが酒井商会に入店を決めた数日後、鈴木商店から採用通知の報せが届いた。しかしいったん、酒井にお世話になると言った鐡造は、鈴木商店に入社する気はすでになかった。

鐡造の酒井商会入りを知った教師や同級生たちは一様に驚いた。神戸高商は東京高商と並ぶエリート校である。卒業生は名だたる銀行や商社から引く手あまたで迎えられる。それなのに鐡造が選んだのは、小麦と機械油を扱う小さな個人商店であった。

「国岡、悪いことは言わん。酒井商会を蹴って、俺と一緒に鈴木商店に入ろう」

高畑誠一は言った。彼が友人を思って言ってくれているのはわかったが、鐡造ははっきりと言った。

「ぼくはいつか独立して自分で商社をやりたいと思っている。そのためには小さな商店で、なにもかも自分でやってみるという経験を積みたいんだ」

それは意地でもなんでもない、鐡造の偽らざる気持ちだった。

「鈴木商店でも、いろいろな仕事を覚えることはできるじゃないか。それにもっと大きな商いができる。これはお前の一生のことだぞ」

「大丈夫だ。後悔はしない」

高畑はそれ以上は何も言わなかったが、他の同級生たちは、鐵造を露骨に馬鹿にした。中には「神戸高商の面汚しだ」と言う者もいた。教授の中にも翻意を迫る者がいたが、鐵造の決意は固かった。

年の瀬を迎えたころ、鐵造は日田重太郎を訪ねて、就職の報告をした。重一は一年前に志望中学に合格し、家庭教師の仕事は終えていたが、日田とはその後も親交が続いていた。

鐵造の報告を聞いた日田は驚いた。

「神戸高商まで出て、従業員三人のお店で働くんか」

「はい」

「鈴木商店のほうがずっと大きい会社やろう。今からでも間に合うんと違うか」

「おそらく間に合います」

「ほな、鈴木商店に行ったらどないや」

「実は鈴木商店を受けたときは、ぼくもやっぱり大きな会社で働いたほうがいいのかなという迷いがありました。だから鈴木商店を受けましたが、合格通知が遅れ、酒井商会に縁ができたということは、運命だと思いました。迷いは吹っ切れました」

「なるほどな」日田は言った。「運命か――」

「それに酒井商会の主人には、お世話になりますと言いました。今さら、鈴木商店に行きますとは口が裂けても言えません。これから酒井商会で商いのイロハを学んでいこうと思います」

日田はしばらく黙っていたが、やがて大きく頷いた。

三、丁稚《でっち》

明治四十二年春、鐡造は神戸高商を卒業して酒井商会の丁稚となった。

酒井商会が扱っているのは小麦と機械油だったが、鐡造が任されたのは小麦だった。店が開くのは朝六時。終わるのは夕方の六時だった。

朝、その日の仕事の準備をすると、七時には店を出て、一日神戸の町を歩いた。そこで飛び込みの営業、注文、配達、集金、それに帳簿付けをひとりでこなした。大きな店なら、それぞれの専門家が分業でやるような仕事をひとりでやらなければならなかった。

高商で学んだ経済学などは何の役にも立たなかった。鐡造が相手にするのは、町の米屋やうどん屋の親爺だった。算盤《そろばん》片手に取引し、交渉が成立すると、小麦粉を納入する。

鐡造は大八車に小麦粉を積んで、神戸の町を歩いた。神戸は山と海に挟まれた狭い町だ。海沿いの地域は比較的平坦で楽だったが、山手になると坂道は堪えた。小麦粉を満載して上り坂を行くのは辛かった。

鐡造が頑張ることができたのは、福岡商業時代の短艇部での鍛錬の賜物《たまもの》だった。それでも一日仕事を終えて、下宿に戻ると、そのまま倒れてしまうほどくたくたになった。

ある日、鐡造が大八車を引いて元町を歩いていると、後ろから声をかけられた。振り返ると、高商の同級生、下柳健一《しもやなぎけんいち》が立っていた。鐵造は大八車を止めた。

「やっぱり国岡か」下柳は言った。「すっかり丁稚の格好やな」

下柳は、印半纏《しるしばんてん》に前掛けをつけている鐵造の身なりを無遠慮に眺めた。下柳は背広を着ていた。当時の神戸の街には背広を着ている男は多くはなかった。鐵造は、下柳が三井物産に就職していたことを思い出した。

「どこへ行くんや」下柳が訊いた。

「売り掛けの金を集金に行くところだ」

「集金係をやってるのか」

「いや、何もかもひとりでやっている」

品物の配達もやっていると言うと、下柳は驚いた。

「そうなのか。俺は営業一筋だよ」

「うちは小さいから全部ひとりでやらなければいけないんだ」

鐵造は少し誇らしげに言った。

「国岡の扱っている商品って何や」

「小麦だよ」

「偶然やな。俺も小麦や。今日もひとつ商談をまとめてきたところやで」

下柳は手帳を取り出して、今日まとめた商談の金額が書かれたページを開いて見せた。

鐵造はその額を見て驚いた。鐵造がふだん扱っている金額とは桁が二つも違う。

「お前が今から集金に行くのも、これくらいあるんか」下柳がにやにやして訊いた。

「いや」と鐵造は答えた。「その五十分の一だよ」

「ほんまか」下柳は大袈裟《おおげさ》に驚いて見せた。「そんな金額のために、わざわざ集金に行くんか」

「そうだ」

「うちでそんな金額を集金に行く言うたら、支店長に、サボるつもりかって怒られるわ」

鐵造は黙った。

「うちくらいの取引量やと、配達なんかひとりでやろうと思っても、とてもでけへんわ。専用の業者を雇っている」下柳は得意そうに言った。「俺は小麦を扱うてるけど、実際に小麦粉なんて見たことがないわ」

下柳はもう一度鐵造の着物を上から下まで眺めた。

「神戸高商を出て、そんな恰好をしてるのはお前くらいなもんや」

「どんな恰好をしようといいじゃないか」

下柳の顔から笑いが消えた。

「ええか。神戸高商に入りとうても入れへんかった者は大勢おるんや。それに官立学校には国の金が使われている」

「だから、どうなんだ」

「高商を出た者はそれを無駄にするような生き方をするのは許されへんのとちゃうか。丁稚になるんやったら、高商なんかに入るべきやないやろう。小学校を出てすぐに丁稚になったらよかったんや」

鐵造は下柳が貧しい家の生まれであるのを思い出した。たしか親戚が援助して神戸高商に行くことができたというのを聞いたことがある。

「ぼくにはいずれやりたいことがある」

「高商出の個人商店をやりたい言うんか。そら、恰好のええことやで。せいぜい気張れや」

下柳は吐き捨てるように言うと、肩をいからせて去っていった。

鐵造はその日一日、気持ちが晴れなかった。

たしかに下柳の言うことにも一理はあった。丁稚になるなら高商を出る必要はない。しかし、と鐵造は思った。高商で学んだことは無駄にはならない。いずれ大きな商いをするときにきっと役に立つ。そう思ったとき、鐵造の胸に、さきほど下柳が見せた取引金額の数字が浮かんできた。

思わずため息が出た。今の自分が扱う商売の規模の小ささを思い知らされたのだ。商社や銀行に就職した同級生たちは皆あんな莫大な金額の取引をしているのだろうか。いずれ独立して大きな商売をしようと思ったら、大商社に入って、そういう取引を経験しておかないといけなかったのではないか。

半纏をまとい前掛けをして大八車を引いて町を歩き、米屋やうどん屋に小麦粉を売る小商いに精を出す自分に、はたして大きな商いをする日が来るのだろうか。もしかしたら、とんでもない間違いを犯したのではないだろうか――。鐵造には道を歩く背広姿の会社員の姿が眩《まぶ》しく見えた。

この日、鐵造は神戸港の埠頭《ふとう》に佇《たたず》み、仕事もせずに海を見ながら時間を過ごした。こんなふうに仕事中に油を売るのは初めてのことだった。鈴木商店を蹴って酒井商会で働くことを決めたとき、もう迷いはないと思っていた。しかし未だ自分は迷っているのか――。

鐵造は大きな貨物船が行き来するのをぼんやりと眺めながら、いつか自分もあんな船を持って世界を相手に商売をしてみたいと思った。しかしそんな日が訪れるとはとうてい思えなかった。

店に戻ったときには夜の八時が過ぎていた。商店街はすべて閉まっていて、人通りもほとんどなかった。鐵造は街灯もない暗い道を空の大八車を引いてとぼとぼと帰った。月明かりに照らされた道を歩きながら、こんなに遅くに店に戻るのははじめてだなと思った。毎朝五時に店を開けている主人の賀一郎は、もしかしたら休んでいて、裏の勝手口も閉まっているかもしれない。今夜はそのまま下宿に戻ったほうがよかったかなと思った。

店の近くまで来た鐵造は、あっと驚いた。酒井商会の表の戸がかすかに開いていて、そこからランプの明かりが見えていたからだ。

店の戸を開けると、主人の賀一郎が「おかえり」と言った。

「遅かったたな。心配したぞ」

「ぼくを待ってくれていたのですか」

「いや、そういうわけやない。たまっている仕事を片付けてたんや」

見ると、賀一郎は店のその日の帳簿と伝票整理をしているところだった。

「その日のうちにやっとかんと、どんどんたまっていくさかいな」

「帳簿と伝票整理は昼間にやってたんじゃなかったんですか」

「そんな暇あるかいな」賀一郎は笑った。「昼間はわしも得意先回りをしてるんやで」

鐵造は知らなかった。「すると、店を閉めてから帳簿付けをしてたんですか」

「そうや」

鐵造は内心で唸った。住み込みで働く他の丁稚と違い、鐵造は毎日、夕方五時過ぎに仕事を終えると、店を引き上げて近所の下宿に戻っていた。それで店仕舞いだと思っていたが、その後も賀一郎はずっと働いていたのだ。

「店主はいつも何時に寝てはるんですか」

「そうやなあ」賀一郎は少し手を休めて言った。「十一時くらいかなあ」

主人はいつも朝四時に起きていると聞いた。すると毎日、五時間程度の睡眠だ。

「遅いときは十二時を回るときもあるけど、早いときは十時には寝るで」

「知りませんでした」

「国岡も今日は遅くまで働いたな。饅頭《まんじゅう》でも食うか」

賀一郎は立ち上がると、いったん、奥に引っ込み、饅頭を持ってきた。

「今、嫁はんに茶を淹れるように言うたから、ちょっと待ってや」

「いえ、お茶は結構です」

こんな時間に奥さんにわざわざ湯を沸かす仕事をさせるのは申し訳ない。お茶一杯飲むにも、薪《まき》で火を起こさないといけないのだ。

「まあ、ええがな。お互い遅くまで働いたんやから、熱い茶を飲みながら饅頭喰うくらいの贅沢は許されるやろう」

しばらくして賀一郎の奥さんが茶を持ってきてくれた。

「いただきます」

鐵造は熱い茶を飲みながら饅頭を食べた。口の中に饅頭の甘さが広がった。

賀一郎は鐵造がなぜ遅くなったのか訊かなかった。これまでどんなに遠くへ行ったとしても、こんなに遅くなることはなかった。しかし賀一郎はその理由をいっさい訊ねなかった。鐵造も何も言わなかった。

その夜、店を出た鐵造の心には、酒井商会で働くことの迷いはなかった。


入社して一年も経つと、商売のあらかたを学んだ。

いくつも製麺所を新規の取引先として開拓し、店の売り上げを何倍にも伸ばした。鐵造の頑張りもあり、酒井商会は大きくなった。二年目の明治四十四年には店員も一挙に十人となり、鐵造は丁稚を卒業し、主任になった。

小麦粉を卸《おろ》してくれる日本製粉からもいろいろと便宜を図ってもらえるようになった。

しかし鐵造が酒井商会で本当にやりたかったのは小麦ではなく機械油だった。取引額としては機械油よりも小麦のほうがはるかに大きな商売で、もちろん実入りもよかった。ただ小麦は多分に投機的な商品で、そのときどきの相場の影響を少なからず受けた。一方、機械油のほうは商いの額はそれほど大きくなかったが、常に安定した利益を店にもたらしていた。鐵造は高商の卒業論文に書いたように、いずれ油の需要は増えると見ていた。

鐵造は賀一郎に油の取引を増やしたらどうでしょうと提言したが、賀一郎はあまり乗り気ではなかった。そして鐵造を機械油の担当にすることはなかった。

ある日、酒井商会に日邦石油の大阪支店の副店長の榎本《えのもと》誠《まこと》がやってきた。神戸に出張に来た折に、取引店のひとつである酒井商会に立ち寄ったのだ。このとき、たまたま店に鐵造がいた。

鐵造はここぞとばかり榎本に油のことを熱心に訊ねた。榎本は若造の質問に丁寧に答えてくれた。

「君は油に興味があるんか」

「はい。いずれ油の時代が来ると思います」

「君の言う油とは機械油のことか」

「機械油を含めた石油全部です」

榎本は頷いた。

「米国では石油需要が石炭需要を上回ったらしい。オートモビルがすごい勢いで普及しているという」

「三輪の石油発動自動車ですね」

「いや、米国では馬車のような四輪車が走っているらしい」

「いずれ日本でも走りますか」

「そんな日が来るのは、二十年以上も先の話やろう」

榎本は笑った。しかし鐵造にはそうは思えなかった。明治維新があってわずか四年で鉄道が走ったではないか。石油発動自動車もいずれ日本の道を普通に走る日が近い将来やってくるに違いない。そのとき、石油は石炭よりもはるかに重要な商品となる——。

「国岡君、石油と一口に言っても、いろいろあるのは知ってるね」

「はい。精製によって分けられるんですね」

「そのとおり。原油を精製すると、重油と軽油と灯油と揮発油に分けられる。われわれが主に扱っている機械油もこうやってできる」

「はい」

「世界一の大金持ちである米国のロックフェラーが作ったスタンダード石油はもともとは精製会社や」

「知っています。日邦石油でも石油を精製しているんでしょう」

「わが国の油田は米国と比べると微々たるものやから、とてもそれで財をなすわけにはいかん。そやけど、それでも十分国内で賄っていける」

「でもアメリカでは石油会社がそれほど財を得ることができるということは、それだけの需要があるということではないですか」

「日本にはまだ石炭が山のようにあるし、石油よりもずっと安い。それに一般家庭では石炭よりも安い薪がある。日本にすぐに石油の時代が来るとは思えんな」

「でも――」と鐡造は言った。「石油のほうが熱効率が高いです」

「その点はそうかもしれへんが、採掘費用や精製費用を考えると、価格的には割が合わない商品やとは思うね。石油が将来的に有効利用される日が来るとしても、まだ何十年も先の話やと思うよ」

榎本にそう言われても、鐡造には納得がいかなかった。米国で石油発動自動車が走っているということは、やがて日本にもそんな日が来るはずだと思えてならなかったからだ。

鐵造が賀一郎から台湾への出張を命じられたのは、酒井商会に入って三年目の春だった。鐵造の仕事は台湾に小麦を売り込むことだった。これは酒井商会にとっても社運を懸けた事業だった。そんな大きな仕事を任された鐵造は武者震いした。

明治二十七年の日清戦争により台湾は日本の統治領となっていたが、しばらくの間は治安も悪く、内地からは大手の会社はあまり進出していなかった。しかし近年、台湾は急速に社会整備が進み、次第に進出する企業も増えていた。酒井商会も時流に乗り遅れまいと、日本製粉の後押しで台湾への小麦粉販売に乗り出したのだ。

鐵造にとっては初めての海外出張であった。当時の台湾は日本領であったから、正確には海外ではなかったが、鐵造の心は勇躍《ゆうやく》した。

――これから自分は広く世界に打って出る。これはその最初の一歩だ。

目の前には大海原があった。はじめて見る太平洋の大きさに、鐵造は目を見張った。これが海か、これが世界か――。かつてコロンブスやマゼランもこうして世界に旅立っていったのだ。鐵造は将来の自分のためにも、そしてもちろん酒井商会のためにも、この仕事を成功させると心に誓った。

船に乗って二日目、甲板から海を眺めていると、後ろから、「国岡じゃないか」と声を掛けられた。驚いて振り返ると、そこには、三井物産の下柳が立っていた。

「背広なんか着てるから、わからへんかったぞ」下柳がにやにや笑いながら言った。「台湾へ行くんか」

下柳の質問に、鐵造は、そうだと答えた。

「まさか小麦やないやろな」

「小麦だ」

下柳は馬鹿にしたように笑った。

「台湾の小麦はもう三井物産があらかた押さえてるぞ」

鐵造は頷いた。それは日本を発つ前に摑んでいた情報だった。三井物産は半年も前から台湾に進出していた。しかし三井物産にしてもすべてを押さえているわけではない。ただ下柳が担当しているとは知らなかった。

「うちの商売の邪魔をするなよ」

「邪魔する気はない」鐵造は答えた。「自分の商売をするだけだ」

下柳は鐵造を睨みつけた。

「酒井商会ごときが三井物産に勝てるとは思うなよ」

「商売は店の大きさでするもんじゃないだろう」

「生意気言うな。酒井商会なんか台湾から叩き落としたるからな」

下柳は憎々しげにそう言って立ち去った。

鐵造に怒りはなかった。こんなことでいちいち腹を立てていたら、商売なんかできない。それよりも鐵造の心にあったのは、どうやって小麦粉を売り込んでいくかだった。

たしかに台湾の大手製麵所は三井物産に押さえられていた。しかし台湾の小麦需要は伸びていて、酒井商会が喰い込む余地は十分にあるはずだった。だが相手は日本を代表する商社だ。まともに勝負して勝てるわけがない。価格で対抗するためには、経費を落とせるだけ落とすことだが、それには輸送費しかない。鐵造は神戸の港に何日も通ってさまざまな船会社と交渉をしているうちに、台湾から神戸にさまざまな荷物を運んでくる貨物船の多くが、日本で品物を降ろすと、空船で台湾に帰っていることに気づいた。この空船で日本から小麦粉を運べば、運賃を値切れるはずだと読んだ。

鐵造は台湾に上陸すると、まずいくつかの船会社を訪ねた。その会社は日本を発つ前に、神戸の港で調べておいた会社だった。鐵造の読みどおり、いくつかの船会社が運賃を大幅に安くして小麦粉を運んでくれることになった。その分、小麦粉の卸価格を下げることができた。

鐵造はその価格を武器に、台湾の製麵所に乗り込んだ。

最初はどこの製麵所の担当も、名もない会社の飛び込みの営業に、ろくに話も聞いてくれなかったが、鐵造が価格を示すととたんに態度を変えた。

低価格の小麦粉の威力は大きかった。多くの製麵所が酒井商会と契約を結んでくれた。その中には三井物産との契約を破棄して契約してくれたところまであった。台湾に滞在した一ヵ月余りで、百を超える得意先を開拓し、目標の倍以上の成果に、鐵造自身も満足だった。

台湾での営業を終え、明日、日本へ帰るという日、宿の小母《おば》さんが、客が来たと告げに来た。

鐵造は出張中は台湾人が経営する民宿のようなところに泊まっていた。出張費を安く上げるためだったが、賄いも洗濯も付いて便利だからでもあった。お蔭で片言の中国語も少しは喋れるようになった。

鐵造が玄関に出てみると、下柳と見知らぬ男が立っていた。

「君が酒井商会の国岡君か」

見知らぬ男はそう言った。

「そうですが、あなたは？」

「私は三井物産の大橋と言います」

男は言った。そして後ろの下柳のほうをちらっと見て、「下柳のことは知ってるね」と言った。

「私に何のご用でしょうか」

「商売をかきまわすのはやめてもらいたいな」

「かきまわしてなどいません」

「君が無茶苦茶な値段で小麦を売ろうとしているのは摑んでいる。損までして私たちの得意客を奪うのは、やり方が汚くないかね」

「損はしていません」と鐵造は答えた。

「君の言ってる価格で利益が出るはずがない。これは酒井商会の考えか。それとも日本製粉の指示か」

「大橋さんは誤解されています。うちはきっちりと利益を出しています。得意先を得るために損までして売るつもりはありません。そういうやり方は商いの道に悖《もと》ると思います」

鐵造は堂々と言った。

「ぼくが安い価格で小麦を売りたいのは、商売を広げたいというのはもちろんですが、それよりも消費者に安い値段で提供したいからです。生産者と消費者がともに得をするのが正しい商いと信じています。どちらかだけが得をする商売は間違っています。ぼくはその橋渡しをしているのです」

それは鐵造の本心であり、生涯を貫いた信念でもあった。

「そんなはずはない。われわれよりも安い値段で小麦が売れるはずはないんだ。無茶苦茶だよ」

「無茶苦茶ではありません。その証拠に、ずっとこの価格で売っていきます。後で音《ね》を上げるというようなことは絶対にしません」

「出鱈目《でたらめ》を言うな」

突然、下柳が怒鳴るように言った。

「下柳君」と鐵造は落ち着いて言った。「ぼくが高商時代、一度でも嘘や出鱈目を言ったことがあるか」

下柳は黙った。

「わかった。とにかく今日は引き上げる。しかし、このまま黙ってはいないからね」

大橋は捨て台詞《ぜりふ》を残して帰っていった。


日本へ戻る船の中、鐵造の心は充実していた。天下の三井物産に勝ったという満足感もあったが、それよりも台湾で大きく販路を広げることができたことが何より嬉しかった。

しかしいずれ三井物産も酒井商会の輸送方法に気づくだろう。そうなれば戦いは熾烈《しれつ》なものとなるが、勝つ方法がひとつあった。それは酒井商会が自前で貨物船を持つことだ。もし酒井商会が本気で世界に打って出る気があるなら、それをやるべきだ。

鐵造は東シナ海を見つめながら、いつの日か、自分が大きな貨物船を持って、海に乗り出す日を想った。その日はいつか必ずやってくるような気がした。

四、生家の没落

明治四十四年三月、鐵造は台湾からの帰路、久しぶりに郷里を訪ねるため、門司で船を降りた。赤間村に戻るのは三年ぶりだった。鐵造は両親に立派な姿を見てもらおうと、台湾で新調した背広を着込み、山高帽をかぶって、懐かしい生家を訪ねた。

赤間駅には昼過ぎに着いた。赤間村へ歩く道中、すれ違う人は皆、鐵造の身なりを珍しそうに眺めた。赤間村には洋服を着た人などはいない。鐵造は少し得意な気分になった。

やがて生家が見えた。鐵造は嬉しさのあまりいつしか早足になっていた。ところが、生家の前まで来たとたん、凱旋《がいせん》気分はいっぺんに吹き飛んだ。家は荒れ果て、人の住んでいる気配がなかったからだ。家の中には明かりの気配もない。玄関には表札もかかっていなかった。何度も大きな声で呼んだが、家の中は静まり返っていた。

しばらく呆然と佇んでいたが、やがて向かいにある別所屋という呉服屋の主人が顔を出した。

「ああ、別所屋さん」

鐵造は帽子を取って挨拶した。しかし別所屋は暗がりの中に立つ鐵造を警戒するように見つめた。

「国岡の鐵造です」

「ああ、鐵造さんね」別所屋は初めて笑顔を見せた。「そげん恰好しとるけん、都会のヤクザもんかち思ったよ」

「こげん恰好をしとるヤクザはおらんよ」

鐡造は笑った。

「家の者がおらんごたるとです」

「鐡造さん、何も知らんとね。徳三郎さんらはもうここにおらんとよ」

鐡造は驚いた。

「ここにおらんと？　どこさん行ったと」

「戸畑《とばた》のほうさん行きなさった」

「いったい、何があったと」

別所屋は事の次第を話してくれた。それによると、徳三郎は商売に失敗し、半年前に夜逃げ同然で村を出たということだった。

まったく知らなかった。この半年くらいは仕事が忙しくて、両親に便りもしていなかった。

鐡造は別所屋に両親の引っ越し先を聞くと、すぐに駅に引き返した。

赤間駅から戸畑までは汽車で一時間足らずだった。戸畑に着いたときは、日は暮れかかっていた。暗い町を別所屋に聞いた情報を手掛かりに一時間も歩き続けた末に、ついに見つけることができた。

そこは裏通りに建つ小さな長屋だった。軒は低く、周囲からは異臭が漂った。やがてその中の一角に「国岡」という表札がかかっているのを見つけた。

声をかけると、中から母が出てきた。

「おっかさん」

「鐵造ね」

三年ぶりの再会だった。

家の中に入ると、狭い土間の奥には部屋は二つしかなかった。末っ子の正明《まさあき》がいたが、その他の兄弟の姿はなかった。

「おっかさん、いったい何があったと」

「お前が神戸さん行ったくらいから、商売がうまくいかんごとなったとよ。化学染料ん出てきてな。藍玉が売れんごとなった」

「それは聞いとったばってん――」鐵造は言った。「店をたたまやんとは知らんやった」

「店はずっと左前やったけん。儲けは全然なかった」

「ばってん、ずっと仕送りしてくれとったたんやんね」

「何とかお前の仕送りだけはせやんち頑張ってたとよ」

「何で言うてくれんやったと。金んなかとやったら、俺は学校やら辞めたとに」

母は黙って笑った。その笑顔は鐵造をいっそう惨めな気持ちにした。

「夜逃げしちいうとはほんなこつね」

母は頷いた。

「おっとうが泰造伯父の借金の保証人にならして、とても払いきらんやったと。そいけん、もう赤間には住めんごとなったとさ」

「そげんやったと」

鐵造は慙愧《ざんき》の念にかられた。仕事に夢中になるあまり、両親や弟たちをないがしろにしてきた自分を責めたくなった。高商時代にすでに家の商売が傾いていたにもかかわらず、自分はそれさえ気づかず、神戸で呑気《のんき》な学生時代を送っていた――。

「兄ちゃん」

と正明がそばにやってきて言った。鐵造とは十五歳違いの末弟は小学校三年生だった。

「なんね？」

「俺、ゴムまりの欲しかと」

見ると、正明の着物は薄汚れている。母に玩具など買ってもらえないのはすぐにわかった。

「これでゴムまりば買わんね」

鐵造はそう言って、ポケットから幾分かの小銭を与えた。正明は飛びあがって喜んだが、その姿は不憫《ふびん》だった。

「おっとうはどげんしたと」

「八幡《やわた》のほうの味噌工場さん働きに行きよらす。住み込みの仕事たい」

「兄ちゃんは？」

「戦争から戻って、化学染料の商売ば始めて飛びまわっとるばってん、うまくいかんごたる」

「タエたちは？」

母の顔がさらに暗くなった。

「タエは旅館で働きよる。達吉《たつきち》も天神の店で住み込みで働きよる。貞夫《さだお》と孝義《たかよし》は、小倉の安一《やすいち》伯父さんのとこで暮らして、中学さん通いよる。ばってん、来年にはなんとか皆で一緒に住みたかち思うとる」

安一伯父のところと聞いて、少し安心した。安一のところは比較的裕福で、伯母ともに優しい人だった。しかし貞夫と孝義らが母と一緒に暮らせないことで、どれだけ悲しい思いをしているかと思うと、辛くてならなかった。

「今夜は泊まっていくとやろう」

母が言ったが、鐵造は「いや」と言って立ち上がった。

「明日までに神戸さん戻らんといかん。今から発《た》つ」

それは嘘だった。本当は母や正明とゆっくり過ごしたかったが、そんなことをしている場合ではないという切羽詰まった気持ちが、それを許さなかったのだ。

鐵造は財布から神戸までの旅費を抜いた残りの金を母に渡した。

「当座の足しにしてくれんね。神戸さん戻ったら、また送るけん」

母は大金に驚いて固辞したが、鐵造は無理やりに母の手に握らせると、走るように家を出た。


神戸に戻って、台湾での首尾を賀一郎に報告すると、大いに喜んでくれた。賀一郎は船便の方策を含めて鐵造の功績を大いに評価し、彼を常務にした。

「まあ、昔風に言うたら番頭やな。これからもうちの店を大きくしていってくれ」

鐵造はわずか二年あまりで酒井商会の重役になった。権限も大幅に増え、給料は入店時の三倍に増えた。しかし鐵造は心から喜べなかった。九州に残してきた家族のことが頭を去らなかったからだ。

給料が上がったとはいえ、家族七人を食べさせていくことはとてもできない。貞夫や孝義たちを上の学校へやるだけの金はとてもない。自分は高商まで進学したのに、弟たちが中学しか出られないようでは、申し訳が立たない。

鐵造が真剣に独立を考えるようになったのはこのころからだった。もちろん酒井商会に入店したときからいつかは独立したいという夢は持っていた。しかしそれはまだ当分先のことだと思っていた。賀一郎のもとで修業し、商売のイロハを徹底的に学んだ後に、暖簾《のれん》分けのような形で独立できればという目標を立てていた。しかしもはやぐずぐずはしていられない。一日も早くばらばらになった家族をひとつにして皆で暮らすためにも、自分の店を持って経済的に安定する必要がある。

ただ、独立のためには資金が必要だった。今までは、いつかそのときが来れば、父の徳三郎から援助してもらおうとぼんやり考えていたが、その父が今や八幡の味噌工場で住み込みの仕事をしながら家族に仕送りをしている有り様では、どうにもならない。賀一郎に独立したいと言っても、まず、うんと言ってくれるわけがない。わずか二年ほど働いたくらいで暖簾を分けてもらうことなど頼めるはずもない。第一、酒井商会自体が独立してわずか五年の会社なのだ。

鐵造はこのときほど金が欲しいと思ったことはなかった。しかしそんな目途はどこにもなかった。

鐵造は常務となって店を切り盛りしながらも、以前のように仕事に集中できない自分に気づいていた。胸の奥に何かが常につかえているような感じだった。

四月終わりの日曜日、日田重太郎に誘われた。

就職してからも、日田とはちょくちょく会っていた。家に招かれることもあったし、外で食事をすることもあった。その日は日田に会うのはおよそ半年ぶりだった。

二人は西宮から宝塚をぶらぶらと散策した。ぽかぽかとした陽気の日だった。

鐵造は日田に聞かれるままに、台湾での仕事ぶりを語った。日田は興味深そうに聞いていた。日田は中学生になった息子のことや、趣味の焼き物の話などをした。

二人はそんなふうに互いの近況を話しながら武庫川沿いの道を歩いた。土手には草が萌え、遠くには六甲の美しい山並みが見えた。鐵造は日田の温《あたた》かさに触れて久々に心がほっこりしてくるのを感じた。

そうして二時間ほど散策したとき、日田がぽつりと呟くように言った。

「国岡はん、あんた、独立したいんやろう」

鐵造は驚いた。これまで日田に独立したいと言ったことはない。それをいきなり図星を指されたものだから、動揺した。

「まあ、いつかは独立したいと思っていますが、それはもうずっと先のことです。中年になったら店でも持ちます」

鐵造は冗談めかして言った。

「嘘言うても、あかん」日田は穏やかに言った。「独立したいと顔に書いたある」

「独立したいと思ってるのはたしかです」

鐵造は素直に言った。「でも、それは無理な話です」

日田は歩くのをやめた。鐵造も立ち止まった。

「金の問題か。それとも他に何かあるのか」

「お金です」

日田は軽く頷いた。

「そういうことやったら、なんでもない」

鐵造は苦笑した。日田のように生活に苦労したことがない者に、金の問題は切実なものとは映らないのだろう。

「今、ぼくは神戸の家のほかに京都に別宅がある。それを売れば八千円ほどの金になる。そのうちの六千円を国岡はんにあげる」

「待ってください。あげると言われても受け取れませんよ」

「六千円あれば独立できるやろう。その金で頑張ってみいひんか」

鐵造は日田の顔を見た。それは冗談で言ってる表情ではなかった。六千円と言えば、驚くほどの大金である。鐵造の給料は月に二十円だった。年収の二十年分に相当する。

「待ってください」鐵造は慌てて言った。「いくらなんでも、そんなお金は受け取れません」

「よう考えたらええ。ほんで、本気で独立すると思うたら、いつでもおいで。待ってるさかい」

日田は柔和な表情でそう言うと、また飄々《ひょうひょう》と歩きだした。鐵造はその後ろ姿を見ながら、この人はいったい何という人なんだと思った。以前から禅味が漂う独特の風格があったが、自分が思っていた以上にはるかに大きな器の持ち主かもしれない。

鐵造は数日間悩んだ末、日田の厚意を受けようと決意した。

一週間後の日曜日、鐵造は日田の家を訪ねた。

「日田さん、先日のお話、真剣に受け取ってもいいでしょうか」

「もちろんや。冗談で言うたんと違うで」

「それでは、日田さんのご厚意に甘えます」

鐵造は深々と頭を下げた。

「よっしゃ。話がまとまったから、庭にでも出ようか」

日田はそう言うと、鐵造を誘って庭に出た。日田の家はそれほど大きな家ではなかったが、美しい庭があった。

日田はにこにこしながら庭の池の鯉に餌をやった。もうお金のことは忘れているようだった。

「日田さん」と鐵造は声をかけた。「返済の件なのですが――」

日田は、うん？ といった表情で振り返った。

「返済って何のことや。ぼくは国岡はんにお金を貸すとは言うてへんで。あげると言うたんや」

日田はそれだけ言うと、また池のほうに向いて、餌を与えた。

「六千円もの大金をいただくわけにはいきません。これは融資として考えています」

日田が振り向いた。その顔にはさっきまでの柔和な表情は消えていた。

「国岡はん、六千円は君の志にあげるんや。そやから返す必要はない。当然、利子なども無用。事業報告なんかも無用」

鐵造は声を失った。

「ただし、条件が三つある」

日田は指を三本立てて言った。

「家族で仲良く暮らすこと。そして自分の初志を貫くこと」

その後で、日田はにっこりと笑って付け加えた。

「ほんで、このことは誰にも言わんこと」

鐵造の全身は震えた。日田の溢れんばかりの厚意と、自分に対する揺るぎない信頼に心の底から感動した。目にみるみる涙が浮かんだ。

「日田さん――」

喉が詰まり、言葉が出なかった。しかし日田はそれに気づかぬように、振り返りもせずに、鼻歌を歌いながら庭を歩いた。

その夜、鐵造は日田の家で食事を御馳走になった。食事の席では、日田は金の話はさせなかった。鐵造は久しぶりに長男の重一や次男の重助、妻の八重と楽しく会話した。重一や重助はすっかり鐵造に懐《なつ》いていたし、八重も鐵造の人柄にぞっこんだった。

鐵造が帰ってから、重太郎は八重に言った。

「京都の家を売ったお金を国岡にあげると約束した」

「はい」

「怒らないのか」

「怒る必要がありますか」八重は食器を下げながら言った。「あなたがそれほどの人と見込んでのことでしょう」

重太郎は静かに頷いた。

「国岡はいずれ立派なことを為す男だ」

「はい」八重は言った。「それはいつごろですか」

「そうやなあ。何十年も後のことかもしれんなあ」重太郎は腕を組んだ。「もしかしたら、そのときは、わしはもうこの世におらんかもしれん」

「それでもいいではありませんか」

八重はおかしそうに笑った。

それを見て重太郎もにっこりと微笑んだ。

五、士魂商才

明治四十四年（一九一一）六月二十日、鐵造は九州の門司《もじ》で「国岡商店」を旗揚げした。二十五歳だった。

酒井商会は半月前に円満退社していた。鐵造から独立したいと言われた賀一郎は驚きはしたものの、激励してくれた。そしてささやかながら退職金をくれた。

「二年間ありがとうございました。御恩を返す前に辞めることになって、申し訳ありません」

「何言うてんのや。台湾で、お前は十分すぎるくらい頑張ってくれたやないか。あのお蔭でうちはやっていく目途が立った。お前もしっかりきばれや」

賀一郎は鐵造の両肩を抱きながら言った。

鐵造は今さらながら賀一郎の恩を感じた。彼から学んだことは多かったが、いちばんの収穫は彼の働きぶりを目のあたりにしたことだった。店員たちの誰よりも早く起きて、誰よりも遅くまで働くその姿は、「商いとは何か」「店主とはどうあるべきか」ということを教えてくれた。酒井商会で働いた二年間は十年にも匹敵すると思った。

鐵造は門司の路面電車が走る通りに面した木造二階建ての古い民家を借りた。四坪ほどの一階が事務所だった。店には一枚の額が飾ってあった。それは鐵造の恩師である神戸高商の水島銕也校長の筆によるものだった。酒井商会を辞め独立する旨を報告に行ったときに、水島は鐵造に「武士の心を持って、商いせよ」と言った。そして一枚の半紙に雄々しい文字で墨書した。

「士魂商才」

この言葉は鐵造の生涯を通しての座右の銘となった。

門司で旗揚げしたひとつの理由は、神戸で独立して酒井商会の得意先を喰い合うことになるのを避けたのだ。恩義のある酒井商会に迷惑を懸けることはできない。もうひとつの理由は、門司が今後急速に発展していく都市と睨んでいたからだ。筑豊炭田を後背に控え、八幡に官営の製鉄所ができた北九州工業地帯はこれからどんどん大きくなっていく。それに中国大陸への玄関先としてもさらに重要な町になる。もちろん門司が故郷の宗像に近いというのも大きかった。

そしてこれは偶然だったが、鐵造が親しくさせてもらっていた日邦石油の大阪支店副店長だった榎本誠が少し前に下関支店に転勤になっていたのも、この町を選んだ理由のひとつではあった。というのも鐵造は国岡商店で念願だった機械油を扱おうと思っていたからだ。そのためには日邦石油をはじめとする石油会社から油を仕入れなければならない。

店員は鐵造を含めて五人。ひとりは国岡家の遠縁で地元の繊維問屋で働いていた井上庄次郎《しょうじろう》である。四十五歳の井上は門司の商売人の間ではなかなか顔も広く、頼み込んで入店してもらったのだ。残りの三人はすべて身内で、父の徳三郎、妹のタエ、弟の達吉だった。二十歳の達吉は天神の店で働いていたが、鐵造の独立を聞いて、店を辞めて加わった。タエも住み込みの旅館を辞めて、店員たちの炊事と事務を受け持った。

独立と同時に戸畑の母と正明を呼び寄せ、また親戚に預けられていた貞夫と孝義の二人の弟も引きとった。ばらばらだった国岡家は数年ぶりに鐵造のもとでひとつになった。これは日田が独立の条件として挙げた第一の条件、「家族で仲良く」ということの実践だった。

鐵造は店を立ち上げると、さっそく、日邦石油の下関支店に榎本誠を訪ねた。

榎本は支店長室に通してくれ、鐵造の独立を祝福してくれたが、彼が機械油を扱おうとしているのを聞くと顔をしかめた。

「国岡さん、悪いことは言わん。機械油はやめたほうがええ」

これは以前にも言われたことだった。

「今は蒸気エンジンからモーターに代わりつつある時代や。工場の蒸気機関もどんどんモーターに代わりよる。モーターは油を喰う量が半分や。そやから年々、機械油は売れんようになってるんや。それに、電気がえらい勢いで伸びてる」

たしかに日露戦争以後、電力の伸びは著しかった。都会では電気の街灯も増え、裕福な家庭にも電気が通されるようになっていた。数年前には滅多に見なかった電信柱もよく目につくようになっていた。

「つまり、機械油だけやなしに、灯油もこれからは売れんようになるということや。もうすぐランプやなくて電灯の時代が来るで」

「でも榎本さん、日本はこれからどんどん発展していきますよ。電動モーターが半分しか機械油を喰わなくても、モーターの数が倍以上になれば、機械油は今まで以上に消費されるんじゃないですか」

「そら理屈の上ではそうやけどな」

「いや、理屈じゃなしに、日本の工場は今どんどん増えています。これから機械油の需要は伸びてくるはずです」

「そうなれば、うちも儲かって嬉しいんやけどな」榎本は苦笑した。

「それにオートモビルも増えています」

「石油発動自動車やね。増えたと言っても、まだ日本に二百台ちょっとしかない」

「でも去年は百二十一台しかなかったのですよ。いずれ日本でもたくさんの石油発動自動車が走るようになります」

「わしの頭が真っ白になったころやなあ」

「外国では石油で走る軍艦もできているんですよ」

「知ってるよ」

「重油を使うらしいですが、石炭よりも煙が少なくて、艦隊行動が取りやすいということです。いずれ日本の軍艦も石油で走る時代が来ますよ」

「海軍はまだそこまで行ってない。次の新造艦も石炭を使うものだ」

「でも、いずれ重油を使う船を作りますよ」

「そこまで言うんやったら、やってみたらええ。国岡商店で売ってくれるんやったら、機械油でも灯油でも、なんでも卸すよ。うちとしては売れたら結構なこっちゃ。やめといたらええと言うたんは、あくまで親切心からや」

「わかっています」鐵造は頭を下げた。「でも、どうしても油で勝負してみたいんです」

榎本は鐵造の顔をじっと見ながら言った。

「わかった。そこまで言うんやったら、試金石のつもりでやってみたらええ。もし、国岡さんが機械油で商売に成功したら、どんな商売をやっても成功するやろう」


鐵造は日邦石油から機械油を卸してもらうと、さっそく、販売にとりかかった。しかし得意先も地縁もほとんどない門司では、一から販売先を開拓していくしかない。

まず目を付けたのは、筑豊の炭鉱である。掘削用のモーターや運搬用トロッコなど、油の大きな需要が見込めるところだった。鐵造と井上は毎朝、二つの鞄に見本の油を詰め込み、始発の汽車に乗って筑豊の炭坑に通う日々が始まった。油は車軸油、シリンダー油、グリースなど何種類もある。

ところが足を棒にして営業しても油はまったく売れなかった。

炭鉱は古い因習の残るところで、長く付き合いのある業者との情実や、仕入れ担当者が業者と癒着していたりして、新興店の国岡商店が割り込む余地はほとんどなかった。仕入れ係の中には、露骨に袖の下を要求する者もいたが、鐵造は断固断った。利益が少なくなるというよりも、そういう行為が許せなかったのだ。井上は「ときには、ある程度の袖の下は必要ではないか」と言ったが、清廉な鐵造はそれを徹底的に禁じた。

鐵造と井上は赤池、鯰田《なまずた》、大浦、方城《ほうじょう》、金田、小竹などの鉱業所に通い続けたが、注文はほとんど取れなかった。一方で、地元の工場などにも油を売り込む交渉をした。しかし大きな工場はどこも以前から契約している販売店があり、これにもなかなか食い込むことができなかった。いくつかの小さな工場とは契約を結ぶことができたが、いずれもわずかな量で、利益を出すまでにはいたらなかった。

独立して半年ほど経った冬のある日、日田重太郎がふらっと店にやってきた。その日は日曜日だったが、鐵造は店にいた。

「日田さん、どうしたんですか。九州に旅行に来られたんですか」

「いや、門司に越してきたんや」

鐵造は驚いた。

「ひとりで、ですか」

「嫁と重助も一緒や。重一は神戸で中学の寮に入っとる」

「なんで、こんなところに越してきたんですか」

「神戸は飽《あ》いた」日田はいつもの飄々とした感じで言った。「門司はええとこやなあ」

呆気にとられる鐵造に、日田は笑いながら言った。

「まあ、近くに越してきたから、暇なときにちょくちょく寄るわ」

鐵造は知らなかったが、日田は、京都の別宅を売って、その金を鐵造に与えたことを、親族たちから責められ、そのことが原因でさらに折り合いが悪くなり、関西に住みづらくなっていたのだった。定職を持たない日田にとっては、行く先はどこでもよかったのだが、どうせなら国岡のいる町にしようと、門司にやってきたのだ。自分が見込んだ男が、どこまでやるのか、それを見届けるのが日田の楽しみでもあったのかもしれない。

しかし日田はそんなことはおくびにも出さず、まるでたまたま近所に引っ越してきたからよろしく、という感じで、ひょいと顔を出して、帰っていった。そんな日田の心配りが鐵造の胸に染みた。日田さんのためにもここは踏ん張りどころだと思った。


しかし鐵造の決意とは裏腹に商いはなかなか軌道に乗らなかった。日田からもらった金は、増やすどころか日に日に減っていく。ある日、店の収支を計算した鐵造は愕然《がくぜん》とした。このままでは三年で日田からもらった金が全部消える――。

鐵造は本当の商売の厳しさを肌で感じていた。神戸での商いは酒井賀一郎という信用があったればこそ、成り立っていたのだとはじめて気づいた。地縁がほとんどないこの門司の地で、新興の販売店が他の老舗相手にやっていくには、普通の方法では駄目だと鐵造は考えた。

門司の油販売店のほとんどの店は日邦石油から油を仕入れていた。だから油そのものには品質の違いはない。工場からすればどこから油を買っても同じだった。価格を安くすれば売れるだろうが、それはできなかった。卸元の日邦石油からは小売りの最低価格が決められていて、それを破れば油は卸さないと言われていたからだ。店によっては、日邦石油に内緒でダンピングしているところがあるという噂もあったが、鐵造は店の奥に飾られた「士魂商才」という文字に恥じるような商いはしたくなかった。

品質も同じ、価格も同じなら、老舗が圧倒的に強い。鐵造はアメリカの石油会社ヴァキューム社の油を使ってみようかと考えた。ヴァキューム社製の機械油は優秀という評判だったが、高価なため、普通の町工場で使うところはほとんどなかった。だから鐵造がそれを輸入するのはリスクも大きかった。

日本でヴァキューム社製のような品質のいい油が安くできればいいのだが、と鐵造は考えた。日本の製油所をいくつか回ってみれば、日邦石油もまだ扱っていないすぐれた油があるのではないか——。

「鐵造、何ば考えよると」

ある日、店の奥で腕組みしながら、そんなことを考えていると、父親の徳三郎が声をかけた。

「油のことたい。品質ばよくする方法はなかろうかち思うて——」

「わしは油のことはわからんばってん」と父は言った。「藍玉ば扱いよったときは、よう藍を混ぜよったもんね」

「藍ば混ぜる？」

「ああ、藍は栽培する農家によっても、取るる時期によっても、品質が変わるとさ。ばらつきもあって、濃かともあれば薄かともある。そげんとば混ぜると、ちょうどよか塩梅《あんばい》になる」

「それたい！」

鐵造は立ち上がった。

なぜ、そんなことを思いつきもしなかったのかと自分を罵《ののし》りたいくらいだった。これまで日邦石油からは機械油、シリンダー油、グリースとさまざまな油を買い、別々に販売していたが、これらの油を混ぜることによって、性質に変化が出るのではないか。

今はどの工場のモーターも基本的に同じ機械油を使っていた。しかしモーターはどれも大きさや回転数が違う。摩擦による熱も違う。ということは、モーターによって適する油も違って当然ではないか。もしかしたら油を調合することで、それぞれのモーターに適する油が作れるのではないだろうか。

鐡造はさっそく、井上にこのことを言ったが、井上は半信半疑だった。

「機械油とグリースは全然性質が違いますけん、混ぜたりしたら、いかんとやなかですか」

「そげなこたやってみんとわからんめもん」

「そら、そうですばってん。だいたいが、どげな割合で混ぜたらどげんなるとか、わからんでっしょうが」

「そらあ試行錯誤でやろい」

「けど、わしたちゃ油屋ですばい。そげなことするとは学者さんじゃなかとですか」

「わかった。油ば混ずっとはぼくがやる。井上さんは、ぼくが作った油ば売ってくれ」

明治四十五年の春、鐡造は、さまざまな油を混ぜて作った機械油が入った瓶を何本も詰め込んだ鞄を抱えて、戸畑《とばた》の明治紡績を訪ねた。明治紡績は三年前に作られた福岡有数の大工場で、精紡機が一万六千錘以上あった。社長の安川敬一郎は九州の石炭御三家のひとつ安川家の当主だった。

事務所は工場の隣にあった木造の小学校のような建物の中にあった。鐡造が事務所に入ると、作業服を着た三十過ぎの男がいた。

「私は国岡商店の国岡と申します。ここの経営者の方にお会いしたかとですが」

鐵造がそう言うと、作業服を着た男は、「俺が経営者たい」と言った。

「安川敬一郎さんですか」

「敬一郎は親父たい」男はそう言って笑った。「工場ば作ったとは親父ばってん、経営は俺に任されとる。息子の清三郎たい」

よく見ると清三郎はゴムの長靴を履いていた。これまでいろいろな工場を訪ねてきたが、経営者自らが作業服を着て働いている工場ははじめてだった。鐵造は安川清三郎に好意を抱いた。

「用件は何ね？」

「機械油のこつで話ば聞いていただきたくやってきたとです」

「油んこつは技師に任せとる。ちょっと待っとってくれんね」

安川はそう言うと、事務所を出て、岡田音次郎という技師を連れてきた。

「岡田です」

「国岡です」

鐵造が機械油の話を切り出すと、岡田は、「機械油なら、今んところは足りとります」と言った。

「わかっとります。実は本日訪れたとは、モーターば見学させていただけんやろうかと思うて、やってきたとです」

「モーターの見学ですか。なしけんですか？」

鐵造はモーターの違いによって、理想とする機械油が違うのではないか。そしてそれらは調合によって、生まれるのではないかという考えを説明した。岡田は興味を持ったようだった。

「たしかに、うちもすべてのモーターに同じ油ば使《つこ》うとります」

「面白か考えやね」安川が楽しそうに言った。「岡田さん、国岡さんにモーターば見せてやらんね」

岡田は鐵造を動力室に案内してくれた。六畳くらいの部屋に、人の背丈ほどもある巨大なモーターが唸りを上げて回転していた。鐵造はモーターが回転するのを観察しながら、漏れた油を指に付けて粘度をみた。

「工場内のスピンドルば見せてもらえますか」

「よかですよ」

スピンドルとは紡績の糸を巻き取る軸のことだ。これも一つひとつモーターの力で回転している。

鐵造は工場に入った。体育館のような広い工場内には、スピンドルが備え付けられた台が何十列もあり、その台には何百人もの若い女工たちが働いていた。

鐵造はその回転軸のところを注意深く見つめた。油はメインのモーターと同じものだった。

「両方ともヴァキューム社製の油ですね」

鐵造が言うと、岡田は驚いた。

「さすが、餅は餅屋たい。うちの油はいちばんよかヴァキューム社のものば使うとる。油ばケチって、モーターの耐久性ば落とそうごつなかけん」

鐵造は鞄からいくつかの瓶を取り出すと、

「私の油ばこのスピンドルのひとつで試させていただくわけにはいかんですか」

「それは、ぼくの一存では決めかねる」

そのとき、いつのまにか岡田の後ろに来ていた安川が、「よかじゃなかね」と言った。

「まさかわずかな粗悪油で壊れるこつはなかろう。国岡君、ぼくが許可するけん、君の油ば使ってみんね。ただしメインのモーターは駄目ばい」

「ありがとうございます」

「それと、その分の料金は払わんよ」

「もちろんです」鐵造は笑った。

「油のこつはわからんけん、あとは岡田君に相談すっとよか」

安川はそれだけ言うと、事務所に戻っていった。

「社長がああ言うてくれらしたけん、スピンドルに自由に油ばさしてよかよ」

岡田はそう言って鐵造の肩を軽く叩いた。

鐵造はその日一日、女工たちが働く横で、鞄から取り出した瓶の油を何度も混ぜ、スピンドルに油をさしつづけた。スピンドルの回転を観察し、ときどき油の色の変化を見て、温度計を取り出して熱の変化も調べた。女工たちはそんな鐵造を不思議そうな目で眺めていた。


安川の許可を得てから、鐵造は毎日のように明治紡績に通った。来る日も来る日も鐵造はスピンドルに自分の調合した油をさした。店に戻っても同じだった。小さな旋盤を購入し、そこに油を垂らしながら、実験を繰り返した。その姿は何かに取り憑かれたようだった。

一ヵ月後、鐵造は岡田と安川の前で自分の調合した油の性能を見てもらった。

鐵造の油はスピンドルの熱の上昇をあきらかに抑えていた。これによりスピンドルの稼働率も、耐久力も上げることになる。

「こりゃすごか」岡田は言った。

「スピンドルは工場のメイン・モーターに比ぶると負荷が少なかけん、それより粘度の少なか油のほうがより滑らかになるとです」

鐵造の説明に岡田が頷いた。

「社長、これは使えますばい。ヴァキューム社んとよりもよか」

「問題は価格やね」

鐵造が価格を言うと、安川と岡田は思わず目を合わせた。ヴァキューム社のものよりもはるかに低価格だったからだ。

「その値段で、国岡さんとこは儲けがあるとか」

「大丈夫です。これで十分、利益ん出ます」

「よし、国岡さんとこの油ば使おう」

「ありがとうございます」

鐵造は明治紡績から大量の機械油の発注を受けた。創業して一年、国岡商店のはじめての大きな商いだった。

六、海賊

「鐵造さん、そろそろ身い固めんか」

伯父の安一から縁談の話が持ち込まれたのは、開業して三年目の大正二年の秋だった。安一には一時、弟の貞夫と孝義が世話になっていた。

たまたま仕事の手が空いていた鐵造は、安一と事務所で話した。

「せっかくですばってん伯父さん、今んところは結婚は考えとりません」

「鐵造は今、いくつね？」

「二十九です。満では二十八ですばってん」

「二十九やったら、遅かくらいじゃなかね。来年は三十じゃろうもん」

「今は商売で手一杯ですたい」

「商売が上手くいくまで待っとったら、下手すっと四十ば超えるこつもあるばい」

安一は父の徳三郎の兄だけに、言い方に遠慮がなかった。

「それはそうかもしれんですばってん、まだそげな余裕はありません」

「余裕があるとかなかとか、結婚はそげなもんとは違うとじゃなかね」安一は言った。「鐵造よりか貧乏な男でも、皆、結婚しとる。鐵造は、自分はそげな男たちとは違うと思うてるとか」

鐵造は思わず言葉が詰まった。

「苦しかときこそ、ともに支え合う女房が必要じゃなかとか。それとも、たんまり金ば作ってから、それば目当てにやってくる女が欲しかとか」

鐵造は苦笑したが、安一の言葉には一理あると思った。

「わかりました」

「そうか、よかった」

「どげな女性ですかね」

「築上《ちくじょう》郡の庄屋の娘で、六人兄弟の上から三番目、年は十九。なかなかの器量よしたい。いやあ、よかった。実は、徳三郎から鐵造によか嫁がおらんかと頼まれとったとたい。何とか徳三郎に顔が立ったばい」

「でも、向こうがぼくば気に入らんかもしれんですよ」

「神戸高商ば出とる学士さんの嫁になるとば断る女子《おなご》がおるわけなかたい」

安一は、この縁談はまとまったも同然というふうに笑った。

翌週の日曜日、安一伯父がやってきて、「先方が了承した」と言った。鐵造は、安一がそんなに早く話をまとめてくるとは思っていなかったので驚いた。

「祝言《しゅうげん》は再来月でよかね」

「そげん急ぐとですか」

鐵造は早くとも来年の話だろうと思っていた。

「祝い事は早かほうがよかろうもん」

安一は祝言までの細々とした段取りを説明すると、そそくさと帰っていった。

鐵造には、自分が所帯を持つということが実感できなかった。一週間前までまったく考えたことがなかったにもかかわらず、二ヵ月後には嫁と暮らしている自分が想像できなかった。しかも一度も会ったことのない女性だ。

どういう暮らしになるのだろうかと考えて、はっと気づいた。住む家もないではないか。

新しく家を借りる余裕はない。となると、家族と一緒に住んでいる店の二階でともに暮らすことになる――。そのあたりを父は安一伯父にどう説明しているのかはわからなかったが、先方がそれを知って断れば、破談でも仕方がないと思った。

それでも日田には、結婚することになるかもしれないと報告した。

「ええ話や」

日田はにこやかな顔をして言った。

二人は日田の家の縁側に座って茶を飲みながら話した。日田は毎日、仕事をするわけでもなく、焼き物や骨董を眺めて暮らしていた。庭もまたそんな日田の趣味がよく出た風流な美しさを持っていた。鐵造は日田の家を訪れて庭を眺めていると、いつも心が落ち着いた。

「結婚といっても全然実感が湧かないのですが――」

「したこともないものを、実感があるほうが不思議やろう」

日田はそう言って笑った。

「何かこう、うまくいく助言のようなものはないですか」

日田は少し目を細めて空を見やった。

「助言というもんやないけど――」日田は言った。「夫の苦労を一緒に背負える嫁をもらえたら、本当の果報者や」

鐵造はその言葉を聞きながら、それは日田の妻のことだと思った。彼の妻の八重は夫の決断にいっさいの不平も言わずに住み慣れた神戸を離れて門司までやってきた。その証に八重は鐵造に対してもいつも優しかった。

「けどな、それだけではあかん」日田は続けた。「夫もまた、妻の苦労を背負ってやる覚悟やないとあかん」

「はい」

日田はそれ以上は言わなかったが、鐵造の心にはずしりと響いた。


祝言までの段取りは両親に任せて、鐵造は仕事に専心した。

明治紡績のための油の調合は鐵造の大切な仕事だった。油というものは実にデリケートなもので、調合の割合が少しでも違うと、性質が全然変わってしまう。粗悪な油を入れたりしたら、せっかくの商いがふいになる。だから油の調合だけは、弟や店員たちに任せずに、必ず自分でやった。

明治紡績以外に卸す油についても、調合の実験は怠らなかった。いろんな油を混ぜ合わせて、それがどのように変化するかを毎日のように繰り返して実験し、祝言のことなどまったく考えることなく日々は過ぎていった。

十一月二十四日、鐵造は福岡の旅館で祝言を挙げた。

この日、はじめて妻となる春日ユキを見たが、「美しい人だ」と鐵造は思った。

親戚や店員たちが集まり、夜まで続くどんちゃん騒ぎになった。鐵造も皆に請われるままに、久しぶりに筑前琵琶を弾いた。ユキはそれを静かに見つめていた。

その夜、客たちが帰り、部屋で二人きりになったとき、鐵造ははじめてユキと言葉を交わした。

「明日からは店の二階で、家族と一緒に暮らすこつになります」

ユキは「はい」と言うと、鐵造の前に正座し、深く頭を下げた。

「よろしくお願いいたします」

「私は商売ばしとりますが、金持ちではなかです」

「はい」

「もしかしたらずっと貧乏が続くかもしれんです。それでもよかですか」

鐵造は言いながら、こういうことは本来、祝言を挙げる前に言っておかねばならないことではなかったかと思った。

「一緒に苦労ばしてくれんですか」

ユキは顔を上げると、鐵造の眼をしっかりと見据えて、「はい」と答えた。

このとき、鐵造はこの女のためにも死に物狂いで頑張ろうと思った。

翌日から家族七人の暮らしに新妻ユキが加わった。鐵造とユキの部屋は店の二階の六畳間だった。ユキは気立てのいい明るい女だった。鐵造の両親ともうまくやっていけたし、弟や妹たちも可愛がった。しかし気の強い一面もあった。自分が正しいと思ったことは、稲子や徳三郎相手にも堂々と言った。その気っ風の良さは、かえって両親に好まれた。鐵造自身もたいして考えずに言ったことを、ユキに「それは違うち思います」と反論されてたじろぐことがしばしばあった。

新しい家族が増えて、鐵造はいっそう仕事に精を出した。仕事を一日頑張った後に、優しい妻が待っているということが、これほど生活に張りが出るとは思ってもいなかった。ひとりなら耐えられない辛いことでも、ユキのためなら耐えられると思った。

しかし鐵造の頑張りにもかかわらず、店の業績は上がらなかった。明治紡績との取引の成功は、国岡商店を一息つかせたが、依然として毎月の収支は赤字続きだった。鐵造が油の調合に時間を割《さ》かれることが多くなり、新たに店員を何人か入れたことも原因だった。

店員たちは門司や福岡の街を走り回り、いくつかの新しい取引先を見つけては来ていたが、取引が増えると、倉庫代や人件費などの経費も増え、結局、実質的な儲けにはならなかった。売掛金の回収に失敗して逃げられたり、騙《だま》されたりということもいくつもあった。

鐵造は九州だけでなく、山口や四国に販路を広げようと、営業活動を頑張ったが、売り上げよりも経費がかかっただけの結果に終わってしまった。

新天地を求めて朝鮮にも渡った。さらに満州にも足を伸ばした。しかし九州の一地方都市の名もなき石油小売店を相手にしてくれる工場など、どこにもなかった。

独立して四年目を迎えようとした春、日田からもらった資金がついに底をついた。


大正三年の三月、鐵造は日田の家を訪ねた。

「どないしたんや。顔色がようないで」

日田は玄関先でからかうように言った。

「今日はご相談があってやって参りました」

「そうか。ほんなら、外に出よか」

日田は妻に、「ちょっと出るわ」と言うと、下駄を履いて家を出た。

門司の町を歩きながら、鐵造は、どうやって日田に言い出そうかと考えていた。

「海のほうへ行ってみいひんか」

日田が言った。

二人で関門海峡が見える丘に登った。

「こうやって見たら、本土もすぐそばやな」

「本当ですね」

日田は草の上に腰を下ろした。鐵造もその隣に座った。

狭い海峡には何艘もの小さな漁船が操業していた。大きな船は関門海峡を渡る連絡船だ。

「ようけ船があるなあ。あの海の中には魚がぎょうさんおるんやろうな」

日田は呑気な声で言った。

「日田さん――」

「なんや？」

鐵造は日田の隣に正座すると、頭を地面にこすりつけるほどに下げた。

「申し訳ありません」

「どないしたんや」日田は言った。「まあ、頭を上げえな」

鐵造は顔を上げて言った。

「国岡商店は廃業します」

日田は何も答えず、関門海峡に視線を移した。そしてそのまま海をじっと見つめた。

「三年間、必死でやってきましたが、とうとう資金が底をついてしまいました。せっかく日田さんからいただいたお金を増やすことができませんでした。お返しすることは叶わなくなりました」

「あと、なんぼあったらええんや」

日田は海を見ながら呟くように言った。鐵造は思わず頭を上げて日田の横顔を見た。

「三年であかんかったら五年やってみいや。五年であかんかったら十年やってみいや。わしはまだ神戸に家がある。あれを売ったら七千円くらいの金はできる」

鐵造は声が出なかった。

日田は鐵造のほうを向くと、にっこり笑った。

「なあ、とことんやってみようや。わしも精一杯応援する。それでも、どうしてもあかなんだら――」

日田は優しい声で、しかし力強く言った。

「一緒に乞食をやろうや」

鐵造の目から涙がこぼれ落ち、止めようとしても止められなかった。

「日田さん――」

あとは言葉にならなかった。

涙を拭った鐵造は胸に勇気がふつふつと湧き起こってくるのをはっきりと感じた。死んだ気になってやってやるという闘志が出てきた。


鐵造はもう一度商売を徹底的に考え直そうと思った。

それで何か新しい商いの手掛かりになるものはないかと、地元の新聞社を訪ねて、倉庫に保管されている古い新聞を見せてもらった。すると数ヵ月前の新聞に、「灯油を燃料とする船」という記事を見つけた。その記事には「独特のリズミカルなポンポンという爆音を立てることから、このエンジンを積んだ小型漁船は『ポンポン船』と呼ばれている」と書かれてあった。

鐵造はあっと声を上げた。同時に自らの迂闊《うかつ》さに呆れ果てた。

「ポンポン船」やったら関門海峡で何艘も見とったとに――。

灯油などは売り込む先がないものと思い込んで、ろくに調べなかったのだ。まさしく灯台もと暗し、だ。しかし過ぎたことを悔やんでも仕方がない。これから勝負に出ればいい。ただ、新規に参入するわけだから、他の販売店と同じことをしても勝ち目はない。

鐵造が目を付けたのは燃料だった。もしエンジンの燃料に灯油ではなく軽油を使用できれば、燃料費は大幅に安く済む。当時は軽油には税金がかかっておらず、税金がかかる灯油のほうが高価だった。灯油と軽油は原油を精製するときに分留温度の差によって分けられるが、炭素数がわずかに違うだけで、成分的には大きな違いがあるわけではない。鐵造は油を扱ってきた経験から、おそらく軽油でもエンジンは動くはずだと思った。

それを調べるために、中古の漁船の「焼き玉エンジン」ともよばれるグローエンジンを購入した。小さくはない出費だったが、必要な経費だ。このエンジンはもともとはスウェーデンのボリンダー機械製作所が開発したものを、日本の会社がライセンス料を支払って生産していた。

鐵造は燃料に軽油を入れて実験してみた。思ったとおりエンジン性能はほとんど変わらなかった。むしろ熱効率の面では軽油のほうがすぐれていた。発火点は灯油のほうが低かったが、エンジンで使用する場合は何ら影響がない。

さらに実験を重ねエンジンの耐久性にも変わりがないことをたしかめた。もちろんエンジンの潤滑油には鐵造の考案した機械油が使われている。鐵造はこれを組み合わせて売れば勝負できると踏んだ。

鐵造は門司の対岸、下関にある山神組（現・日本水産）に交渉に行った。山神組は下関を拠点とする漁業会社の中では最大手で三十七隻の漁船を持っていた。もし山神組の船が軽油に変換したなら、その評判は関門海峡一帯に一気に広まるはずだ。

最初、山神組の船員たちは鐵造の話をまともには聞こうとしなかったが、白石庸次郎《ようじろう》という水産講習所（後の東京水産大学。現・東京海洋大学）出身の技術者が興味を抱いてくれ、実際にエンジンを使っての実験を見てくれることになった。白石は山神組の重役でもあった。

白石ら技術者は、鐵造の実験を見て、焼き玉エンジンの性能が軽油でもほとんど変わらないことに驚きを隠さなかった。

「エンジンは灯油仕様と聞かされとったとは、どういうことね？」

技術者のひとりが首を傾げながら言った。

「憶測ですばってん」と鐵造は言った。「灯油のほうが高価やけんじゃなかでしょうか」

鐵造は店で実験した資料を見せた。軽油の欠点も隠すことなく説明した。その公正な姿勢が気に入られたか、鐵造の軽油を購入してもいいと言ってくれた。

「ばってん、国岡商店は門司の店やろ」白石が言った。「たしか日邦石油の特約店契約で、門司の店は下関では販売したらいかんことになっとったとやなかったか」

当時、日本一の石油会社である日邦石油の特約店は販売エリアが決まっていた。それは業界の不文律だった。鐵造が下関で軽油を売るためには、下関で店を構える必要がある。とはいえ、日邦石油が下関で契約している特約店の商売を荒らすことになる新規契約を認めてもらえる可能性は極めて低かった。

「海の上で売ります」

鐵造の言葉に白石は驚いた。

「海の上なら、門司も下関もなかですたい。私たちは海の上で船に直接、油ば売ります」

鐵造は必死だった。この商売に失敗すれば、もう後はない。まさに背水の陣だった。

「どうやって、運ぶとね。国岡商店は船ば持っとるとかね?」

「伝馬船《てんません》に乗って運びます」

「手漕ぎの舟ね」

「そうです」

白石たちは笑った。

「君は面白か男やね。そういうこつなら、それでいこう」

「ありがとうございます」

鐵造は土俵際で踏みとどまった、と思った。いや違う——ようやく土俵に上がることができたのだ。本当の勝負は今からだ。


やがて門司の港で、毎朝、不思議な光景が見られるようになった。夜が明ける前に、門司の港近くにある小さな民家から、幾つもの一斗缶を積んだ大八車が数人の男たちによって港に引かれていく。大八車が港に着くと、缶が伝馬船に積み替えられる。そして三人の男が乗った伝馬船がゆっくりと下関の港に向かっていく。

東の空がほんのりと色付き始めたころ、下関の港に漁船が三々五々戻ってくる。

「見えたばい」

伝馬船に乗っていたひとりの男が漁船の船影を指差す。櫓《ろ》を操っていた男は、器用に漁船の進行方向に船を進めていく。

伝馬船の先頭に乗っていた男が、漁船に向かって「油！」と叫ぶ。漁船は伝馬船を見つけると速度を落とす。伝馬船が漁船の腹に横付けされるやいなや、二人の男が缶を持って素早く漁船に飛び移る。そして船員たちに缶を渡して伝票を受け取ると、再び伝馬船に飛び乗り、次の漁船に向かって進んでいく——。わずか数分足らずの早業《はやわざ》だ。

伝馬船の先頭に乗っているのは鐵造だった。そしてその後ろに控えているのは五歳年下の弟の達吉、しんがりで櫓を操っているのは井上庄次郎だった。若いころは漁師をしていたという井上の腕前はたしかだった。鐵造はこの商いのために門司の港近くに民家を借り、そこに日邦石油から大量に買い込んだ軽油を運び込んでいた。

国岡商店の評判はあっという間に下関に広がった。その噂を聞きつけた、山神組以外の水産会社や漁船なども国岡商店の油が欲しいと言ってきた。

慌てたのは下関の日邦石油の特約店である。それまで灯油を買ってくれていた得意先がどんどん国岡の軽油を買うようになったのだから、たまらない。彼らは卸し元の日邦石油の下関支店に、国岡を何とかしろと訴えた。

下関の支店長は榎本誠だった。榎本は鐵造を呼んだ。

「君が下関の特約店の協定を破って商売をしてるという抗議が殺到しているんや」

「私は協定を破っていません」

「君は門司の特約店や。下関で商売したら協定破りやろ」

「私は下関で油は売っておりません。私が売ってるのは海の上です。船の上です。その油も門司から運んだものです。それに門司側の海で売っています。協定は破っておりません」

榎本は苦笑いした。国岡の言い分は強引すぎるものだった。下関側ではなく門司側の海で売っていると強弁しているが、それを見た者は誰もいない。この鐵造の言い分に付き合う必要はない。卸元としては、国岡に軽油の卸をストップするぞ、と言えばいいことだった。しかし榎本は黙認することにした。この気骨ある若い男の芽をこんなことで摘んではならないと思ったからだ。この男は何かを持っている。困難と言われた機械油販売にこだわり続け、今、誰も思いつかなかった、船の上での軽油販売をおこなっている。並の商売人ではない。

榎本は下関の特約店の店主たちに、「国岡が門司側の海で売ってることに関しては、うちとしても何とも仕様がない」と説明した。

榎本の黙契を得て、鐵造たちは今まで以上に堂々と海に出た。それまでは伝馬船はわずか一艘だったが、やがて二艘になり三艘に増えた。それらに乗り込んだのは国岡商店の十代の店員たちだった。このころには国岡商店の店員は総勢十名になっていた。

少年たちは最初は慣れなかった船の扱いもすぐに習熟し、若いころ漁師をしていた井上をして、「本《ほん》物顔《もん》負けの腕前たい」と言わせるまでになった。ときには鐵造自ら伝馬船を漕ぐこともあった。かつて福岡商業時代、短艇部で玄界灘の荒波の中をオールを漕いでいた経験がこんなところで役に立つとは思ってもいなかった。

関門海峡は手漕ぎ船の漁師にとっては昔から難所として知られていた。一日に四回も潮流の向きが変わり、その流れは速いときは一〇ノット（時速約一八キロ）にもなる。しかし少年たちは恐れもせずに乗り出した。鐵造は今さらながら彼らの胆力を頼もしく思った。

国岡商店はどんどん販路を広げ、ついには門司、下関の漁船と運搬船の七割近くの船の燃料を賄うまでになった。門司と下関の石油特約店たちは、関門海峡を暴れまくる国岡商店の伝馬船を「海賊」と呼んで怖れた。

しかし四十年後、鐵造が海賊として世界をあっと言わせることになるとは、誰ひとり知る由《よし》もなかった。

創業四年目にしてようやく経営が軌道に乗った鐵造は、販売の効率を図るために計量器付き給油船を作ることにした。それまでは船上では油の入った一斗缶ごと販売していた。缶は後に回収するのだが、潮風にさらされた缶は傷《いた》みが激しい。当時は一斗缶も安価ではなく、経費も馬鹿にならない。また軽油をいちいち缶に入れて、船で運ぶ手間も効率が悪い上に、多くは積めない。そこで大きなタンクが備えられた船を作り、そこからポンプで給油しようと考えたのだ。

問題は揺れる甲板の上で油を正確に計量する機械だった。鐵造は達吉と二人で揺れる船の上でも使える計量器を考案した。ガラスのパイプがある独楽《こま》型の計量器で、これを使えばタンクからポンプで汲み出した油を正確に計量することができた。

鐵造は知り合いの造船所に木造の伝馬船を発注し、そこに鉄製のタンクと計量器を備え付けた即席の給油船を作り上げた。

タンク付きの給油船を使うようになってから、国岡商店の軽油はさらに販売シェアを拡大した。

しかし、ある日、国岡商店は下関市役所の二人の職員の訪問を受けた。やってきたのは計量検定所の課長と係長だった。

「お宅が使っている計量器だが、計量法違反の疑いがある」

口髭をたくわえた課長は横柄な口調で言った。

それを聞いて達吉は慌てた。当時の計量法では、計量器を役所の認可なしに勝手に作ってはいけないことになっていた。達吉はそれを知っていたが、まさか役所が出てくるとは思っていなかった。もしかしたら同業者が密告したのかもしれない。達吉はびくびくしながら兄の顔を窺ったが、鐵造は平然としていた。まるで二人の訪問を予期していたかのようだった。

「ほう、そうですか」と鐵造は言った。「証拠がありますか」

「お宅の船を調べさせてほしい」

「国岡商店が法律違反を犯しているというのですか」

「法規上はそうなります」

「たしかに陸の上で認められていない計量器を作れば違反でしょう。でも海の上ですよ」

「海の上でも同じです」

「なら、海の上でどうやって、油を計量します?」

「それは役所の関知するところではない」

その言い方が鐵造を怒らせた。

「課長さんにお尋ねしたい。法律はいったい何のためにあるとですか」

「ここで法律談義ですか」

課長は笑ったが、鐵造はかまわず大きな声で言った。

「私は真面目に話しとります。あなたも公僕なら、真面目に答えるべきではなかですか」

鐵造の剣幕に課長は黙った。

「法律とは、人々の暮らしを良くするためではなかとですか。違いますか」

「まあ、それはそうだが――」

「海の上で油が正確に計量できないので、私どもが苦心して計量器ば発明したとです。それば違法というとは、法律が遅れとるという証拠ではなかですか。それとも私どもがやっとるとより、もっとよか方法があるとなら、それに従います」

「しかし、われわれは、法律の遵守というのは、とても大切と考えておるのだが――」

「私の油は門司の漁業と貨物輸送に貢献しとります。人々の暮らしに直接役立っとるとです。それなのに、時代遅れの計量法違反などで罪に問うとおっしゃるとですか。どうしても罪に問いたいと言うとなら、裁判でもなんでもやりまっしょう。私は天に恥じるところはひとつもなか」

「ちょっと待ってください」

課長はそう言うと、係長と二人で一度店の外に出て、なにやら小声で相談した。それからもう一度店の中にやってきて、こう訊いた。

「国岡さん、この計量器は販売したりはしませんね。つまり営利を目的に作ったものではないですね」

「もちろんです。これは私どもが船の上で油ば売るための道具にすぎません」

「わかりました。それではこの件に関しましては、計量法違反に問わないこととします」

鐵造は黙って頷いた。

達吉は、兄はすごいな、と内心、舌を巻いた。市役所の課長を相手に堂々と主張を訴え、そして通してしまうなどということを三十歳の男がやってのけるとは信じられなかった。

余談であるが、後に多くの石油販売会社も計量器付きの給油船を使用するようになり、これは全国的に普及した。そこに付けられた計量器は鐵造と達吉が考案した計量器だったが、二人は特許を取っていなかった。ずいぶん儲け損なった、と後に鐵造と達吉は笑い話にした。

七、満州

大正三年（一九一四）の九月、鐵造は店を引っ越した。海上給油で扱う油も増え、さらに店員の数も二十人近くに増え、今までの店では手狭になったからだ。店の移転と同時に、両親と弟たちに家を借りてやった。

新しい店は以前と同じ木造二階建てだったが、広さは三倍以上だった。しかも作りはモダンで、ガラス窓には鉄格子が入り、壁は当時では珍しいペンキ塗りだった。店の入り口には、それまでの木の看板ではなく、真鍮《しんちゅう》製の看板を掲げた。真鍮は日の光を浴びて、黄金色に輝いた。それは国岡商店の未来を暗示しているように鐵造には見えた。そして店の中には以前と変わらず、「士魂商才」の額が鴨居の上に掲げられていた。

一階の事務所には店員たちと店主の鐵造の机が並べられていた。事務所の横に来客用の応接室があり、その壁には各種の油の見本が入った瓶が陳列されていた。そして事務所の奥には店員たちの食堂があった。二階は鐵造と家族の居住用だったが、半分は若い店員たちが寝泊まりする合宿所にした。

鐵造は合宿所で自らが教育係となり、少年たちにさまざまなことを教えた。商売のイロハだけでなく、礼儀作法、挨拶の仕方、手紙の書き方なども指導した。しかし画一的な方法での強制はしなかった。最低限の形式だけを教えると、あとは自分で工夫させた。たとえばよくない手紙を書いたとすると、悪い箇所だけを指摘し、どのように直せばいいのか自分で考えさせた。

少年たちの指導のために睡眠時間を削った。毎日、寝床に入るのは十一時を回った。朝は誰よりも早く三時に起きる。

ある夜、十二時を回り、疲れ果てて寝床に入る鐵造を見て、ユキが言った。

「そこまですることはなかとじゃありませんか」

「ぼくは若か店員たちば家族と思うとる。皆、優秀やけど貧しくて上の学校さん進めんやった子供たちたい。彼らば親御さんから預かったときから、兄であるぼくが彼らば立派な人間にする義務が生まれたとたい」

「でも、鐵造さんのやり方ば見とりますと、時間がかかります。子供たちが間違《まちご》うたら、考えさせる前に、こうやるとよかと正しかやり方ば教えるほうがずっと早かじゃなかですか」

ユキは鐵造が、年少の店員たちが自分で答えを導き出すまでずっと付き添い、同じ時間を過ごしていることを言っていた。

「それでは、自分で考える力が付かんたい。自分で工夫して答えば見つけることが大切たい。それでこそ、きっちりとした人間になるち思う。ユキはそげん思わんね」

「思います」

「ぼくの指示ば、ただ待っとるだけの店員にはしとうなか」鐵造は言った。「今の国岡商店は店舗ばひとつしか持っとらんばってん、いずれいろんなところに支店ば出していきたいち思うとる。彼らはその店主になるわけやけん、大事な商いばいちいち本店に伺いば立てて決めるごたる店主にはしとうなか。

自分で正しか決断ができる一国一城の主にしたか」

ユキは目を細めて、「いつか、そんな日が来るとよかですね」と言った。

「その日が来るとば一緒に見届けてくるるか」

ユキは力強く頷いた。


鐵造は港近くに新たに大きな倉庫も借りた。また対岸の下関にも倉庫を借り、そこにも大量の軽油を保管した。

ヨーロッパでは六月にサラエボでオーストリア皇太子が暗殺されたことを契機とした、欧州大戦（第一次世界大戦）が始まっていた。日本も日英同盟の関係でドイツに宣戦布告し、ミクロネシアを含む南洋群島一帯、それにドイツの租借地であった青島《チンタオ》を占領していた。しかし局地的な戦いであり、国民の多くにとっては、欧州戦争は遠い世界の出来事だった。

ただ鐵造は青島攻略戦において日本軍がはじめて飛行機を使用したというニュースに大いに関心を持った。それはフランスから輸入したファルマンという飛行機だったが、その燃料に使われたのは揮発油（ガソリン）だった。これまで日本では揮発油の需要はほとんどなかったが、いずれは揮発油も重要な商品になることを確信させた。

国内は戦勝ムードに酔って、景気が上向いた。鐵造の軽油の海上販売も完全に軌道に乗った。半年も経たないうちに門司と下関のほとんどの船を取引相手にしてしまった。

鐵造はここで勝負に出た。焼き玉エンジンを付けた給油船を何艘も作り、長崎、大分、宮崎に支店を作って販路を広げた。さらに四国にも支店を作って、瀬戸内海に進出した。「国岡」の旗がはためく給油船は西日本の海を暴れまわり、国岡商店の名は「海賊」の異名とともに沿岸に轟《とどろ》いた。

しかし次第に国岡商店への風当たりが強くなってきた。沿岸の日邦石油の特約店が親会社に苦情を持ち込むようになったのだ。以前は門司と下関限定で商売していたから、下関の支店長である榎本が特約店たちを何とかなだめていたが、他の地域まで広がると、日邦石油の本社のほうでも無視はできなくなる。それでついに国岡商店は日邦石油から、あまりやりすぎるなと釘を刺された。

鐡造とすれば、日邦石油が持てあましている軽油を大量に売ってやっているのに、なぜそんなことを言われなければならないのかという気持ちだった。しかも漁船にとっても他の店よりも安く油が買えることは大いに喜ばしいはずだ。それは魚の値段が安くなることにもつながる。すべてがいいことずくめなのに、くだらない縄張り意識で、足を引っ張る特約店に腹が立った。国岡商店と勝負したいなら、給油船を作って、同じように海の上で争えばいい。しかし卸元である日邦石油にそんなことを言っても通用しない。彼らにとっても多くの特約店は大切な取引店だからだ。

このときすでに鐡造の目は海の向こうの大陸に注がれていた。

「兄貴、本気ね」

鐡造の決意を聞いた弟の達吉は呆れた口調で言った。

門司の海で灯油を売った帰りの船の上での会話だった。

「本気たい」と鐡造は言った。「満州で油ば売る」

「ばってん、一年前に満州さん渡ったときには、全然相手にしてもらえんやったち言いよったじゃなかね」

「あのときの国岡商店と今の国岡商店は違うばい」

「ばってん、満州は関税がかからんけん、外油の天下になっとるち聞いとるばい」

「そうたい。アメリカのスタンダード石油が牛耳《ぎゅうじ》っとる」

「スタンダード石油ち言うたら、ロックフェラーが作った世界最大の石油会社じゃなかね」

「それがどげんした」

鐵造は揺れる伝馬船の上で不敵に笑った。

「外油は、日本国内では関税がかかって高くなっとるとにもかかわらず、質がよかけんどんどん売り上げば伸ばしとる。その結果、国内の機械油が売れなんごとなってきとるちいうじゃなかね。関税もなくて値段が安か満州では、最初から勝ち目がなかよ」

「いや、勝算はある」

達吉はそれ以上の論争をやめた。兄がこうと決めたら、誰が何と言おうと、その考えを変えることは無理だった。

鐵造は西の水平線を見つめていた。達吉はそれが満州の方向であることに気づいた。

こうして大正三年十二月、鐵造は再び満州へ渡った。

渡満に先立ち、日邦石油の下関支店を訪れ、機械油を安く卸してもらう交渉を済ませていた。下関支店の倉庫には国産の原油から作られた機械油が大量に余っていたのだ。質のいいアメリカのヴァキューム社の機械油が大量に日本に入ってきたため、売れなくなって残っていたものだった。

鐵造は「安く卸してくれるなら、満州で大量に売ってくる」と言った。最初、倉庫の主任は笑って相手にしなかった。

「いくら安くしても満州に持っていくには輸送費もかかる。それに現地は外油が完全支配していて、どうしようもない。うちでさえも満州に進出するのは諦めているほどだ」

「満州には満鉄があるじゃないですか。満鉄に機械油を入れることができたら、国内に余っている機械油を大量に売ることができるでしょう」

主任は苦笑した。

「満鉄はスタンダード石油が独占しているはずだ。日本の会社には、まず勝ち目がない」

主任はそう言いながらも、もし国岡商店が満鉄との取引に成功すれば、機械油を安く卸すことを約束してくれた。

鐵造は門司から連絡船で満州に渡った。連絡船は途中、朝鮮半島の西岸の都市をいくつも経由しながら、大連《だいれん》に着いた。大連には満鉄の本社がある。

「満鉄」――正式名称「南滿洲鐵道株式會社」は、日露戦争後の明治三十九年（一九〇六）に日本政府主導のもとで作られた半官半民の特殊会社で、初代の総裁は後藤新平《ごとうしんぺい》だった。鉄道事業が中心だったが、その活動は極めて広範囲で、鉱山を所有し、製鉄所や発電所その他さまざまな工場を経営し、学校や新聞社も経営していた。後年の最盛期には社員数三十万人を超える東洋一のマンモス企業であった。

鐵造が訪れた大正三年の暮れはそこまでの規模ではなかったが、それでも社員は一万人を超えていた。

大連はもともとロシアが清から租借《そしゃく》していた都市だったが、日露戦争後に日本がロシアに代わって租借していた。ロシア統治時代にパリを模して作られたという西洋風の町並みは、華やかな都会の雰囲気を醸《かも》し出していた。しかし裏通りに一歩入ると、漢人や満州人たちの貧民街があった。日本の租借地とはいえ、大連はもともと中国の土地だったから、街に日本人の姿は少なかった。日本人が一気に増えるのはずっと後に満州国ができてからだった。

十二月の大連は日本とは比べものにならないくらいに寒かった。しかし前年に訪れたときも十二月だったので、寒さ対策は怠らなかった。

満鉄本社は二階建ての石造りの大きな建物だった。もとは帝政ロシアが学校として建設中だった建物を改修して明治四十一年から本社ビルとして使用していた。ヨーロッパ風の瀟洒な建物が並ぶ大連の町でもひときわ立派な建物で、屋根の装飾が見事だった。

鐵造は用度課を訪ねた。

「日本から来ました、国岡商店の国岡鐵造と申します」

「国岡商店？　聞いたことがないな」

応対に出た用度課の大崎という係長は四十過ぎの太った男だった。一年前に訪れたときに挨拶していたが、向こうはまったく覚えていなかった。

「門司で、日邦石油の特約店をしております。主に機械油と軽油を商っています」

「その国岡商店が何の用だ？」

大崎係長は横柄な感じで言った。

「満鉄さんに、うちの油を車軸油に使っていただけないかと思ってお願いに上がりました」

「うちはスタンダード石油と契約している」

「満鉄は国策会社じゃないですか。それなのに日本の油を使わないで、アメリカの油を使うのですか」

大崎は口元に笑いを浮かべた。

「日本にまともな潤滑油はないだろう」

たしかにそれは間違いではなかった。それゆえ国内でも大資本の工場は少々高くてもアメリカ産の潤滑油を使っていた。しかし鐵造には、自分の調合した潤滑油はアメリカ産には負けない自信があった。

「日本の油にも外油よりすぐれたものがあります。今日は見本をお持ちしましたので、見ていただけますでしょうか」

鐵造はそう言いながら、鞄から瓶を取り出そうとしたが、大崎は、「それには及ばない」と言った。

「こんなところで油を見たところで、ぼくにわかるわけもない。スタンダード石油よりもいい油なら、もっと評判になっているはずだ」

鐵造は自分の油とスタンダード石油の違いを説明しようとしたが、話はまったく聞いてもらえなかった。はなから交渉にもならなかった。

満鉄本社を出たとたん、鐵造の体を冷たい風が覆った。日はほとんど暮れかかっていた。夜になると寒さは一段と増す。外套の中に体を縮めながら、こんなことで負けてなるかと思った。戦いは始まったばかりだ。

翌日、鐵造は満鉄の技術者の自宅を訪ねた。これも渡満前に、満鉄に就職していた高商の同級生から聞いて調べていたことだった。その技術者は東《あずま》正平《しょうへい》といった。その自宅も日本ではまず見られないヨーロッパ風のアパートだった。大連は何から何まで日本とは違っていた。

東は鐵造を歓迎してくれた。日本から鞄に油を詰めてやってきた商売人が、わざわざ自宅にまで訪ねてきてくれたという嬉しさがあったのかもしれない。鐵造を家に上げてくれ、酒まで出してくれた。部屋の中は石炭ストーブが焚《た》かれていて暖かかった。

「内地の人と喋るのは久しぶりだよ」

独身でひとり暮らしの東は嬉しそうに言った。満州に来て七年になるという東はいろいろと日本の話を訊いた。鐵造が流行りの風俗や事件について語ると、興味深く聞いた。警察官が「おい、こら」を改めて、「もしもし」と言うようになったという話を聞くと、声を上げて笑った。鐵造の歌う「カチューシャの唄」「城ケ島の雨」「早春賦」をしみじみとした顔で聴き入った。いずれも最新の流行り歌だった。

ひととおり世間話をしたあとは、鐵造が質問する番だった。東は鐵造が車軸油の使い方や量などについて訊くと、なんでも教えてくれた。

「今、使っているのはスタンダード石油ですね」

「七割はそうだな。あとの三割も外油だ」

「どちらの潤滑油がいいですか」

「似たようなものだな。多少、性質が違うが、たいして変わりはない」

「日本は日露戦争であれだけの血を流して、やっと満州を手に入れたのに、なぜ国策会社の満鉄で、日本の油を使わないで、アメリカの油ばかり使うんですか。日本人として悔しくないですか」

「それはまあ悔しいが、外油のほうが内地の油よりも質がいいから仕方がない」

「本当にそうなのですか」

鐵造が突っ込んで訊くと、東はちょっと困った顔をした。

「いや、実は比較したことはない。しかし潤滑油はアメリカ製のほうがすぐれているというのは、油の世界では常識だし、たしかデータもあったはずだ」

「それはモーターの話です。重い車軸で使用するものとでは負荷が全然違います」

東は、うーんと言った。「君の言うことは一理ある。しかしぼくは一介の技術者だから、納品の品についてとやかく言える立場にない」

「わかります」と鐵造は言った。「それなら、機関車の車庫の方をどなたか紹介していただけないでしょうか」

東は「いいよ」と気軽に請け負ってくれた。

翌日、鐵造は東からもらった紹介状を持って撫順《ぶじゅん》の車庫を訪ねた。

撫順は大連から三〇〇キロ離れている。街には日本人の姿を滅多に見なかった。日本人は西洋風の外套を着ているのですぐにわかる。現地人の多くは綿入りで膨れた裾の長い外套を着ていた。

車庫係の人たちは日本からよく来てくれたと、鐵造を歓迎してくれた。

「こんな辺境《へんきょう》の地に内地から人が来るなんて、久しぶりだよ」

彼らは事務室で熱いお茶と饅頭を出してくれた。

ここでもいろいろと日本のことを聞かれた。鐵造は東の家と同じように、日本での流行り歌を何曲も歌うはめになった。聞けば、彼らはいずれも五年以上満州にいるという。

「満州は寒いでしょう」と車庫課長の小田耕三《おだこうぞう》が訊いた。

「はい。列車の中にいても体が冷えました」

事務室の中は石炭ストーブが焚かれていて暖かかった。

「こっちの冬は北海道よりも寒いからな。こんな時期に来るなんて、酔狂《すいきょう》なことだよ」

小田はそう言いながらも鐵造の訪問を喜んでくれていた。

「ここは滅多に内地から人が来ないから、いつも同じ人間とばかり喋ってる」

「でも、いずれ、この町にも日本人が大勢来ると思いますよ」

「そうかもしれないな。満鉄はどんどん大きくなっているからな」

「日本政府も満州に資本を入れてくると思います」

小田は頷いた。鐵造が満州に目を付けたのもそこだった。日露戦争に勝利して大連の租借権と東清鉄道を手に入れた日本は、この満州を開拓しようとしていた。

満州は不思議な土地で、漢人、満州人、ロシア人、朝鮮人が入り混じる人種の坩堝《るつぼ》のような土地だった。古代は満州人が支配していた土地で、明治四十四年（一九一一）の辛亥革命《しんがいかくめい》で清を倒した中華民国は、清朝の領土であった満州を領土として継承することを宣言したが、統治能力はなく、軍閥の張作《ちょうさく》霖《りん》が実効支配者であった。中国全土の支配を目論む張作霖と、満鉄の利害は一致し、張作霖の支配下の満州で満鉄は大いに発展しつつあった。

日本政府の後ろ盾がある満鉄はいずれ巨大な会社になると、鐵造は睨んでいた。おそらくかつてインドを支配した東インド会社のように規模を拡大していくのではないかという予感があった。鉄道もこれからどんどん延伸していくはずだ。だからこそ今、満鉄の車輛の油を押さえることができれば、国岡商店にとっても大きな商いになる。

「ぼくは満鉄の車軸油に国内の油を使ってもらいたいと思ってやってきました」

「車軸油はたしかスタンダード石油の油じゃなかったかな」

「そうです。あとはアメリカのテキサス石油とイギリス・オランダのアジア石油などです。全部、外油です。満鉄は日本の会社なのに、なぜ外油を使うんですか」

「満鉄の母体は東清鉄道だったんだが、もともと国内の鉄道と違って広軌《こうき》のレールを使っている。それでレールも車輛も全部アメリカ製のものなんだ」

「それはわかります。でもアメリカ製の車輛だからといって、車軸油までアメリカ製のものを使う必要はないでしょう」

「たしかにそうだな」

「スタンダード製の車軸油の性能はどうですか。日本の油よりもすぐれたものなのですか」

「いや、比較したことがないから、何とも言えない」

「鉄道車輛の車軸油は重要なものです。それを製品比較もせずに使うのはいかがなものでしょう」

小田は少し困った顔をした。

「今、使っている車軸油で、何か不都合はないですか。たとえば、寒い日には油が凍結することがないですか」

「それはあるね」

やはり、と鐵造は思った。これは前年の冬に門司で実験して気づいたことだった。スタンダード石油の機械油は鐵造の扱っている油よりも寒さに弱いように思えたのだ。鐵造が勝算ありと見たのもその一点だった。

小田が逆に鐵造に訊ねた。

「国岡商店の油は凍結しないのか」

「わかりません」と鐵造は答えた。「内地ではそこまでの実験はできませんでした。しかしぼくの油はスタンダード製のものよりも寒さに強いことだけはたしかです」

小田は何も言わなかった。


その夜、鐵造は小田たちの厚意で撫順の事務室に泊まった。少しでも宿代を節約したかった鐵造にとってこれは有り難かった。

翌日、小田の紹介状を持って西豊《せいほう》の車庫を訪ねた。そこは撫順よりもさらに一〇〇キロほど内陸部に行った街だった。鐵造はそこでも車庫係の男たちに歓迎された。日本から車軸油の見本を鞄に詰めてこんなところまでやってくる鐵造に対して、現場の男たちは皆親切だった。

こうして一週間あまり満鉄の車庫を転々としながら、鐵造は現場の人たちの声を直接聞いて回った。どこへ行ってもスタンダード石油とテキサス石油のマークが入った缶が転がっていた。実際に満鉄は完全に外油に支配されていることを目の当たりにした。

鐵造は車庫を廻りながら、スタンダード石油とテキサス石油の車軸油を手に入れた。そして旅の合間に、冷たい雪の中で、それらの油の粘度がどう変化するかを何度も実験した。それはあきらかに鐵造の油よりも寒さに弱いことがわかった。

約十日ぶりに大連のホテルに戻ると、技師の東正平が訪ねてきた。

「国岡さん、いい知らせですよ」

東がにこにこして言った。

「用度課が分析実験してくれることになりました」

おそらく東が口をきいてくれたのだろう。

「東さん、ありがとうございます」

「いや、礼を言われるようなことではありません」東はさらりと答えた。「実験が上手くいくことを祈っています」

東はそれだけ言うと、雪の降る中、帰っていった。鐵造はその後ろ姿に深くお辞儀した。

翌日、鐵造は満鉄の本社を訪れ、見本の油を用度課に提出した。

二日後、分析結果が出るのを待ち、再び、用度課に赴いた。

「国岡さん、分析の結果、国岡商店の車軸油は不合格となりました」

用度課の大崎係長が事務的に言い、分析結果の表を鐵造に示した。

「不合格の理由は何ですか」鐵造は訊いた。

「国岡さんの油は比重が高い。満鉄では比重〇・九以下というのが基準になっている。国岡さんの油は〇・九一です」

大崎は表の中の数字を指で示した。

「比重なんかが油の性能に何の影響があるのですか。水よりも重ければ問題かもしれませんが、〇・九も〇・九一も同じようなものでしょう」

「規格から外れているのは、比重だけじゃありません。引火点が低いのです」

「引火点ですか？」

「満鉄の車軸油の引火点は摂氏一七五度以上となっています。国岡さんの油は実験の結果、摂氏一六〇度で引火しました。以上、二点が規格を満たしていないので、この油は使うことができません」

大崎はそれだけ言うと、席を立ちかけた。

「ちょっと待ってください」鐵造は慌てて言った。「この実験結果を見ると、うちの油は一六〇度までは燃えなかったんですよね」

「はい」

「現実には車軸油が一三〇度を超えることはないでしょう。そこまで上がると、油よりも先に軸頸《じくけい》が駄目になるはずです」

「何を言いたいのですか」

「一三〇度まで引火しなければ、油に何の問題もないと言いたいのです。比重にしても、〇・九一であれば、実際の使用に何の影響もないはずです」

大崎は呆れたような顔をした。

「あのねえ、規格というのは、安全の上に安全を重ねて作られたものなんですよ。とにかく、満鉄の規格に合わない油を入れるわけにはいきません」

そこまで言われれば、鐵造も言い返せなかった。しかしここで引き下がるわけにはいかない。下関の日邦石油には、機械油を大量購入する約束をしている。それを反故《ほご》にするわけにはいかない。

「その規格を作ったのは誰ですか」

「さあ、本社の管理部門のどこかが作ったのだと思うよ」

おそらくそれは違うと鐵造は思った。満鉄はロシアから東清鉄道を譲渡されてできたものだ。それ以前からアメリカの車軸油を使っていて、その油を基準に後付けで規格が作られた可能性が高い。

「規格を変更してもらうわけにはいきませんか」

「無茶を言ってはいけないよ」

「無茶ではないですよ。規格が現実に即していないから、実用的なものに変更してもらいたいのです」

大崎はうんざりした顔をした。

「新製品の売り込みのたびに規格の見直しをやっていたら、きりがないよ。とにかく規格が駄目なんだから、諦めるしかない。採用してもらいたかったら、規格に合わせた油を持ってくることだよ」

大崎はそう言うと、そそくさと席を立った。

満鉄を出る鐵造の足取りは重かった。引火点は調合を工夫すれば何とかなる可能性もある。しかし比重だけはどうしようもない。おそらくアメリカ産の石油と日本産の石油の性質の違いからきているに違いない。さすがの鐵造ももう無理かなと思った。

しかし翌日、ホテルを出た鐵造は、大連港ではなく撫順に向かった。このままおめおめと門司へは帰れない。そんな気持ちが鐵造を奮い立たせたのだ。

今回、分析実験までおこなってくれたのは、技術者の東正平をはじめ小田たちの現場の声があったからだというのは鐵造にもわかっていた。実際の現場では何が起こるかわからない鉄道のような業界では、現場で働く者の発言力は小さくない。そこでもう一度現場を回りながら、国岡の油が劣っていないことを地道に訴え続けようと思ったのだ。

鐵造は帰国の予定を大幅に変更し、車庫から車庫へと渡り歩く日々が再び始まった。

両手に見本油の瓶が詰まった鞄を抱えて、満鉄に乗って各地を転々とする自分の姿は、まさに油の行商人だと思った。旅費を節約するために汽車は常に三等、また宿泊は車庫の事務所を借りた。こうして鐵造は満州で新しい年を迎えた。

いつのまにか鐵造の存在は満鉄の現場では評判になっていた。車庫から車庫を渡り歩いて熱心に油を売る風変わりな日本人を、機関手や車庫の現場にいる男たちは好意的に遇してくれた。

年が明けて二週間ほどしたある日、満鉄本社から再び実地試験をおこなってもいいという連絡が入った。沙河口《さかこう》にある満鉄の工場での実験を許可してくれたのだった。鐵造のなりふりかまわぬ行動に、現地の人たちが本社に働きかけてくれたのだ。

鐵造が工場に出向くと、主任の三橋《みつはし》が迎えてくれた。

「君が国岡君ですね。噂は聞いてますよ」三橋はにこにこして言った。

「よろしくお願いいたします」鐵造は頭を下げた。「私の油は規格に合わないということなんですが、性能ではけっして劣るものではないと思っています」

「たしかに、現在の規格は現実に即さないものだと思います。引火点は一六〇度もあれば十分でしょう。比重も〇・九五以下であれば実用的になんら問題ではありません」

「ありがとうございます」

鐵造は工場で実験を繰り返した。ただ科学的な実験などはしたことがない鐵造に代わって、三橋が付けてくれた研究員たちがさまざまなデータを取ってくれた。

数日後、データを見た三橋は言った。

「スタンダード石油の油と比べても遜色《そんしょく》はないですね」

鐵造はほっとした。

「それでは、実際に列車を走らせてみましょう」

三橋は実地での実験にGOサインを出してくれた。

翌週、撫順と奉天《ほうてん》（現・瀋陽）を結ぶ約三〇キロを機関車を往復させる実験がおこなわれることになった。

午後三時、技師や車庫係など十数人の男たちが見守る中、鐵造自身が車軸ボックスに油を入れる。男たちの中には撫順の車庫課長の小田耕三の姿もあった。はるばる大連から駆け付けてくれた東もいた。

寒い日だった。はるかロシアのほうから吹きつける強い北風は男たちの外套の裾をはためかせていた。鐵造の夢を乗せた機関車は、重い動輪を回しながら、ゆっくりと撫順の停車場をスタートした。たとえ実験であろうと、自分の油が満鉄の機関車を動かしていると思うと、鐵造は感無量だった。

やがて機関車は地平線のかなたに見えなくなった。この後は奉天までの凍てつく雪原の中を走ることになる。

「事務所で待ちましょう」東が声をかけた。「戻ってくるのは一時間後です」

「はい」

事務所に入っても鐵造の緊張は解けなかった。誰かが冗談を言っても、鐵造の耳には入らなかった。油には絶対の自信があったが、何が起こるかわからない。猛吹雪にあって、車軸油が凍結する事態が起こらないとも言えない。あるいは何か予期せぬ状況に遭って、トラブルに巻き込まれないとも限らない。次々に不安が頭をよぎり、いてもたってもいられない心持ちだった。

そんな鐵造の心情が周囲の者にも伝わったのか、いつしか皆も緊張して口数が少なくなった。

一時間後、事務所に汽笛の音がかすかに聞こえた。鐵造は弾かれたように顔を上げた。

東が腕時計を見た。

「時間よりも少し早いが、帰ってきたのかもしれません」

男たちはいっせいに立ち上がると、事務所を出て、ホームに向かった。

相変わらず強い風が吹きつける夕暮れの停車場で男たちが北のほうを睨んだ。

誰かが「来た！」と言ったが、鐵造の弱い視力では機関車は見えない。しかし機関車の力強い音は聴こえた。まもなく鐵造の目にも薄暮の中にぼんやりと機関車の姿が見えてきた。怖れていた最悪の事故が起こらなかったことに、とりあえず安堵した。しかし実験が成功したかどうかはまだわからない。

機関車は停車場を通り抜け、操車場で止まった。

三橋と東はすぐに車軸油の入ったボックスを調べた。そして機関手から使用した石炭量の聴き取り調査をした。車軸の抵抗が大きければ、その分余計に石炭を喰うことになる。東たちが機関手から話を聞いている間、鐵造は雪の中でじっと立っていた。

やがて東が鐵造に近づいてきて、にっこりと笑った。

「結果は上々です」

鐵造は言葉が出ずに東に向かって頭を下げた。

「使用した石炭量も外油と変わりません。油の減り具合も変わりなく、粘度も落ちていません」

「スタンダード石油の油に負けてないのですね」

「現時点ではすぐれているとも言えませんが、少なくとも劣っていることはありません」

小田が鐵造の肩を祝福するように軽く叩いた。

「よかったですね、国岡さん」

沙河口の工場主任の三橋が言った。

「皆さん、ありがとうございます」

鐵造は何度も頭を下げた。東や小田たちの心からの祝福を全身に感じていた。

「それで」と鐵造は言った。「この油は採用していただけるのでしょうか」

東の顔から笑顔が消えた。

「採用を具申してみます。しかし上がどう判断するかまではわかりません」

鐵造は頷いた。

「皆さんのお蔭でここまで漕ぎつけることができました。日本の油がけっして外油に負けることがないと証明されたことが何よりも嬉しいです。これを土産にひとまず帰国します。ありがとうございました」

鐵造の言葉に全員が拍手した。

「いずれ満鉄の機関車の車軸油は日本の油になることを信じて、また満州に戻ってきます」

八、スタンダードとの戦い

門司へ帰ってからも鐡造は油の販路を精力的に広げていった。

そんな鐡造を妻のユキはかいがいしく支えてくれた。鐡造が門司を離れている間は、店員たちの母親代わりとして、店を切り盛りしてくれた。

何不自由ない庄屋の娘として育ったにもかかわらず、立派な商売人の妻として頑張ってくれていることに、鐡造は深く感謝した。優しいユキは貞夫や孝義、それに正明にも慕われていた。鐡造にとって、ユキは誇りでもあった。弟たちにはよく冗談半分で、ユキのごたる嫁ば貰えと言った。

ただすべてが望むようにはいかなかった。それは子供ができなかったことだ。息子が欲しくてたまらなかった鐡造にとって、それだけが残念なことだった。妹夫婦の甥や姪を見るたびに、早く自分にも子供を、という切実な思いにかられたが、こればかりはどうしようもなかった。

焦りと一抹の寂しさが入り混じったような気持ちを振り切るように仕事に邁進した鐡造であったが、いつしかこれも運命だと考えるようになった。

――自分は国岡商店ば作ったとき、店員たちば自分の家族だと思おうち決めた。なら、若か店員たちが自分の子供じゃなかやろか。自分に子供ができないということは、天が店員たちばしっかりと育てよ、と命じたということたい。

鐵造はそう考え、店員たちの教育にいっそう力を込めた。自分は国岡商店の仕事を通じて、人間を作るのだ。そして国岡商店はそれ自体が「大家族」なのだ。しかし、この思いはユキには伝えなかった。

大正四年の五月、満鉄から「車軸油を注文したい」という連絡が入った。前年末から年明けにかけての努力がようやく実を結んだのだ。この採用は、東たちの尽力によるものであったのはあきらかだった。実は機関車の実地試験のデータでは、粘度がわずかに外油よりも劣っていたのだが、東たちは「その程度の差は使用上はまったく問題ない」と言ってくれていた。

納入量は三百石（五万四千リットル）で、満鉄が使用する全車軸油の数パーセントにも満たない量ではあったが、国岡商店にとっては小さくない商いだった。何より満鉄への足がかりを作ることができたのが大きかった。鐵造は雄飛の手応えを摑んだ。

欧州の戦争は日増しに激しくなり、「世界大戦」あるいは「最終戦争」と呼ばれるようになっていた。ただ日本が参戦した南洋群島や青島の攻略戦は前年に終わり、国内には戦争の影はどこにもなかった。

しかし鐵造にはひとつ気になることがあった。欧州での戦争が激化することによって石油の輸入量が減ってしまうのではないかという不安だった。数年前から日本でも油田開発が急速に進み、国産の原油生産はピークを迎えようとしていたが、石油需要の伸びはそれ以上で、不足分の石油はアメリカから輸入していた。当時、アメリカは世界最大の石油生産国であり輸出国であったが、欧州戦争は石油の需要を一気に押し上げ、それまで以上にアメリカから大量の石油がヨーロッパの国々に輸出されていた。戦車、自動車、飛行機といった石油を動力燃料とする兵器が大量に作られたからだ。

　このまま戦争が長引けば石油が足りなくなると考えた鐵造は、二年目に突入した大正四年の夏あたりから、石油のストックを増やした。

　はたして鐵造の嫌な予感は的中した。年が明けると、アメリカからの石油輸入量が激減した。揮発油も軽油も前年度の半分ほどになり、たちまちのうちに石油は値上がりし、巷では買い占めや売りしぶりが横行した。漁業会社は軒並み、燃料の高騰と不足に悲鳴を上げたが、存分に軽油をストックしていた鐵造は、山神組をはじめとする得意先に、それまでと同じ価格で石油を販売した。「これは好機です。高く売りましょう」と言う店員がいたが、鐵造は「馬鹿っ！」と一喝した。

「国岡商店が軽油の備蓄を増やしたのは投機のためではない。消費者に安定供給するためではないか。今後、二度と卑しいことを言うな！」

　それは鐵造が神戸高商のときから持っていた信念だった。


　大正五年の春、鐵造は大連に支店をこしらえた。初の海外支店だった。

　支店長には、新たに店に加わった兄の万亀男を派遣した。万亀男は日露戦争で軍隊に応召されていたころ、満州に一年以上いたので地の利はある。しかし万亀男を派遣したのはそれだけではなかった。これまでにもさまざまな商いを手掛けていたので、その経験を生かして、油以外の商品を満鉄相手に展開してもらおうという狙いがあった。

　万亀男は鐵造の期待に応え、満鉄相手にさまざまな商品の売り込みに成功した。工具や機械類に加えて、意外に大きな商いになったのはセメントに入れる火山灰だった。九州には火山灰が多い。当時、良質の火山灰はセメントに混入すれば強度が増すと考えられていた。万亀男はそこに目をつけたのだ。

火山灰のお蔭で大連支店は大きく売り上げを伸ばしたが、鐵造は本業はあくまで油にあると思っていた。いずれ満鉄の車軸油を一手に担う日が来る——。そのためにも車軸油の研究は怠らなかった。

大正五年から六年にかけて、鐵造は厳寒の満州に渡り、そこで外油との比較実験を繰り返した。外油が本当に寒さに弱いのかどうかを確かめるためだった。

実験の結果、外油が寒さに弱いことがあきらかになった。マイナス一〇度までならたいして差はないが、それ以下になると外油は急速に粘度が増す。さらにマイナス二〇度を超えると凍結しはじめる。

鐵造は、これは今に深刻な事態を引き起こしかねないと考えた。車軸油が凍結すると、車軸が焼けて使いものにならなくなるからだ。満鉄は今やすごいペースでレールを敷設している。多角経営している鉱山の物資や、栽培された穀物や野菜などを輸送するため、これまで走っていなかった奥地まで延伸している。輸送量が増え、貨車がいくらあっても足りない状態であると聞く。しかし冬の満州の内陸部の寒さは内地の比ではない。凍てつく原野を走る貨車は寒波にさらされる。この数年は比較的暖冬だったが、もし大寒波が到来すれば、各地で車軸油が凍結する事態が起きる可能性がある。

鐵造は満鉄の用度課にその報告をした。

「車軸油が凍結するなんて、聞いたことがない」用度課の大崎係長が呆れたように言った。

「今まではたまたま暖かかったから起きなかっただけです。スタンダード石油とヴァキューム社の車軸油は温帯用の油なんです」

「温帯用だからどうだと言うんだ？」

「満州の冬では適しません」

「しかし現実にそんな話は現地からは届いていない」

「これまでは内陸部に機関車が走っていませんでした。しかし今ではどんどん奥地に延伸しています。今後、雪原の長い距離を走るようになれば、凍結します。もし大寒波が来ればひとたまりもありません」

「車軸油が凍結したらどうなるんだね」

「潤滑油の役目を果たさなくなりますから、車軸が摩擦熱で焼けてしまいます。そうすると列車は使いものにならなくなります」

大崎係長は鼻で笑った。

「たかだか寒いくらいで列車が使いものにならなくなるなんて、そんな話は聞いたことがないよ」

「いいですか。満鉄の車輛が駄目になったら、日本にとっても大変な損害になるんですよ」

「君は自分のところの油を売りたいだけだろう」

「もちろんそれもありますが、本当にスタンダード石油の油は危険なんです」

「信じられないね」

「ぼくの言ってることが嘘だと思うなら、実験で確かめてください」

そのとき、奥の部屋のドアが開いて、上司の赤川課長があらわれた。

「国岡か。いい加減にしろ！」赤川はいきなり鐵造を怒鳴りつけた。「他社の商品にケチをつけて自分の商品を売るのが、君のやり方か。汚いとは思わないのか」

「その言い方はあんまりでしょう。もし外油が寒さに強ければ、こんなことは言いませんよ。このままでは満鉄にも日本にも大きな損害がもたらされると思うから、こうしてやってきたのです」

鐵造は怒りをこらえて言った。

「私どもは一昨年、車軸油を三百石納品しましたが、それ以後、注文がありません。あれはどうなっているのですか」

「倉庫に入っている」

「使っていただけているのですか」

「用度課はそこまでは知らんよ」

「私が調べたところでは、満鉄はヴァキューム社製の油を二年分も購入しているそうですね」

赤川の顔色が変わった。

「よほどのマージンをもらっているんですか」

「君にそんなことを言われる筋合いはない。うちがどこの油を買おうが勝手だろう」

「しかしその油では今に車軸が焼けますよ」

「君は今、焼けると言ったな」

赤川は鐵造の言葉尻を捉えた。しかしいったん口にしたものを取り消す気はなかった。

「言いましたよ」

「もし、焼けなかったらどうする」

「どんな処分でも受けましょう」

赤川は鐵造を睨みつけて言った。

「もし焼けなかったら、国岡商店の満鉄への出入りはいっさい禁止するがいいか」

こうなれば売り言葉に買い言葉だった。鐵造は傲然と「かまいません」と言った。

大連支店の事務所で鐵造の話を聞いた万亀男は、机に両手をついて頭を抱えた。

「何ちゅうこつば言うてくれた」

「口論の勢いで、そげん言うてしもうた」

「お前は昔から頭に血が上ると、後先ば考えんで行動してしまおうが」

万亀男はそう言いながらも本気で怒っているわけではなかった。

「それがお前のよかところやけど。それでっちゃ、火山灰の商売が成功して、今のところ、うちは満鉄の出入り業者ん中で三番目の会社ばい」

「済まんやった。せっかく兄さんが大連支店ば繁盛させてくれたとに。下手したら、来年から満鉄の出入りは禁止されて、支店ばたたまんといかんかもしれん」

「まあ、よかたい。そんときはそんときたい」

万亀男は豪快に笑った。鐵造はそんな兄の懐の大きさに少し気持ちが楽になった。

ところがその年の冬、満鉄から門司の鐵造に宛てて電報が届いた。

「ケンカンニツキ　シヤリヤウネンセウシコ　ソクハツ　ミホンユシサン　オイテコウ」（厳寒につき

車輛燃焼事故　続発　見本油持参　お出で請う）

その冬は例年になく寒かった。大連にいる兄からも「とても寒い」という手紙をもらっていた。満州の凍てつく原野で、鐵造の指摘どおり車軸油が凍結して車軸が焼けたのだ。

焼損した車輛は七百輛にものぼり、車輛の損害額だけで四百万円にも達すると言われたが、被害はそれだけではおさまらなかった。大豆をはじめとする大量の穀物が輸送できずに廃棄処分となった上、シベリア出兵における軍需物資の輸送も滞った。

しかし鐵造の胸には喜びも勝利感もなかった。あれほど言ったのに、という悔しい気持ちのほうが強かった。物資や穀物を輸送できなかったことで、困った人はどれだけいただろうかと思うと、いたたまれない気持ちになった。ただ、唯一鐵造の自尊心を満足させたのは、「オイテコウ」という言葉だった。「来られたし」ではなく「お出で請う」と書かれていたのは、満鉄が国岡商店に幾分かの敬意を払っている証だったからだ。

年が明けると、鐵造は日邦石油の技師を同道して満州に向かった。ついに外油との正面対決だ。この勝負は絶対に負けられない。鞄の中には、この日が来るのを予期して作っておいた寒さに強い機械油が入っていた。

大正七年二月七日の深夜、長春《ちょうしゅん》のヤマトホテルの庭に二十人近い男たちが集まった。

ヤマトホテルは満鉄が経営していた高級ホテルで、広い中庭はヨーロッパ風の美しい庭園だったが、あいにくその景観は闇に隠れて見えなかった。仮に見えたとしても、このときここに集まった男たちの目には、そんなものは映らなかったに違いない。

中庭の一角の芝生の上に机が設置され、その両側にランプが置かれていた。机の周囲にいた男たちは満鉄の技術部、用度課、管理部の者たち、そして鐡造と万亀男、鐡造が連れてきた日邦石油の技師、それに数人の外国人がいた。外国人はスタンダード石油とヴァキューム社とテキサス石油の男たちだった。全員が厚いコートを着ている。

鐡造も毛皮のコートの下にセーターを二枚も着込んでいたが、それでも数分もしないうちに体が凍えてくるほど寒い。温度計はマイナス一九度を示していた。時刻は午前一時。

「それでは、只今より、実験を開始します」

満鉄の資材部の部長が言った。通訳がアメリカ人たちにそれを告げる。

「机の上のコップに油を入れてください」

コップの前には、それぞれ会社名が日本語と英語で書いてある紙が置かれていた。

鐡造は「国岡商店・冬候油」と書かれたコップと「国岡商店・新油」と書かれた二つのコップに油を注いだ。「冬候油」は国岡商店が満鉄に納品した油だった。「新油」は今回のために新たに調合した、より寒さに強くなるように調合したものだった。

四つの会社の男たちがそれぞれのコップに書かれた赤い線まで油を入れ終えた。

実験は一時間このままの状態に置いて、油の変化を見るというものだ。二月の満州の夜の寒さは一時間と外にいられるものではない。しかし男たちは誰もその場を動かなかった。この実験に敗れれば、満鉄でのビジネスを失う。すべての男たちの表情は真剣であった。

鐵造は外油の男たちを見た。白人を見るのははじめてではなかったが、こんな間近で凝視したことはない。ランプのかぼそい明かりでも彼らの顔の白さがわかった。「白人」とはよくいったものだなと鐵造は思った。彼らはいずれも背が高く、その場にいた日本人たちよりも頭ひとつ大きかった。日本人としては背が高い鐵造よりもまだ大きい。

思えば、明治維新以来、白人たちは日本を圧迫し続けてきた。五十年以上も前に開国を迫ったのも彼らだったし、数々の不平等条約を押しつけてきたのも彼らだった。そしてそれはついに日露戦争という戦いに発展した。日本は幸いにもその戦いに勝利したが、いずれ再び彼らとあいまみえる日が来ることを、鐵造は予感した。経済の戦いか、あるいは軍事の戦いか——いや、それはもしかしたら、石油をめぐる戦いになるかもしれない。

鐵造は机の上のコップを見つめながら、ならばこの戦いにも負けるわけにはいかない、と思った。これはひとり国岡商店のためだけではない。満鉄の将来がかかっている。

数分が過ぎた。コップの周囲に霜がうっすらとついて白くなっている。中の油の状態が見えにくくなっていたが、誰もコップの霜を拭きとろうとしない。下手にコップに触れれば不正をおこなったと見られかねないからだ。

ホテルから満鉄の職員が熱い茶を持ってきて、男たちに配った。茶碗から立ち上る湯気が鐵造の眼鏡をたちまち曇らせた。眼鏡を取って、ハンカチで拭くと、細かい氷霜がパラパラと落ちた。

アメリカ人たちは何か冗談を言って笑っていた。彼らがジョークが好きだということは聞いていたが、こんなときにも冗談を言って笑う姿勢には驚きであった。しかし不快ではなかった。むしろそこに強靱《きょうじん》な精神を見たような気がした。

実験が始まって三十分以上が経過した。そのころには、庭にいた全員の震えが止まらなくなっていた。鐵造も何度も熱い茶を飲んだが、そんなものではこの寒さに対抗できなかった。

机の上に置かれた温度計の目盛りはすでにマイナス二〇度を超えていた。

アメリカ人が何か言ったのを通訳が訳した。

「もういいではないか」

「いや、実験は一時間と決めたはずだ」

「これ以上は同じことだ。これで凍っていなければ、あと三十分でも凍らない」

満鉄の技師は鐵造をちらっと見た。鐵造は頷いた。

「それでは、ここで実験を終了します」

技師はそう言うと、全員が机のまわりに集まった。

技師はまずスタンダード石油のコップを机の上に倒した。コップの中の油はこぼれなかった——凍っていたのだ。ひとりのアメリカ人が小さな声で「オー、ノー」と言った。

技師は次にヴァキューム社のコップを倒した。これも同じだった。続いてテキサス石油のコップを倒したが、これもやはり同じ結果だった。

全員が注目する中、四つ目のコップが倒された。「国岡・冬候油」と書かれた油は、どろりとクリーム状になって机の上にこぼれた。満鉄の男たちが「おお！」と声を上げた。

技師は最後の「国岡・新油」と書かれたコップを倒した。コップの中からは、最初と粘度の変わらない油がさあーとこぼれて机の上に広がった。満鉄の男たちはさっきよりもさらに大きな声を上げた。

「実験の結果は見てのとおり、国岡の新油が不凍油であることが証明されました」

技師がそう言うと、アメリカ人が通訳を通して、クレームをつけた。

「こんな実験ではわからない。実際に機関車を走らせての実験でないと納得がいかない」

満鉄職員たちが答えるより前に、鐵造が口を開いた。

「それはこちらも望むところです」


翌日、実際の車輛を使って実験がおこなわれることになった。路線は長春と公主嶺《こうしゅれい》の機関区往復（約一二〇キロ）が選ばれた。この実験にはテキサス石油はすでに棄権していた。

技師は四つの車軸ボックスにそれぞれの油を入れた。ボックスにはウールが入っており、そこに潤滑油を浸みこませる。車軸の破損事故は、ウールの中の油が凍結し、そのためにウールがピストンの激しい衝撃に耐えきれずに、ボックス外に飛び出し、結果的に潤滑油を失った車軸が破損するというものだった。

機関車は午前三時に長春の停車場をスタートした。列車は大きな音を立てながら夜の闇の中へ消えていった。

鐵造はアメリカ人たちの顔にすでに戦意が喪失しているのを見た。ヤマトホテルの夜に見た、真剣な中にもどこか余裕のあった表情はそこにはなかった。彼らはこの実験で勝とうという気はないなと思った。ただ国岡の油が同じように凍るのを期待しているのだ。それなら国岡と同じ土俵に立てる。あとは既得権益にものを言わせて、新興の国岡を叩きだすという肚《はら》づもりだろう。

「大丈夫やろか」

普段は剛毅な万亀男が不安そうに言った。

「絶対に大丈夫たい。よほどの大寒波に襲われんかぎり、ぼくの油が凍ることはなか」

鐵造たちは機関車が戻ってくるまで、いったんホテルで待機した。

明け方近くになり、ホテルから再び長春の駅にやってくると、すでに他の者は全員が集まっていた。

鐵造が駅に着いたころは周囲はまだ暗かったが、やがて東の方角がぼんやりと明るくなってきた。

激しい風が車庫に吹きつける。満州の大地に積もった雪が地吹雪のように舞った。

公主嶺の方角を見やると、地平線に丸い月が沈もうとしていた。

やがてその月の下から機関車の音が聞こえてきた。さすがに鐵造の体にも緊張感が走った。油には絶対的な自信があったが、相手は自然だ。何が起こるかわからない。

機関車が車庫に戻ってきた。鐵造は満鉄の男たちと一緒に、貨車の車軸ボックスに駆け寄った。まず技師が皆の見守る中、ヴァキューム社製のボックスを開けた。すると驚いたことにボックス内のウールがすべて蓋を押しのけて飛び出していた。当然、中の油は空っぽである。おそらく凍結して、車軸の回転に耐えきれなかったのだろう。

続いてスタンダード石油のボックスが開けられた。これはウールが半分残っていたが、落ちてしまうのは時間の問題といった有り様だった。長時間走れば、車軸が焼けるのは目に見えていた。

二社のアメリカ人は大きな落胆の色は見せなかった。おそらく結果は予期していたことなのだろう。

満鉄の技師は次に「国岡・冬候油」の箱を開けた。ウールはボックスからわずかにずれている程度だった。しかし寒さにより、粘度はそうとう増していた。

最後に国岡の新油の箱が開けられた。ウールは最初に入れられた状態のまま、そこにあった——勝負は完全についた。鐵造の執念がついに満鉄を牛耳っていた外油に一撃を与えたのだ。

この実験を受けて、満鉄の車軸油はすべて国岡の新しい車軸油に切り替えられた。

油を変更してから車輌の燃焼事故は一掃された。満鉄はこの油を「二號冬候車軸油」と呼んだ。これは後に「満二號潤滑油」と名称を変え、満鉄が終焉《しゅうえん》するときまで車軸油として活躍する。満州の地に「国岡商店」の名前が轟いたのは言うまでもない。

そしてこの戦いに敗れたスタンダード石油とヴァキューム社（後にスタンダード石油に吸収合併される）、それにテキサス石油の社員たちは、「国岡」の名前をしっかりと脳裏に叩きこんだ。

鐵造の油が凍結しなかったのは研究の賜物ではあったが、実は彼も知らないある事実があった。スタンダード石油やヴァキューム社の潤滑油はパラフィン系と呼ばれる原油から作られていて、これはワックス分が多く、潤滑油としてはすぐれているが、凍りやすい欠点があった。それに対して鐵造の潤滑油の原料となった秋田の道川油田、豊川油田の原油はナフテン系と呼ばれる油で、ワックス分が少なく、もともと凍りにくいという性質があったのだ。運が味方したとも言えるが、各種の油を調合しながら「満二號潤滑油」を作り上げたのは、鐵造の執念に他ならなかった。

九、危機

欧州戦争が終結したのは大正七年（一九一八）だった。四年にわたったこの戦争により、イギリスをはじめとするヨーロッパの列強の国力は衰え、これらに代わってアメリカが世界第一の強国となった。

欧州戦争はまさに世界の勢力図と秩序が書き換えられた戦いであったが、もうひとつ劇的に変わったものがあった。それは石油が石炭に代わってもっとも重要な戦略物資となったことだ。そのことを示す象徴的な言葉は、「石油の一滴は血の一滴」というものだ。これは大正六年（一九一七）にドイツ軍の猛攻にさらされたフランスの首相クレマンソーが、アメリカ大統領ウィルソンに石油の援助を要請した電報の中の一文だ。

この言葉を新聞で読んだ鐵造は、今や石油が一国の命運を握るほどの存在となっているのを確信した。日本では石油を燃料としているのはまだ小型漁船くらいだが、いずれ大きな動力革命が起きるだろう。かつて高商の卒業論文に「これからは石油の時代が来る」と書いたとおりに世界は動いている。

ところで、欧州戦争で連合国側と中央同盟国側の双方が使った石油の八割がアメリカの石油だった。つまりこの戦争はアメリカの石油によって戦った戦争と言えた。そしてアメリカは石油の輸出によって急速に経済力をつけた。鐵造は世界一の産油国であるアメリカは今後さらなる強国となっていくだろうと思った。

「欧州の戦争も終わりましたので、これから本格的に頑張ります」

大正七年の暮れ、久しぶりに日田を訪ねた鐵造は、雑談の中で語った。

「戦争は商売にやっぱり影響したのか」

「アメリカからの石油が入ってこなくなったのがきつかったですね。世界の石油の大半を支配している国ですから」

「アメリカちゅう国は、石油が出るまでは、どんな国やったんや」

「一八〇〇年代までは広大な土地を持つ農業国にすぎませんでした。国を代表する産業は綿花と小麦くらいでした。綿花はヨーロッパに輸出できましたが、小麦は無理でした」

「それはなんでや」

「小麦は重いので、帆船で運ぶのは輸送費がかかって、ロシアの安い小麦に対抗できなかったのです」

「なるほどなあ」と日田は感心したように言った。「商品というのは、運賃も値段の一部なんやな」

「でも、蒸気船の発明によって、輸送費が十分の一になったので、小麦が大量にヨーロッパに輸出できるようになりました。それでアメリカは耕作地を求めて西へ西へと開拓を始めたのです」

「ほう」

「同時に小麦を運ぶために鉄道の敷設がすごい勢いで始まりました。同じころ、世界で初めての油田開発が始まりました。そして、世界最大の石油会社『スタンダード石油』と世界最大の鉄鋼会社『USスチール』が誕生したのです。鉄鋼産業と石油産業は互いに大きくかかわりながら急成長しました」

「面白いなあ。鉄と石油か」

「アメリカは今世紀に入ってから、鉄鋼業と石油業の発展を背景に、ものすごい量の自動車を作りました。フォードという会社は世界一の自動車会社と言われています。自動車のエンジンは揮発油です。今、アメリカはすごい勢いで大きくなっています」

「国岡はんの話を聞いてると、石油というのは魔法の水という気がしてくるなあ」

鐵造はそうかもしれないと思った。いずれこの「魔法の水」が世界を大きく動かしていく。国岡商店もまた今後さらに石油に大きくかかわっていくことになるだろう。


満州での足固めに成功した鐵造は国内にも次々に販路を広げていた。博多、大阪に続いて、島根県の石見大田、さらに朝鮮の京城《けいじょう》、海外では青島、ウラジオストックにも支店を開いていた。店員の数も五十名を超えていた。

各支店には鐵造が鍛え抜いた精鋭の店員を支店長に送り込んだ。店員たちはまさに一騎当千で、同業の他の販売店が十人でやるところなら五人で、六人でやるところなら三人でという具合に、他店の半分くらいの店員で支店を切り盛りした。

さらに他店を驚かせたのは、国岡商店の支店長には支店の商いのいっさいの権限が与えられていたことだ。本店の店主である鐵造は支店のやり方にはいっさい口出ししなかった。任せたとなれば、全権を与えなければならないというのが鐵造の信念だったからだ。それが店員への信頼であり、それだけの教育をしてきたという自負があった。同業者たちは、「無茶なやり方だ」と言ったが、鐵造は意に介さなかった。むしろ、いちいち本社にお伺いを立ててくるような店員では使い物にならないと考えていた。

そのころには、門司の本店は手狭になっていたので、鐵造夫婦は別に家を借り、店の二階はすべて若い店員たちの合宿所としたが、やがてそれだけでは足りなくなり、合宿所としてもうひとつの家を借りた。鐵造は仕事をこなした上で、週の半分は合宿所に通い、少年たちに商いのイロハをはじめさまざまなことを教えた。

優秀な少年たちがたくさんいた。甲賀治作は非常に記憶力のいい少年だった。一度会った客の名前と顔は全部、頭の中に入っていた。鐵造はすごい能力を持った子だなと思っていたが、ある日、店に山神組の社員が五人訪れたときに、それは思い違いであったことを知った。客を取りついだ甲賀は挨拶しながら、太腿につけている右手の指を細かく動かしていた。じっと見ていると、その指は文字を書いている。そうだったのか、と鐵造は思った。甲賀は会った人物の名前を指で書きながら頭に叩き込んでいたのだ。その努力に気づかず、天性の記憶力と感心していた自分の眼力の無さを恥じた。

柏井耕一はおよそ才気というものがない少年だった。何を覚えるにも人より遅かった。しかしどんなことでも非常に真面目に取り組み、それに誰よりも粘り強かった。売掛金の回収もいちばん遅かったが、未回収ということは絶対になかった。鐵造は「鈍」というのも商売には必要な要素だということを彼から教えられた。そんな少年たちが未来の国岡商店を支えていくのだと思うと、合宿所で少年たちを教えるのにも気合が入った。

この年、親代わりに面倒を見ていた十五歳年下の末弟の正明が一年の浪人の末、東京高商（現・一橋大学）に入学した。日田重太郎の次男で、一時は店の二階でともに生活していた重助は同年、京都市立美術工芸学校（現・京都市立芸術大学）に進学している。鐵造にとっては重助も弟のような存在だった。二人の前途に幸あれと願わずにはいられなかった。

欧州戦争が終わった翌年から、日本でも石油の消費が増えはじめたが、国内の原油産出量は大正四年をピークに以後減少の一途を辿っていた。一方世界では、北米や南米で大型油田の発見が相次ぎ、石油が生産過剰に陥っていた。ダブついた石油の販売先を探していた英米の石油会社にとって、日本を含むアジアは魅力的な市場だった。

当時、日本の石油会社は国内の油田から原油を採掘し、それを精製して石油製品にして、全国の各特約店（販売店）に卸していたが、外油の安い価格に対抗するのは苦しくなりつつあった。政府は何とか国内の会社を守ろうと外油に関税をかけたが、英米の安い外油は関税の壁をものともせずに、日本の市場を席巻した。そんな外油に対抗するために、日本の石油会社の間では合併が急速に進んでいた。巨大な外国の石油会社がなだれ込んでくる今、国内の石油会社同士で争っていては共倒れになるという危機感からだった。それはまさに黒船によって、国内が統一された維新の形にも似ていた。

そしてついに大正十年、日本の二大石油会社である日邦石油と宝日石油が合併した。これは石油業界を揺るがす大事件だった。合併後の資本金は八千万円、原油生産量は三五万キロリットル、日本の原油生産量の八五パーセントを占める超巨大会社となった。

鐵造にとっても親会社のようなものである日邦石油の合併は重大な関心事だったが、今はそれよりも自分の店をしっかりと固めることが先決だと思っていた。

各支店の店員たちは精力的に働いた。朝はどこの同業各社よりも早く店を開け、大八車に軽油や灯油を入れた一斗缶を大量に詰め込み、得意先を回った。かつて関門海峡や瀬戸内海で船に乗ってやってきたことを陸上でも展開したのだ。これはそれまでの販売店がやらなかったことだった。他の販売店が店に客が来るのをただ待っているだけだったのに対して、どんな小口の客でもきっちりと配達する国岡商店のこの商法は、各地で他の販売店を圧倒した。支店の数も増え、それに比例するように店員の数も増え、大正十二年には五十名近くになっていた。

しかし台所はいつも火の車だった。これは先に商品を納入して売り掛けする商いの常だった。代金の回収はだいたい二、三ヵ月後というのが普通だったが、満鉄のような巨大な会社の場合、経理システムが複雑で、支払いは半年後にもなった。国岡商店はこの時期、支店を次々に新設し、扱う商品量もどんどん増えていたから、資金繰りが大変だった。それに、国岡商店の商売のやり方では、人件費その他の経費もかかる。しかも鐵造の理想とする「大地域小売業」によって、支店を増やせば増やすほど、ますます金が必要ということになる。

そのため帳簿上は黒字だったが、銀行からの借金の額は累積していった。もっともこれは今に始まったことではなく、創業以来ずっとこの調子だった。

国岡商店が最初に融資を受けたのは住友銀行門司支店だったが、続いて地元の第二十三銀行からも融資を受けた。

二十三銀行の支店長、久保寺《くぼでら》良吉《りょうきち》は東京帝大を出た若いエリートだったが、「真に商工業の発展に役立つような企業に投資するのが銀行の務めである」という理想を持った銀行家だった。「いかに担保があり、高い利子を得ることができたとしても高利貸などに融資すべきではない」という信念を持っていた。久保寺は後に大分合同銀行取締役を経て東海銀行取締役となる。

久保寺が鐵造に会ったのは大正五年の夏だった。彼は鐵造の「商品を動かすだけの中間搾取はしない」「生産者と消費者を直接結びつける」、そしてそれをまっとうするためには「大地域小売業を理想とする」という経営理念を聞いて、驚きとともに感銘を受けた。世界大戦が終わった景気に乗り遅れまいと、三井、三菱といった大企業でさえ、投機熱に浮かれ営利主義に走っている姿を苦々しく見ていた久保寺にとって、国岡鐵造という人物は、「これぞ銀行家が支えるべき人物だ」と思えたのだ。

とくに、鐵造が品不足になることを見越して大量に買い溜めていた軽油を、山神組を初めとする得意先に、価格を上乗せすることなく販売した行為は、口先だけの男ではない、と実感させた。

だから鐵造が満州へ乗り込むために融資を申し込んできたとき、久保寺は支店長決裁として十万円を融資した。当時、門司支店は預金総額が二百万円もなかったにもかかわらず、地方の一石油特約店のために大金を融資したことは、銀行内でも問題になった。

久保寺の耳にも、国岡商店への非難や中傷の声は届いていた。曰く「商売の仁義を通さない」「他店の縄張りを平気で荒らす」などだ。しかし彼にはそれらの噂が石油特約店の同業者のやっかみであることはわかっていた。国岡商店が「海賊」の異名を持ち、関門海峡や九州沿岸の海で暴れまわっていたこと、それにより九州や山口県の漁業が一気に隆盛した事実も知っていた。

久保寺は実際に国岡商店の店員たちがいかによく働いているかも見ていた。その店員たち一人ひとりを店主である鐵造が合宿所で指導して鍛えていることも。久保寺は店員たちを羨ましくさえ思った。鐵造が大陸へ雄飛しようとしたとき、久保寺は銀行内の反対意見を抑え込み、融資の額をさらに伸ばした。大阪に廻す資金を無理やりに国岡商店に廻したほどだった。

鐵造は後になってそれを聞き、久保寺もまた国岡商店の親のひとりだと思った。そんな縁もあって、大正十一年、国岡商店は手狭になった本店を移転するときに、二十三銀行門司支店がある建物の二階に本店を移した。鉄筋コンクリートの三階建ての新築ビルで、一階が二十三銀行の門司支店だった。前の店は店員たちの合宿所として残した。

＊

大正十二年九月一日午前十一時五十八分、関東一円を巨大地震が襲った。関東大震災である。東京、横浜は地震と火災によって焦土と化した。十七万戸以上の家が壊滅し、三十八万戸以上の家が燃えた。死者、行方不明者の総数は十万人以上に上った。多くの会社や工場も大きな被害を受け、経済的損失は五十五億円とも言われた。そのころの国家予算が十四億円であるから、まさしく国家の存亡の危機だった。東京府内にある銀行の半分以上が倒壊し、金融業界はほとんど機能停止した。

販売拠点の多くを満州においていた国岡商店は大きな痛手は受けなかったが、鐵造はいずれこの影響は店にも及ぶと覚悟した。

年が明けて、大正十三年になっても、日本経済は震災の痛手から立ち直れなかった。輸出は落ち込み、輸入ばかりが増えて、あらゆる業界を圧迫した。金融業界も例外ではなく、多くの銀行が手持ちの資金を確保するために債権の回収に取りかかった。政府は銀行救済のために震災手形割引損失補償令を公布するなど、次々に経済を立て直すための法令を出したが、復興は容易に進まなかった。

その春、鐵造は突然、第一銀行門司支店の副支店長の訪問を受けた。副支店長はいきなり、これまでに融資した金を半年以内に返済するようにと告げた。

「待ってください」と鐵造は言った。「いきなり全額返済は無理です」

鐵造がこれまで第一銀行から受けていた融資金額は累積で二十五万円だった。全借入金の五十万円の、ちょうど半分の金額だ。ずっと資金繰りで苦しんでいる国岡商店が返済できるはずがない。

鐵造は新しい融資先を求めて走り回った。しかしどこの銀行も貸付金の回収に懸命で、新規の融資に応じてくれるようなところはなかった。店舗の階下の二十三銀行からは第一銀行と同じ二十五万円の融資を受けていたから、新たに融資をしてくれるとは考えられなかった。鐵造に格別の待遇をしてくれていた久保寺は二年前に転勤していた。

鐵造は満州に渡り、大連の銀行を訪ねた。満鉄の車軸油を一手に引き受けている国岡商店の名前は大連の経済界では知らぬ者はなかった。しかし、大連の銀行でも二十五万円という巨額の融資をしてくれるところを見つけることはできなかった。

鐵造は落胆の気持ちを抱えて門司に帰った。第一銀行の融資引き揚げの日は二ヵ月先に迫っていた。もう万策尽きた。このままでは倒産するしかない。

十三年も頑張ってやってきたが、こんな形で突然窮地を迎えるとは思ってもいなかった。

悔しくてならなかった。店そのものが行き詰まっているならともかく、事業は上手くいっている。ただ手持ちの資金がないだけだ。これは大地域小売業を営む商売の宿命でもある。小売店に卸すだけの中間業種をやっていれば、こうはならなかった。鐵造の胸に後悔に似た思いがよぎった。自分は間違っていたのか――。

倒産を覚悟したその夜、門司の本店を二人の男が訪ねてきた。ひとりは知り合いの石油販売店の山根という初老の男だった。あまりいい評判を聞かない男だった。もうひとりの痩せた目付きの悪い中年男は知らない男だったが、鐵造は一目で堅気《かたぎ》ではないなと思った。

「国岡さん」山根は言った。「あんた、資金繰りで苦しんどるらしかな」

「資金繰りで苦しかとは毎度のことですが」

鐵造は答えながら、山根は何をしに来たのだろうかと思った。

「第一銀行から融資ば引き揚げると言われとるそうじゃなかですか」

「山根さん、何の御用件ですか。そちらの方はどういう方ですか?」

「こちらは宮本さんという方で、金融関係のお仕事ばされとります」

「どちらの銀行の方ですか」

宮本は名刺を差し出した。そこには「宮本金融」と書かれていた。

「国岡さんとこが危なかからしかという話ば宮本さんがお聞きになられて、もしよかったらお助けしたかけん紹介してほしかと、私のところにやってこられたとですよ」

高利貸か、と鐵造は思った。これまで鐵造は高利貸の金を借りたことがない。それは日田重太郎に

「高利の金は絶対に借りるな」と言われていたからだ。

「高利の金を借りるほどに追い詰められたなら、わしのところにこい」

日田はそう言って、実際に何度も鐵造を助けてくれた。神戸の自宅や淡路の田畑を抵当に入れて金を借りてくれたことも二度や三度ではない。それだけに日田の言葉を守り続けてきたのだ。

「宮本さんは二十五万円なら融資してもよかちおっしゃってくれとります」

鐵造の心がぐらついた。二十五万円あれば、店は助かる。事業は順調に進んでいるから、この危機さえしのげば、国岡商店は立ち直れる――。

「利子はいくらですか」

鐵造の質問に、宮本がはじめてかすかに笑った。そして紙に数字を書いた。

その数字を見て、鐵造は思わず目を剝いた。銀行利子の十倍をはるかに超える数字だった。

「うちは銀行と違って担保ば取らん分、利子は少し高めですがね」

鐵造は素早く頭の中で計算した。この利子を返すためには、利益をほとんど出せない。宮本のためにひたすらただ働きをするということになる。そしてもし返せないとなれば、おそらくヤクザが出てくるだろう。

しかし懸命に頑張れば返せない額ではないとも思った。かなりの儲けを吸い取られることになるが、それは甘んじなければならないのかもしれない。店をつぶすよりはましかもしれない――。

「少し考えさせてくれんですか」

鐵造が言うと、宮本は黙って頷いて立ち上がった。帰り際に、山根は猫撫で声で言った。

「国岡さんもここまで立派な店ば作ったとやから、こればつぶして店員ば泣かすごたることはせんほうがよかよ」

あんたに言われんでちゃよか、と鐵造は胸の内で吐き捨てるように言った。

その夜、鐵造は一睡もしないで考えた末、宮本の金を借りることを決めた。今の国岡商店は自分ひとりではない。五十名の店員の生活がかかっている。皆、彼らの両親から預かった大切な子供たちだ。路頭に迷わせるわけにはいかない。

翌朝、鐵造は日田のもとを訪ねた。日田の言いつけにそむくことになるだけに、彼には一言報告しておこうと考えたのだ。日田に黙って借りることは恩人に対する二重の裏切りであり、それだけは絶対にできなかった。

鐵造の憔悴《しょうすい》しきった顔を見た日田は庭に誘った。

「どないしたんや。国岡はんらしゅうないで」

日田は門司に来て十年以上になるのに、今も関西弁のままだった。

鐵造は現在の状況を説明した上で、高利貸の金を借りる決心をしたと言った。

「あかん!」

日田は怒鳴りつけるように言った。

「高利の金を借りるようなことをしたら、絶対にあかん。あいつらは蛭《ひる》みたいなやつらや。びた一文借りたら、あかん」

「けど、日田さん。国岡商店はこのままだとつぶれるんです」

日田は目をつぶって腕を組んだ。

「わしもなんとかしてやりたい。そやけど淡路にある屋敷も田畑も全部担保に入っていて、どないもしてやれん」

「申し訳ありません」

鐵造は深く頭を下げた。それらはすべて鐵造のためにしてくれたことだった。日田が親戚中から「国岡と縁を切れ！」と責められても頑として聞き入れず、「国岡となら乞食をしてもかまわん！」と親戚にまで啖呵《たんか》を切ったことは、鐵造も人伝《ひとづ》てに聞いていた。日田の親戚のひとりから、その話を聞かされた鐵造は男泣きに泣いた。日田のためなら、どんなことでもすると決めたのだ。

「国岡や」

日田は静かに言った。

「わしは前にも言うたやろ。お前が何もかも失ったら、わしも一緒に乞食をする、と」

その瞬間、鐵造は雷に打たれたような気がした。

「日田さん、ありがとうございました」鐵造は言った。「今、迷いからさめました」

日田は何も言わずに鐵造の顔を見てにっこりと微笑んだ。

鐵造はその笑顔を見ると、急に心が軽くなるのを感じた。

「まあ、一服、茶を喫んでいけ」

日田が点ててくれた薄茶を喫むうちに、鐵造の心は静かな湖面のように落ち着いた。このひと月あまりの波立った気持ちが嘘のようだった。

日田の家を辞して門司の店に戻る鐵造に、もう迷いはなかった。倒産は覚悟していた。そのときは綺麗に散ろう。誰にも迷惑はかけたくない。

店に戻ると、残った債権や債務の計算をした。二十五万円を銀行に返済したとして、未回収の売掛金に未払いの金や賃金の計算をすると、黒字の収支が出て、鐵造はほっとした。これなら誰にも迷惑を掛けずに済む。わずかだが店員たちに退職金も払える。

今日まで育てた店員たちと別れるのは寂しいが、彼らはどこへいってもやっていけるだろう。それだけのことは教え込んだはずだ。

鐵造は店の整理の準備をすると、階下の二十三銀行門司支店の林清治《せいじ》支店長（後に新光商事株式会社社長）を訪ねた。

「国岡さん、どうされました？」

林はにこやかな笑みを浮かべて言った。前任の久保寺から門司支店長を引き継いで三年目になる林はまだ二十代後半の若さだったが、風格を備えていた。前任の久保寺に言い含められていたのか、国岡商店に対する待遇は変わらなかった。二十三銀行が第一銀行と比べてはるかに規模が小さい銀行ながら、それと同じ額の融資をしてくれていたのはそのためだった。それだけに鐵造は二十三銀行に迷惑をかけたくなかった。

「今日は林さんに大事なお話があってやって参りました」

「何ですか、あらたまって」

「実は第一銀行から貸金の二十五万円の全額引き揚げを宣告されました」

林は驚いた顔をした。

「国岡商店としては全額返済するためには、倒産して店を清算しなければなりません。しかしながら、国岡商店の事業は順調であり、赤字で倒産ということではありません」

林は頷いた。

「御行も第一銀行と同じように貸金を回収されると言われるなら、国岡商店はただちに店を整理します。ただし全額の支払いはすぐというわけにはいきません。未回収の売掛金などをすべて回収してからということになりますから、しばらくのご猶予をいただくということになります。ただし、御行には絶対にご迷惑をかけることはいたしません」

林は少し間を置いて言った。

「国岡さん、お話はわかりました。少し検討させてください」

鐵造は黙って頭を下げた。


鐵造が支店長室を出た後、林は国岡商店の事業報告書と貸借対照表を見た。借金はたしかに多いが、事業内容はいい。それにこの数年確実に売り上げを伸ばしている。けっして不良貸し付け先ではない。むしろ優良会社である。こういう会社からも貸金引き揚げという事態になっている金融業界を憂う気持ちになった。しかし昨今の金融業界の厳しさもわかっている。第一銀行の決断もまた正しい。

林は副支店長に早退することを告げると、大分の本店に向かった。大正二年に立てられた本社は「赤レンガ館」と呼ばれ、二階建てながら周囲を圧倒する威容を誇っていた（後、国の有形文化財となる）。

林は頭取室を訪ねた。天井の高い大理石の壁に囲まれた部屋の中央に置かれた机の前には着物を着た長野善五郎《ぜんごろう》が座っていた。長野は立志伝中の人物であり、明治十年に「二十三国立銀行」を開業し、半世紀近くにわたって頭取として二十三銀行を率いてきた。齢は七十を越えていたが、頭脳は明晰《めいせき》で、林は長野の前に出るといつも威圧感に圧倒された。

「林君じゃないですか、どうしました。わざわざ門司からやってきて。事件でも起きましたか」

長野は顎の下に長く伸びた白い鬚《ひげ》を撫でながら、いつものように柔和な顔で言った。

「実は緊急にお知らせしたいことがありまして、やって参りました」

林は国岡商店のことを説明した。長野はじっと聞いていたが、林が説明を終えると、穏やかな口調で言った。

「門司支店は、君の発意でこれまで国岡商店に多大なる貸し付けがおこなわれていますね」

「はい」

「たしか、私の記憶では総額は二十五万円だね」

「そうです」

林は長野頭取が一支店の融資額まで把握していることに驚いた。

「林君はどうすべきだと思います？」

「私は──」林は緊張しながら言った。「第一銀行の融資を肩代わりしたいと思っています」

長野の目がきらりと光った。その目はさきほどまでの柔和な目ではなかった。林は気圧《けお》されながらも、はっきりと言った。

「国岡鐵造という人物は立派な男です。国岡商店もまた立派な店です。できれば、われわれが支えてあげたいと思います」

林君がそこまで言うのなら、そのとおりにすればいい」

林は驚いた。まさかこれほど簡単に許可が下りるとは思ってもいなかった。

「頭取、よろしいのでしょうか」

「武士に二言はないよ」長野はそう言って笑った。「もう武士の時代ではないがな」

林は長野が安政の生まれだったことを思い出した。たしか武家の出だったと聞いている。

「しかし第一銀行の融資を肩代わりするとなると、総額で五十万円もの額になります」

「林君が言い出したことじゃないですか。銀行家は立派な商人を援助することが使命です。話は終わりです」

「有り難うございます！」

林はまるで自分が融資を受けたように喜びを感じた。

しかし融資の肩代わりは簡単にはいかなかった。本店の重役たちが難色を示したからだ。

支店の融資は支店長に権限があったが、今回は額が大きすぎた。この新たな融資によって、二十三銀行が国岡商店に貸し付ける金額は五十万円になり、門司支店の預金総額三百万円の一七パーセントを占めることになる。一支店が小さな石油小売店に融資する額としては妥当ではないというのが重役の判断だった。

それでも林は頭取の許可を得た案件として、頑として譲らなかった。ある重役は林に、「長野頭取はそう言ったかもしれないが、肩代わりは全額ではなく一部にすべきだ」と言ったが、林はそれも退けた。

数日後、林は長野に呼び出された。

「重役たちが国岡商店の融資に反対しておる」

「はい」と林は答えた。「融資を取りやめろと申されますか」

長野はそれには答えず、「国岡鐵造という男に会ってみたい」と言った。

二日後、林は鐵造とともに大分にある長野の自宅を訪ねた。

長野の家は大分市の中心街にある大きな旧家の並ぶ一画にあった。数寄屋造りの古い屋敷である。冠木門《かぶきもん》をくぐり、前庭を抜けて屋敷に入ると、広い和室に通された。日本庭園に面した二十畳はあるかと思えるほどの部屋だった。床の間には水墨画が掛かっていた。

鐵造と林が正座して待っていると、和服を着た長野があらわれた。

鐵造が立ち上がって一礼した。

「国岡鐵造です」

「長野善五郎です」

長野はそう言って鐵造をじっと見た。鐵造もまた長野を見つめた。二人の男が無言で見つめ合う姿を、林は緊張を持って眺めていた。

「国岡さん」と長野は穏やかな声で言った。「大丈夫ですか」

「大丈夫です」

鐵造が答えると、長野は黙って大きく頷いた。

それからあとは二人とも無言だった。長野と鐵造は縁側に立って、何も言わずに庭を眺めていた。この瞬間、国岡商店が絶体絶命の危機を乗り越えたのを知った林は、不思議な感動を覚えた。

林は後年、このときの光景を、まるで禅問答のようであった、と人に語った。

十、仙厓《せんがい》

窮地を脱した鐵造は再び攻勢に出た。満蒙の奥地にも支店を広げて満州に基盤を築くと、次は朝鮮に本格的に進出した。朝鮮は日韓併合のときになぜか関税は免除されていて、無関税で安い外油が入っていたが、国岡商店の店員たちはそこでも奮闘し、鉄道の車軸油の販売に成功した。大正十三年の暮れには台湾にも進出した。この時期、国岡商店は急速に拡大し、店員の数も百名を超えた。

欧州大戦後の恐慌は世界を覆っていたが、国岡商店は着々と成長していった。

翌年の春、正明が東京商科大学を卒業して満鉄に入社した。鐵造は正明が国岡商店に入らなかったことに文句を言ったが、本気で怒っていたわけではなかった。

ただ、同じころ、悲しい出来事があった。日田重太郎が神戸に帰ることになったのだ。

日田はわざわざ店までやってきてそれを告げた。

「息子の重助が京都の美術学校を出て陶芸家になったんで、わしも窯《かま》を作って、息子と一緒に焼き物をやりたいと思ってな」

日田の焼き物の腕は名人級だった。次男の重助はその血を引いていたのだ。かつて鐵造が家庭教師となって教えていた重一はすでに東京で会社員になっていた。

「日田さんが神戸に帰られるのは、大変寂しいです」

「わしも寂しい。そやけど、門司にいた十三年間は楽しかった。国岡はんの頑張りをそばで見せてもろうた。ほんまに、たいした会社になったなあ」

「日田さんのお蔭です」

「何言うてるんや。わしは金を出しただけや。頑張ったんは国岡はんやないか」

「日田さんのお金がなかったら、今のぼくはありませんでした」

「わしがあんなお金持ってても何の役にも立たへんかった。株でも買ってすってたやろう。そうなったら死に金や。国岡はんが使うてくれたお蔭で、生きた金になった」

鐵造は言葉が出なかった。

「何、悲しそうな顔してるんや。永の別れやないで。神戸に帰るだけやないか。また関西に来たら、遊びに来てや」

「日田さん――」

「国岡商店はもっともっと大きな会社になるで。神戸から見させてもらうで」

日田は飄々と言うと、笑って去っていった。鐵造はその後ろ姿にいつまでも頭を下げ続けていた。

日田重太郎が門司からいなくなると、鐵造は自分の心にぽっかりと穴が開いたような気がした。今日までひたすらに頑張ってこられたのは、すぐそばにいる日田に、その活躍を見てもらいたいという気持ちがあったからであることにはじめて気づいた。これまで日田に商売上のことで叱られたこともなければ口出しされたこともない。日田はいつも黙ってにこにこと鐵造を見守ってくれた。そのことに気づいたとき、鐡造はあらためて日田の大きさを知った。息子とともに焼き物をやりたいという気持ちに偽りはないだろうが、「もう自分がいなくても、国岡商店は大丈夫」と思ったからこそ、日田は門司を離れる決心をしたのだ。年は十しか違わなかったが、鐡造にとっては日田は父のような存在だった。鐡造は「日田さん、見ていてください。国岡商店をもっと大きな店にしてみせます」と誓った。

それから鐡造はいっそう、商売に精を出したが、それまで感じなかった寂しさを感じるようになった。それは子供がいないことだった。自分の子供は国岡商店の店員たちだと一度は割り切った鐡造ではあったが、四十歳に近づくと、その寂しさを抑えることができなくなった。

そのころ、大連の料亭に馴染みの芸者ができた。春子という名の福島県出身の二十歳の娘だった。鐡造は女好きと言われるほどではないにせよ、多くの男たちと同様に、若いころには女を買ったことも何度かあった。当時は岡場所に繰り出すことは酒を飲む行為とさほどは変わらなかった。国岡商店がそれなりの会社になってからは、岡場所に繰り出すことはなくなったが、それでも商売相手に誘われて料亭などで芸者と遊ぶことはたまにあった。

春子とはじめて出会ったのは大正十三年の冬だった。器量は十人並みだったが玄人気のない素朴な性格が気に入った。最初は馴染み客と芸者という関係にすぎなかったが、何度か同衾《どうきん》するうちに情が移った。

そのことはまもなく兄の万亀男に知られることになった。

「鐡造、滿櫻樓《まんおうろう》の春子に惚れとるとやろう」

ある日、大連の出張中に、万亀男と二人で料亭で食事しているとき、いきなり言われた。

「惚れとるとかどうかはわからんばってん、気に入っとるこつはたしかたい」

「向こうはどげんね？」

「よくはしてくれる。まあ客だから当然やろうばってん、それでも悪くは思っとらんやろう」

万亀男は日本酒をぐいぐい飲みながら、「落籍《ひか》せたらどげんね？」と言った。

「つまり、こっちで寓居《ぐうきょ》ば構えるとさ」

それは考えたことがなかった。

「春子にいくら借金が残っとるかはしらんばってん、それくらいは払えるやろうもん」

「妾《めかけ》にするちいうとか」

「お前も妾ば持てるほどの器量のある男になった。給料取りではそうはいかんばってん、蓄妾《ちくしょう》は財界人の甲斐性の証でもあるとばい」

たしかに商売仲間や同業者の社長たちはたいてい妾を持っていた。そうした男たちから、別宅での暮らしを面白おかしく聞かされたことも何度もある。しかし鐵造はそれを羨ましいとも思わなかったし、自分がそうしたいとも思わなかった。

「鐵造よ」万亀男が言った。「お前、子供が欲しかとじゃなかとか」

図星をさされて、鐵造は動揺した。自分の耳が熱くなるのを感じた。

「男には跡取りがいる。お前にもそれがわかっとるはずたい。『嫁《か》して三年子なきは去る』のが当たり前なのに、お前はユキを大切にしてきた。しかしお前も国岡商店ば託す息子が欲しかとやろう」

「そのとおりたい、兄さん」鐵造は素直に言った。「ぼくは息子が欲しい」

万亀男は頷いた。

「俺もお前に子供ば持ってほしか。その子はいずれ国岡商店ば継ぐ」

「仮りにそげんなっても、ぼくはユキと別れるつもりはなか」

「もちろんたい。ユキは立派な正妻たい。子供ができてもユキにはすぐに言う必要はなか。いずれ時が来れば言えばよか。あいつは賢か女たい。ちゃんと引きとって育ててくれる」

その夜、ホテルに戻っても、万亀男の言葉が頭から去らなかった。

店員たちを自分の子供と思っていることはたしかだ。しかし自分の血を分けた子供という意味ではない。春子が自分の子を産む――それは素晴らしいことのように思えた。ユキとの結婚生活は十二年目を迎えていた。おそらく子供はもうできないだろう。このままユキとの暮らしだけを続けていれば、自分は一生子を持つことはない。それはあまりにも寂しいことのように思われた。長年、心の底に押さえつけていたそんな思いが、万亀男の言葉で一気に噴き出した。そしてそれは鐵造を苦しめた。

大連から門司に戻ってきても、鐵造の気持ちは揺れていた。こんなことははじめてだった。

国岡商店を立ち上げてから今日までの十数年、ひとときも仕事以外のことを考えたことはなかったのに、ひとりで帳簿をつけていると、ふと気づけば、鉛筆を持ったまま、ぼんやりしていることが多くなった。こんなことではいけない、と鐵造は自らを叱咤した。世の中は今も深刻な経済不況にある。国岡商店はたまたま順調にきているが、ぼんやりしているといつ店の屋台骨《やたいぼね》が揺らがないとも限らない。

春子を身受けするのはやめようと決めた。子供は欲しいが、妾を持ってまで作るものではない。ユキとの間に子供ができなかったのは運命だ。それに春子との間に子供ができるとは限らない。

鐵造は子供への未練を断ち切って、仕事に邁進した。


このころ、仕事以外で鐵造の心を癒してくれたのは古美術だった。

商売が軌道に乗り金銭的な余裕ができた鐵造は、機会があればさまざまな古美術を買い求めるようになっていた。古美術の魅力は日田に教えられたものだった。鐵造がそれらを購うとき、評論家や好事家たちの評価はいっさい気にしなかった。ただ自分の目だけを信じた。これも日田に教えられたものだった。傷物であろうと、素晴らしいと思えば手に入れた。名高い陶芸家が失敗作と見做して割ろうとしていた茶碗に心惹かれて譲ってもらったこともあった。鐵造はこれに「命乞いの茶碗」と名付けて大切にした。

そんな古美術の中でもとくに愛したのは、かつて福岡商業時代に出会った仙厓だった。仙厓和尚は貧しい庵に住み、請われれば、近所の人や子供にも気軽に絵を描いた。あまりにも多くの人が絵を求めて訪れるので、「うらめしや　わがかくれ家は雪隠《せっちん》か　来る人ごとに紙おいてゆく」という愉快な狂歌を残している。

一見すると子供の落書きのように見える単純な墨絵に飄々とした賛（画の空白に添えた一筆）を入れた仙厓の画は、このころ、急速に知られるようになり、値が上がり始めていた。鐵造は投機の目的で買ったものではないから、値上がりはむしろ残念に思った。後に昭和十二年に九州の地元新聞に、「昔は二十円ほどで買えたのに、最近では三千円を超えるものがある。五十円以下で買えないのが不服だ。和尚も絵に価格があることを望まず、好きな人に持ってもらいたいはずなのに」と投書しているほどだ。鐵造の嘆きをよそに、仙厓の絵はその後さらに値が上がっていく。

満州でどんどん支店を拡げているとき、各支店から「店主の写真を送ってほしい」という要望があった。創業者の写真を飾って、士気を高めたいというものだったが、鐵造は自分の写真の代わりに仙厓の『堪忍柳画賛』という絵の複製を各支店に送った。その絵は一本の柳が風に吹かれているもので、「気に入らぬ風もあろうに柳かな」という賛があった。外地での商いにはさまざまな軋轢《あつれき》や衝突があるだろう、しかしそれらをうまく受け流し、大地にしっかりと根を下ろせ、という鐵造の願いを、仙厓の絵に託したものだった。

大正十四年の暮れ、台湾へ出張して戻ってきた鐵造が久しぶりに自宅の居間でくつろいでいると、ユキがやってきて、「お話があります」と言った。

ユキは畳の上に両手を合わせた合手礼《ごうしゅれい》をおこなった。これはよほどのときにしかしない座礼である。

「どげんした？　あらたまって」

鐵造が笑って言っても、ユキは笑顔を見せなかった。

「話は何ね？」

鐵造は胡坐《あぐら》をやめて正座した。

「今日は鐵造さんにお願いば申しあげたく存じます」

「なんね、お願いちいうとは」

「離縁していただきたく存じます」

鐵造は一瞬返事ができなかった。「冗談か」と言おうとしたが、ユキの真剣なまなざしはそうではないことを伝えていた。

「離縁したかという理由は何ね？」

「申し上げられません」

「理由も聞かずに離縁はできんばい」

ユキは畳に手をついて頭を下げた。

「何も言わずに離縁してください」

「頭を上げてくれ」

鐵造はそう言ったが、ユキは頭を下げたままだった。

「理由も教えてもらえんとか」

「理由ば申し上げれば、離縁していただけません」

「理由に納得すれば、離縁してもよか」

ユキは顔を上げて、「それでは申し上げます」と言った。

「十二年間、申し訳ありませんでした。鐵造さんの子供ば産むことができませんでした。鐵造さんが子供ばあれほどほしがっていたというとに、とうとう叶いませんでした」

「そのことか――」鐵造は苦しげに言った。「それなら、もうよか」

「いいえ」ユキはきっぱりと言った。「鐵造さんは跡取りば作るべきです。国岡商店を託す人が必要です。それなのに、あなたは十二年間、外に子供も作らず、私に誠実に接してくださいました」

鐵造は何も言わなかった。もしかしたらユキは春子のことをどこかで知ったのかもしれないと思った。

「鐵造さんには新しか奥様が必要です。どうか、私にお暇《いとま》をいただきたかとです」

鐵造は、それはならんと言いかけたが、ユキの鋭い眼を見て、口を噤《つぐ》んだ。こんなユキの表情を見たのははじめてだった。

ユキは優しい女だったが、いったんこうと決めたら絶対に譲らない強さを持っていた。ユキはこれを言うために、死ぬほどの勇気を振り絞ったのだなと鐵造は思った。もはや誰もユキの決心を変えさせることなどできないだろう——。

鐵造は「後悔せんか」と静かに言った。

「死ぬまで後悔いたしません」

「そうか——」

鐵造はユキを見つめた。ユキもまた鐵造を見つめた。

「鐵造さんの幸せばお祈りしております。そして国岡商店が日本一のお店になることばお祈りしております」

「ありがとう」鐵造はやっとの思いで言った。「ユキも——幸せになってくれ」

「はい」

ユキの目に涙が浮かんだかと思うと、ぽろぽろとこぼれ落ちた。ユキが泣く姿を目にしたのははじめてだった。鐵造はユキを抱きしめた。妻を抱きしめるのはこれが最後かと思うと、涙が止まらなかった。

大正十五年二月、ユキとの離婚届が役場に出された。仲睦《なかむつ》まじかった店主夫妻の離婚は店員たちを驚かせた。家族にとってもまた青天の霹靂《へきれき》であったが、鐵造は離婚の理由を両親や兄弟にも語らなかった。ユキは実家に戻った。生家は裕福な家であったから、ユキの暮らしを心配することはなかったが、もし生家が困窮するようなことがあれば、いつでも援助する覚悟であった。

ユキと別れた鐵造はしかし春子と結婚することはなかった。春子は鐵造が門司にかえっている間に、満州で土木機械を扱う卸問屋の主人に見初《みそ》められ、身受けされて囲い者となっていた。人伝てに、春子は嫌がったと聞いたが、売られた身であれば、抗うことができなかったのであろう。

春子を失ったからといって、ユキとの復縁を望む気はなかった。それは卑怯な未練であり、ユキへの侮辱でもあった。鐵造はすべてを忘れて仕事に専心した。満州、朝鮮、台湾と飛び回った。主のいない門司の家は静まり返っていることが多くなった。

この年の暮れ、今上天皇が崩御し、十五年続いた大正の御代が終わりを告げた。

国民が喪に服す中、国岡商店も臨時休業して、半旗を掲げた。鐵造はひとり店主室にこもり、国にとっても国岡商店にとっても、そして自分自身にとっても、大正とは激動の時代であったと思った。

しかし本当の激動の時代がこの後に押し寄せることになるのを、鐵造も国民の多くも知らなかった。

十一、　世界恐慌

昭和元年はわずか七日で終わり、年が明けて昭和二年（一九二七）になった。

鐵造は知人の紹介で、山内多津子と結婚した。多津子は土佐藩の山内家の一族の娘で、このとき二十五歳だった。この縁談が持ち込まれたとき、鐵造はユキと離婚して一年で再婚することには気が進まなかったが、兄の万亀男の「ユキの意志ば無駄にしてはいかん」という言葉で、結婚することを決意した。

多津子はユキとは違い、おとなしい性格で、自己を主張することのない万事が控えめな女性だった。鐵造は幾分、物足りなさを感じたが、家族の一員として迎え入れたかぎりは精一杯愛していこうと心に誓った。


昭和という新しい元号で新年を迎えても、日本は金融不況から一向に回復できなかった。

関東大震災によって決済不能となった手形は「震災手形」と呼ばれ、当初二年間は支払いの猶予を許されていた。しかしその多くは市場に残ったままで、そのために日銀は返済期間をさらに二年間延長したが、返済は遅々として進まず、昭和二年に入ると、その多くが不良債権と化す見込みとなった。

また輸入超過により為替相場が大幅に下落し、政府はインフレ対策から緊縮財政に転じたが、経済不況下においてこの政策転換は逆効果で、物価はたちまち下落し、経営基盤の弱い企業や銀行が倒産の危機に瀕した。

日本経済がまさしく累卵《るいらん》の危機にあるこのとき、大蔵大臣の片岡直温《なおはる》が三月の予算委員会の場において、とんでもない失言をした。「本日、経営不振の東京渡辺銀行が破綻した」と発言してしまったのだ。この言葉が翌日の新聞で報道されたとたん、同銀行に預金者が殺到、取り付け騒ぎが起こり、同行は休業となった。このニュースにより、全国各地において連鎖反応のように取り付け騒ぎが起こり、多くの銀行が休業に追い込まれることになる。これが後に「昭和金融恐慌」と呼ばれる発端となった。

日銀は非常貸し出しを実施して、ひとまず危機を脱したが、依然として火種は燻《くすぶ》っていた。

四月、大商社であった鈴木商店が破産するという大事件が起こった。以前から経営不振を噂されてはいたが、まさか日本を代表する巨大商社が倒産するとは誰もが予想もしていなかった。鈴木商店はかつて鐵造が神戸高商の卒業時に一度は入ろうとした会社だった。

鈴木商店の破産にともない、同社に多額の融資をしていた台湾銀行が休業した。それまでは銀行の休業はどちらかといえば中小の銀行であったが、台湾銀行という大手銀行が破綻したというニュースに、おさまったはずの取り付け騒ぎが再び始まった。台湾銀行休業から一週間も経たないうちに、宮内省から出資を仰いでいた「天皇陛下の御用銀行」とも呼ばれていた十五銀行が休業した。「ここが休業するくらいなら他の銀行もとうに休業している」とまで言われていた同行が休業にいたったことで、取り付け騒ぎは空前のものとなった。

もはやこの騒ぎを喰い止めるのは不可能と思われたが、片岡に代わって大蔵大臣となった高橋是清は、果断な処置を決行した。全銀行に二日間の操業停止を命じると、急遽《きゅうきょ》、片面だけを印刷した二百円札を五百万枚以上刷らせて、全国の銀行に届けた（この紙幣は一部が市場に流通した）。銀行はその「札束」を店頭に積み、金は潤沢にあるので支払いが滞ることはないと預金者にアピールした。高橋はこの荒わざと同時に五百円以上の預金引き出し停止の支払い猶予措置（モラトリアム）期間を設けて、ようやく事態の鎮静化に成功した。

しかし体力を失った銀行の経営は苦しく、各地で合併が進んだ。取り付け騒ぎ以後、預金者の間では、中小の銀行よりも大銀行のほうが安心だという心理が生まれ、当時の五大銀行（三井、三菱、住友、安田、第一）に預金が集中し、これにより財閥の力がいっそう増すことになった。

多くの中小商店が資金繰りの悪化によって倒産していく中、国岡商店はかろうじて踏みとどまることができた。それはひとえに店員たちの奮闘によるものだったが、売り上げは大きく落としていた。

震災以来、心安まるときはなかった鐵造だったが、喜ばしい出来事もあった。

昭和二年四月に満鉄で創業二十周年の祝賀行事があり、国岡商店が感謝状と銀杯を授かったのだ。大正八年に納めた「二號冬候車軸油」の功績が称えられてのものだった。満鉄から感謝状を贈られたのは、三井、三菱の財閥を除いて民間会社では国岡商店が唯一だった。この表彰は店員たちの大いなる励みとなり、店全体の士気を高めた。鐵造もまた誇りと喜びを味わった。

さらに鐵造は私生活において、それ以上の喜びを得た。夏に待望の子供が生まれたのだ。しかも望んでいた男の子だった。

「でかしたぞ」

鐵造は自宅の寝室の布団の中に横たわる多津子の手を握って言った。出産を終えたばかりの多津子は嬉しそうに微笑んだ。鐵造はその顔を見て、美しい、と思った。その枕元には猿のような顔をした赤子がすやすやと眠っていた。

「元気なおぼっちゃまですよ」産婆が言った。

「ありがとうございます」

鐵造は産婆に礼を言った。

布団に横たわる妻と息子を見て、あらためて胸がいっぱいになった。自分の子供が生まれることがこれほどの喜びであることを、四十二歳にしてはじめて知った。しかし同時に心の隅に、ユキとこの喜びをともにできなかったことに悲しみを感じた。

息子は昭一《しょういち》と名付けた。昭はもちろん昭和から取った。鐵造は新しい元号である「昭和」という言葉が好きだった。「昭」は明るく照らすことを意味する文字、「和」はもちろん「仲良く」という意味の文字だ。つまり「昭和」という元号は、明るい未来に向けて万人が仲良く平和に暮らすことを祈って付けられたものだった。

「明治」の御代には日清、日露という二度の戦争、そして「大正」の御代には世界大戦とシベリア出兵を経験したが、「昭和」の御代こそは日本人が安らかに暮らしていける時代になればいい、と鐵造は心から願った。そしてそんな平和な世の中で、国岡商店は発展していきたい――。

しかし鐵造の願いもむなしく、昭和とともに始まった未曾有の金融恐慌の嵐から、国岡商店もまた無傷ではいられなかった。この年の十月、国岡商店のメインバンクであった二十三銀行が、経営不振の大分銀行と合併し、大分合同銀行となった。この合併により銀行内の人事は一新され、林清治支店長は東京に異動になった。初代頭取は長野ではなく、大分県出身の銀行家であり、元横浜正金銀行の上海支店支配人で台湾銀行の理事を務めた経歴を持つ首藤正寿《すどうまさひさ》が就いた。四十八歳の若さだったが、切れ者という評判だった。

大分合同銀行は合併後、融資の見直し作業に取り掛かった。

審査部は国岡商店への貸付金を不良債権と見做した。経営はうまくいっていたが、銀行は資本金に対して借り入れ金額が異常に大きいことを問題としたのだ。これは国岡商店の常態とも言えた。そのころには旧二十三銀行が国岡商店に貸し付けた融資は総額八十万円にもなっていた。業界筋の口の悪い連中は、「国岡がつぶれれば二十三銀行がつぶれる。二十三銀行がつぶれれば国岡がつぶれる」と揶揄《やゆ》していたほどだった。

審査部と管理部から国岡商店を整理候補の筆頭に挙げるという報告を受けた首藤頭取は、新しく赴任した大分合同銀行の門司支店の藤原一太（後に大分合同銀行取締役）に、国岡商店から貸付金を回収することを命じた。

藤原一太支店長は金額のあまりの多さに、これは一筋縄ではいかないと思った。急激に融資を引き揚げると、国岡商店をつぶしてしまう恐れがあり、そうなっては未回収金が出てしまう。だから一時に殺さぬようにして、ゆっくりと、しかし確実に貸付金を回収していかねばならない。最終的には国岡商店はつぶれることになるが、それは仕方がない。そうしないと大分合同銀行も危ないからだ。依然続く昭和恐慌を乗り切るためには銀行も必死だった。

鐵造は新しくやってきた支店長はかなりのやり手と見た。質問は鋭く、そのどれもが的を射ている。この男は経営の本質をわかっている男だと思った。杓子定規に回収を急がないところも、かえって凄みを感じさせた。

藤原は二階の国岡商店に何度も通い、店の帳簿を調べた。やがてこの会社の持つ奇妙な性格に気づいた。とくに店主の国岡鐵造という人物は奇人に見えた。というのも彼が常に会社の利益よりも、社会への還元や消費者への利益というものを優先していたからだ。「黄金の奴隷たる勿れ」などという青臭い理念を見たときは、いかさま師の大法螺《おおぼら》の類と思って聞き流していたが、実際の業務内容を見ていくと、彼が本気でそう考えているのがわかった。そしてそんな店主の常軌を逸したように思える滅私の精神を、店員たちも引き継いでいる。国岡商店は若い店員のために合宿所を設けて、給料以上の金をかけて店員教育をしているということも知った。

まともじゃない——藤原は心からそう思った。普通はそんな宗教じみた団体が商売をしても上手くいくわけがない。出勤簿もなければ就業規則もない、おまけに馘首も定年もないという奇妙な会社が、創業以来確実に規模を大きくしているというのが、不思議でならなかった。国岡商店のように、生産者から直接、消費者へと商品を供給する方式では、どうしても資金を喰う。それに売掛金の回収は遅れる。しかし経営状態はけっして悪くはない。むしろこの大不況時代にあって売り上げを増やしているのは、見事というほかない。

店員たちの働きぶりは驚異的だった。毎朝、銀行が開くよりもずっと早くに仕事を始め、夜は行員たちがとっくに終業して銀行を閉めた後も、二階の国岡商店には明かりが点《つ》いていた。もちろんそこにはいつも店主の姿があった。しかも夜の八時九時になっても、ぞくぞくと外回りの店員たちが戻ってくる――。こいつらには時間の観念がないのか、と呆れるほどだった。

大分合同銀行の本社管理部からは整理計画書とスケジュールを出せと督促《とくそく》されていたが、藤原は期日を過ぎても出せないでいた。それは彼の心に迷いが生じていたからだった。国岡商店の実際の経営状態を知るにつけ、また店員たちの働きぶりを見るにつけ、この会社はいたずらに整理してはいけないと考えるようになっていた。投機と中間搾取を嫌い、常に消費者の利益を考えている店主の考え方も素晴らしいものだった。

店主がふと語った言葉が藤原の脳裏にこびりついていた。

「うちの店のいちばんの財産は人だ。人こそが資産だ。うちの店員はどこにも負けない」

その言葉はけっして大袈裟ではなかった。旧二十三銀行の前支店長たちが国岡商店に多額の融資をおこなってきたわけが理解できた。藤原は生まれてはじめて、銀行家の真の使命とは何か、ということを考えさせられた。国岡鐵造という男はもしかしたら、どこか異常な男かもしれないが、こういう男は今の時代に必要ではないか。あるいは自分には器を計ることができない男かもしれない。

三ヵ月の調査の末、彼はついに国岡商店から貸付金の回収を断念し、その意見と報告書を本社に提出した。本社管理部は藤原に訂正を求めたが、彼は自分の意見を頑として曲げなかった。そしてこれは重役たちの間で大いに問題になった。

この件は首藤正寿頭取の耳にも入り、藤原は首藤に呼び出された。

「藤原君、国岡商店の回収を拒否しているそうだが、本当か」

「本当です」

「国岡商店は利益ばかりを追求する昨今の会社とは違います。にもかかわらず、すぐれた業績を残しています。資金繰りには苦労していますが、業務内容は悪くはありません」

首藤は眼鏡の奥から藤原を睨んだ。二十年以上に亘って大銀行の第一線を生きてきた男には、一流の銀行家らしい風格があった。しかし藤原は臆することなく、国岡商店が素晴らしい会社であることを説明した。

「まことの銀行家ならば、国岡商店のような会社こそ、援助すべきと私は考えます」

首藤は椅子に背を凭せかけながら葉巻をくゆらせた。

「国岡鐡造という男はどういう人物だ」

「底しれぬ男です」

首藤はしばらく黙ったまま目の前の葉巻の煙を眺めていたが、やがて口を開いた。

「その男の噂は聞いたことがある。二十三銀行の長野頭取がたった一度会っただけで、融資を決めたという」

「そうなのですか」

「その男は、催眠術でも使うのか。あるいはよほど口が上手いか、人たらしか」

首藤は、ふっと小さく笑った。藤原は内心でむっとした。自分はただ一度会っただけで回収をやめると決めたわけではない。国岡とは何度も話をした。けっして口先でたらしこまれたわけではない。商店の経営状態と店員たちの働きぶりを見た上で決断したことだ。

「国岡とかいう男と会ってみよう」

藤原は「ありがとうございます」と言って頭を下げたが、おそらく融資は回収されることになるだろうと思った。その回収は、できればその仕事は別の誰かに代わってもらいたい。これまで多くの会社に引導を渡してきた藤原だったが、今回だけはその役は御免蒙りたかった。

三日後、大分の料亭で、首藤頭取と鐵造の二人きりの会談がおこなわれた。

その翌日、藤原は首藤が招集した重役会議に出席した。首藤は藤原の顔を見ると、一瞬厳しい目をしたが、すぐに目を逸らした。首藤は重役たちを前にして、開口一番に言った。

「国岡商店への融資回収の方針は撤回する」

藤原をはじめとする重役たちは驚いたが、首藤はさらに彼らを唖然《あぜん》とさせるようなことを言った。

「国岡商店への融資は、さらに枠を広げてもよい」

＊

大蔵大臣の高橋の大英断によって危機を脱することができた金融業界は徐々に回復し、日本の経済も長く続いた不況から立ち直りの兆しを見せ始めたが、翌年、満州で大事件が起こった。

昭和三年（一九二八）六月、満州の支配者である張作霖が列車ごと爆殺されたのだ。

もとは馬賊だった張作霖は権謀術数に長《た》けた男で、日露戦争後に日本の関東軍と手を結び、軍閥を組織して満州を実効支配する権力者になっていた。ただし張自身は政府を作らず、配下の兵隊はすべて私兵だった。それが可能だったのは、税金をすべてわがものとしていたからだ。

張は満州を支配したころは関東軍と良好な関係を築いていたが、大正の終わりごろから、物資の買い占め、紙幣の乱発、増税などで、関東軍と利害で衝突するようになり、さらに欧米の資本を入れて満鉄と並行した鉄道を敷設したことで両者の関係は一触即発となっていた。ちなみに張作霖の暗殺の首謀者は関東軍の参謀・河本大作大佐と言われているが、これには諸説あって今日でも決定的な証拠はない。

張作霖の後を継いだ息子の張学良《ちょうがくりょう》はこれ以後、満州に入植した日本人と朝鮮人の権利を侵害するさまざまな法律を作った。また父の張作霖が満鉄に並行して敷設した鉄道運賃を異常に安い価格とすることで満鉄を経営難に陥れた。そのため満鉄は昭和五年後半から深刻な赤字が続き、社員三千人の解雇を余儀なくされた。さらに新規事業の中止、破損貨車三千輛の補修中止など支出削減を実施しなければならず、国岡商店の車軸油の購入も大幅に減らされた。

このままの状態が続けば、国岡商店の今後も危うくなる。鐵造はここが踏ん張りどころだと思ったが、満州全体に漂う不穏な空気は、彼の気持ちを重くした。


一方、経済界では再び大きな嵐が海の向こうから吹き始めた。

昭和四年の秋、アメリカのニューヨークのウォール街で起こった株式の大暴落をきっかけに始まった世界恐慌である。この嵐は先進国のほぼすべてを呑み込んだ。資本主義国の工業生産高は半分以下に落ち込み、全世界で五千万人を超える失業者が出た。この嵐に日本も無事でいられるはずがなかった。

まず貿易が大打撃を受けた。輸出産業の基幹である生糸や綿製品の輸出量は四割近くも売り上げを落とし、連鎖的にあらゆる業種に影響を及ぼした。中小企業はばたばたと倒産し、大企業も生き残りのために従業員の首を切った。

年が明けた昭和五年の失業者は三百万人にものぼった。各地で労働争議が起こり、農村では多くの娘が売られた。その不況の凄まじさは三年前の金融恐慌の比ではなかった。

石油業界もまた恐慌の嵐をまともにかぶっていた。この数年、供給過剰だった世界の石油が、世界恐慌でますます売れなくなり、外油がいっせいにダンピングしてきたからだ。当然、日邦石油を「親会社」としている国岡商店の売り上げも落ちた。

さらに、鐵造が苦労して開拓した朝鮮と台湾の市場に、日邦石油が直営の販売店を出すという事態が起きた。二つの地はもともとスタンダード石油を初めとする外油が独占状態であったのを、国岡商店が苦労してその牙城に切り込んで基盤を築いてきたのだが、売り上げ不振に苦しむ日邦石油は、その地に直営販売店を設けて石油を売り始めたのだ。

この話を聞いた鐵造はすぐに東京に駆けつけ、面識のあった日邦石油副社長の本田を東京の自宅に訪ねて、直接抗議した。

「国岡商店が苦労して拓いた市場に、日邦石油が販売店を作るなんて、ひどいじゃないですか」

本田は困ったような顔をした。

「うちも業績不振で苦しいんだ」

「それはわかります。でも、うちはこれまで日邦石油の油を大量に売って、十分貢献してきたつもりです。今でも、特約店ではうちがいちばん売ってるはずです」

「国岡商店には感謝している」

「それなのに、なぜうちを圧迫するようなことをするのですか。日邦石油が直接販売となれば、うちには勝ち目はありません」

「日邦石油のやり方に不服があるなら、国岡商店に油は卸さないよ」

鐵造は思わず言葉を飲み込んだ。日邦石油から石油を卸してもらわなければ、国岡商店はやっていけない。これが小売業者の苦しいところだった。

これまで鐵造は日邦石油のために頑張ってきたという自負があり、日邦石油も鐵造のためなら少々の譲歩はしてくれるだろうという思いがあった。しかしそれは甘い考えだということがわかった。いざとなれば、元売会社は販売店などは簡単に切って捨てる――。悔しかったが、ここは耐えるしかない。

結局、国岡商店は台湾と朝鮮から撤退せざるをえなかった。また国内においても、同業者間の競争が激化し、鐵造は満州に経営の主力を移すことを決めた。

昭和六年九月、南満州鉄道の線路が奉天郊外の柳条湖《りゅうじょうこ》で何者かによって爆破された。「柳条湖事件」と呼ばれるこの事件は、後に関東軍の自作自演ということがあきらかになるが、関東軍は満州の治安を守るという名目で、政府の許可を得ず独断で軍事行動を起こし、わずか数ヵ月で満州全土を制圧し、張学良を追放した。いわゆる「満州事変」である。これ以後、日本は中国と「十五年戦争」と呼ばれる長い戦いを続けることになる。

関東軍が満州を制圧したという報せを聞いた鐵造は絶望的な気持ちになった。日本は大変なことに足を踏み入れたと思った。関東軍の行動は世界的な非難を浴びるだろう。下手をすれば、今後、日本は世界を敵とすることになる。資源のない日本にとって、それがどれほど怖ろしいことか、関東軍の軍人はわかっているのだろうか。

翌七年、政府の政策に不満を持った海軍の青年将校たちが「五・一五事件」を起こし、犬養毅《いぬかいつよし》首相を暗殺した。この事件を機に、軍の力はいっそう強くなり、選挙で選ばれない退役軍人たちが閣僚の要職に座るようになり、民主主義の基盤が崩されていった。

同年三月、関東軍の主導のもと、満州は中華民国から独立し、「満州国」が建国された。これも内閣が軍部を抑えきれなかった結果だった。満州国の国家元首（後に皇帝となる）には清朝最後の皇帝、愛新覚羅溥儀《あいしんかくらふぎ》が就任した。

アメリカやイギリスは「九ヵ国条約」違反だとして、日本に抗議した。「九ヵ国条約」とは大正十一年にワシントンで結ばれた「中国に関する」条約で、中国の領土内における門戸開放・機会均等・主権尊重の原則を包括したものだったが、実はこの条約では、「満州」が中華民国に含まれるものかどうかは疑問のまま放置されていた。

満州はもともと満州族の土地であり、歴史上も漢民族が支配したことはない。中華民国が清朝を倒したときに、「満州族の領土を継承する」と一方的に宣言はしていたが、今日まで一度も実効支配はできないでいた。この地が古くから満州人の土地であったということは、満州国の正当性を担保するものとも見られたが、国際連盟加盟国の多くは、これを日本の傀儡《かいらい》国だと見做し、独立国として認めなかった。日本はこれを不満とし、翌八年に国際連盟を脱退することになる。

七年の秋、鐵造は満州国の新京《しんきょう》に出張した。

新京はもとの長春で、満州国の首都となってから「新京」という名前に代わっていた。新京を初め満州の街はどこも建国の祝賀ムードでいっぱいだった。満州の大きな都市にはどこも日本人の姿が多く見られた。はじめて満州に渡った二十年前は日本人の姿はほとんどなかったことを思うと、鐵造はあらためて隔世の感を抱いた。

一時は経営危機に陥っていた満鉄も、張学良が追放されて競合する鉄道会社がなくなって、経営を持ち直していた。それにより満州全体の景気も上がっていた。

このころから日本から希望を抱いて満州国に入植する農民たちが一気に増えていた。そんな状況を目の当たりにした鐵造は、これから満州国はさらなる発展を遂げるだろうと確信した。

鐵造は四十七歳になっていた。二十五歳のときにわずか五人で創業した国岡商店は今では店員が二百名を超え、満州では知らない者はいないほど大きな会社になっていた。創業から手伝ってくれていた井上庄次郎は三年前に引退していた。七月には鐵造は門司商工会議所のメンバーに推されて副会頭に就任していた。もはや鐵造は門司を代表する実業家のひとりだった。この年、長女の正子が生まれている。

満州に出張中の鐵造を、正明が訪ねてきた。

二人は新京のヤマトホテルのロビーで会った。ここはかつて厳寒の真冬に外油と車軸油の実験で戦ったホテルで、今では鐵造の定宿となっていた。

正明と会うのはおよそ二年ぶりだった。三十二歳になった末弟の正明も今では満鉄の課長となってい
た。ホテルにも専用の自動車に乗ってやってくるほどだった。

「元気のごたるね」

「兄さんこそ」

久しぶりに見る正明は大会社の課長らしい風格が備わっていた。

「兄さん、白髪が見え始めたね」

「ああ、まもなく五十やけんね。人生五十年とすれば、もうすぐお終《しま》いたい」

「兄さんならまだまだやれるばい」

「ありがとう。ところで、満鉄はどげんね」

「お蔭さんで、業績はすごく伸びとる。しかし、ぼくは心配だよ。このまま中国との戦争が悪化すると
じゃなかろうかと」

満州事変以来、中華民国の軍隊と関東軍の小競《こぜ》り合いは各地で散発的に起こっていたが、大きな戦闘
には発展していなかった。

「中国との全面戦争はなかろう。中国政府は自国の統一さえもままならない状態ばい。とても日本との
全面戦争は無理たい」

正明は頷いた。

「アメリカはどげんせ出るかな」

「アメリカもイギリスも満州国建国に関して日本を非難しとるばってん、戦争は起こらんち思う。とくにイギリスは欧州戦争でそうとうの国力ば失った。アメリカは昔から他国には干渉しない主義たい」

「すると満州国も安泰かな」

「ただ、米英は経済的に制裁ば加えてくる可能性がある」

「なるほど、経済戦争か――」正明は頷いた。「その場合の商品は何だろう」

「石油たい」

正明は「石油？」と聞きなおした。鐵造は頷いた。

「日本の石油の消費量は数年前から輸入石油が国産ば上回っとる。国産原油は減少の一途にあるけん、今後、輸入の占める割合はさらに増す」

「原油はどこから輸入しとるとか」

「アメリカたい」

「たしか蘭印（インドネシア）に油田があるち聞いとるが」

「蘭印の原油のほとんどはイギリスに運ばれとる。日本の原油の大半はアメリカからの輸入たい」

「知らんやったよ」

正明は苦笑した。しかし鐵造は笑わなかった。

「だけん万が一、アメリカから石油が入ってこんごとなるという事態になれば――」

鐵造は重苦しい声で言った。

「日本は大変なことになるばい」

十二、上海《シャンハイ》

鐵造が満州から戻った二ヵ月後の昭和七年（一九三二）十一月、「重要産業統制法」が揮発油（ガソリン）の製造業および販売業に適用された。

重要産業統制法は昭和六年に成立した法律で、不況下にあるさまざまな産業を守るという名目のために作られたが、鐵造は、この法律はカルテルやトラストの結成を奨励するもので、消費者のためにならないと思っていた。この法律が揮発油の販売にも適用されたことで、石油業界に暗雲がたれこめはじめた気がした。国は石油を統制しようとしている。鐵造の予想どおり、翌八年、政府は資源局、外務省、大蔵省、さらに海軍、陸軍などの各省庁の局長による臨時燃料調査会を組織した。

昭和九年、今度は「石油業法」が作られた。これにより、石油の精製、輸入、販売は政府の割り当て認可を受けなければならないことになった。同じころ、満州国において半官半民の「満州石油株式会社」が設立された。資本金五百万円の内訳は、満州国政府が百万円、満鉄が二百万円、日邦石油、小蔵石油、三菱石油、三井物産が各五十万円だった。

満州政府は満州石油の設立と同時に石油を専売制にしようと考えていた。この計画は満州で消費される石油の半分を満州石油株式会社が供給し、残りの半分をスタンダード石油、テキサス石油、アジア石油（ロイヤル・ダッチ・シェルの極東地区販売会社）の外油三社に納入させて、政府の専売下に置こうというものだった。この情報を教えてくれたのは、満鉄に勤める弟の正明だった。

「とんでもないことだ」

鐵造は事務所で正明からの手紙を読み終えると、怒りを含んだ声で言った。

「店主、どうしたんですか」

甲賀治作が訊ねた。少年時代から働く甲賀も今では三十半ばの働き盛りで、国岡商店の番頭格になっていた。

「満州政府が石油を専売制にしようとしているらしい」

鐵造は甲賀に詳細を説明した。

「政府は満石に儲けさせたいんでしょう」

「半官半民の会社などを作るとろくなことはない」

「親方日の丸の商売がうまくいくはずはないです。役人は基本的に金を使うのが仕事ですから」

「それもあるが、満州は原油の八割、石油製品の六割を外油から輸入している。それなのに、外油の自由な販売を制限して、うまくいくはずがない。第一、外油が黙っていない」

「外油を締め出したいんでしょうか」

「やり方が根本的に間違っている。あくまで自由競争で戦うべきだ。国岡商店は満州でも朝鮮でも外油と戦ってきたが、同じ土俵で正々堂々と勝負してきた。もし満州政府が本当に石油を専売にしたら大変なことになる」

鐵造はすぐに満州に飛び、満州石油の重役や満州国国務院当局に石油専売制の不合理を説いた。しかし誰も鐵造の言うことをまともに聞こうとはしなかった。

国務院の課長は逆に鐵造を叱りつけた。彼は関東軍から出向している三十歳半ばの陸軍大尉だった。

「国岡商店が割り当てに入っていないからといって、そんなことを言うのはやめろ」

「とんでもない邪推《じゃすい》です」鐵造は言った。「満州国のことを本気で心配しているから言っているんです」

「石油小売店ごときに心配してもらうほど、満州国はちっぽけな国ではない」

大尉はせせら笑うように言った。

「外油を舐めていたらえらいことになりますぞ。彼らが力を合わせれば、満州国並みの力があります」

「たかだか石油会社ではないか。そんな力がどこにあるか」

大尉はそう言うと、「お帰りいただこう」と部屋の扉を指差した。


鐵造の懸命の努力もむなしく、昭和十年、満州国において石油専売制が敷かれた。

米英の石油会社はただちに反対を表明した。外油会社は満州国の専売制に関する申し入れを拒否し、カリフォルニアの原油販売業者たちは満州石油株式会社に対して原油不売同盟を結成した。

またこの専売制は国家間の問題にも発展した。アメリカ、イギリス、オランダの三国は大正十一年に締結された「九ヵ国条約」の「門戸開放・機会均等」の原則に反するとして、日本と満州国両政府に厳重な抗議をしたが、日満両政府は「満州国成立以前に調印されたものであるから、拘束されるものではない」と、抗議を無視した。鐵造は暗澹《あんたん》たる思いでそのニュースを聞いたが、もはやどうしようもなかった。

そのころ、鐵造は自社でタンカーを持つことを計画していた。彼が狙っていたのは、近年に発見された中東の大型油田の石油だった。中東の多くはイギリスの植民地だったが、同国だけでは豊富な石油を消費できない。ならば国岡商店が中東から石油を購入することも可能なはずだと考えたのだ。

日本の輸入原油の八割以上をアメリカが占める現状はけっして好ましいものではない。もしもアメリカと国益上で衝突して石油が入ってこなくなるという事態に陥れば、日本の経済はたちまち立ち行かなくなる。

実は鐵造も知らなかったのだが、日本の輸入石油の大半がアメリカのものであったのは、ある秘密協定のためだった。

当時、世界の原油生産および石油販売の八〇パーセント以上のシェアを握っていたのは、「ビッグ・スリー」と呼ばれたアメリカの「ニュージャージー・スタンダード」とイギリスの「アングロ・ペルシャ」とイギリスとオランダの「ロイヤル・ダッチ・シェル」だった。この三つは欧州戦争の終了後、熾烈な販売競争を続けていたが、これでは互いに得にはならないと考えたシェルの社長ヘンリー・ディターディングが、昭和三年（一九二八）に、他の二社のトップをスコットランドにある自らの居城に招き、アメリカ合衆国とソ連を除いた世界の全地域における石油の販売価格とシェアを決めた秘密協定を結んでいたのだった。ディターディングは「石油界のナポレオン」と渾名《あだな》された男だった。

「ビッグ・スリー」だけが利益を得るこの協定は、結ばれた城の名前を取って「アクナキャリー協定」と後に呼ばれたが、驚くべきことに、この秘密協定は二十年以上も世界の誰にも知られることがなかった。アメリカ政府やイギリス政府さえもその存在に気づかなかったのだから、いかに彼らが狡猾に秘密を保持し続けたのかがわかる。これがあきらかになるのは、第二次世界大戦後のことである。

そうとは知らぬ鐵造はアメリカ以外の原油生産国から石油を輸入するために、大同運輸と合同で昭和海運株式会社を設立し、タンカー造船に乗り出した。新会社設立の準備と政府役人との折衝や交渉のために、国岡商店は東京の丸の内に支社を作った。ビルの一室を借りた店員三人だけの小さな所帯だったが、いずれは本社を門司から東京に移すことも視野に入れていた。

そんなある日、東京支社にいた鐵造は満州国国務院の星野直樹《ほしのなおき》総務長官から、秘書を通して「会いたい」という連絡を受けた。満州国の国務院総務長官と言えば、日本の総理大臣に相当する。そんな男が山王《さんのう》ホテルにて極秘裏に会談したいと言ってきたのだ。赤坂にある山王ホテルは帝国ホテル、第一ホテルと並ぶ東京を代表する近代ホテルである。

山王ホテルに行くと、星野が豪華な部屋に暗い顔で座っていた。二人は初対面の挨拶を交わした。

「国岡さんは満州国務院に、石油の専売をやれば、アメリカやイギリスは石油を供給しなくなると言われたそうですね」

星野はいきなり切り出した。彼は鐵造よりも七歳年下、一高、東京帝大を経て大蔵省に入省した戦前の最高エリートで、当時、満州国を牛耳っていると言われていた「弐キ参スケ」《にさん》のひとりだった。ちなみに「弐キ参スケ」とは星野を含めて、東条英機（関東軍参謀）、鮎川義介《あゆかわよしすけ》（満業社長）、岸信介《きしのぶすけ》（総務庁次長）、松岡洋右《ようすけ》（満鉄総裁）の五人の名前の末の「キ」と「スケ」をもじって付けられたものだ。

後の話になるが、戦後、この五人は全員、東京裁判でA級戦犯として逮捕され、鮎川、岸は不起訴、松岡は公判中に病死、東条は死刑、星野は終身刑になった。ただし、星野はその後、釈放され、実業界に復帰し、東京急行電鉄取締役、旭海運社長などを歴任した。頑健な肉体と抜群の記憶力を誇り、大変な勉強家であったと伝えられる。

鐵造は星野の質問に、「そうは言っていません」と答えた。

「ただ、外油は黙ってはいないでしょうと申し上げました」

「すると、石油は今までと変わらず入ってくるでしょうか？」

「スタンダード石油もテキサス石油も民間会社です。彼らだって石油は売りたいはずです。満州は大きな市場です」

星野の顔が明るくなった。

「ただ安心されるのは早いです。外油の力は侮れません。彼らが本気を出せば、満石といえども火傷《やけど》をしますよ。そのためにも専売は取りやめるべきです」

星野はその言葉に対しては曖昧に頷くだけだった。

鐵造の睨んだとおり、外油は思い切った作戦を展開してきた。

満州石油株式会社が一年かけて作った製油所で精製した揮発油を売り出すと、外油側はそれを待っていたかのように、自社の直売店で大量の揮発油を半値近くで販売した。満州石油の揮発油は当然のように売れ行きが伸びず、たちまちのうちに経営悪化に陥った。

たまりかねた満州石油は横浜に外油三社の幹部を招いて、交渉に入った。その結果、満州国の石油需要の半分を満州石油、残りの半分を外油三社が分け合うという当初の方針は破棄され、満州石油が全体の二二・五パーセント、外油三社が七七・五パーセントを分け合うということになった。しかし外油側はそれでもおさまらず、その後も供給停止などの手段に訴えて、満州石油の専売に対抗し続けた。

苦境の続く満州石油を支えていたのは国岡商店だった。独自の販売店を持たない満州石油に代わって、国岡商店は満州国の津々浦々にまで支店を広げ、満州石油の灯油や揮発油を大量に販売した。それは他の小売店を圧倒するものだった。他の小売店が店を構えて客を待っている間に、国岡商店の店員たちはリヤカーに石油が入った一斗缶をいくつも積んで、配達して回るのだから、その差は歴然であった。また国岡商店は満鉄の鉄道が走っていない奥地にも出張所を設けた。

満州石油から配給を受けている他の石油小売会社にはそこまでやれるところはなく、仮りに同じことをやっても国岡商店の店員たちの働きぶりにはとうてい敵わず、国岡商店と同じ地域では相手にならないと、撤退するところが続出した。

「国岡商店の奴らとまともに戦えるはずはない」

満州の石油業界の間に「国岡、恐るべし」という言葉が広まり始めた。

鐵造は満州石油が専売に踏み切った年、華中の上海《シャンハイ》に進出することを考えていた。

上海は阿片戦争後の南京条約で条約港として開かれた街で、イギリスやフランスの租界が形成され、後にはアメリカや日本の租界もできた。欧米の銀行が次々に進出して経済も発展し、一九二〇年代から三〇年代にかけて中国最大の都市となり、「東洋のパリ」とも呼ばれていた。この都市で中国進出の足掛かりを摑めば大きいと鐵造は考えた。それまで日本の石油会社で中国に進出したところはなかった。それはアメリカの石油会社が市場を牛耳っていたせいだった。

商売上手の中国商人でさえも石油には手を出せないでいた。その理由は、中国では灯油が危険品扱いになっていて、貨物船に積む場合、保険料が上がる仕組みになっていたからだ。さらに灯油を揚陸《ようりく》すると、一度危険品倉庫地帯にある倉庫に保管しなければならないが、危険品倉庫地帯は外油会社がしっかりと押さえていて、他の者が入りこめないようになっていた。そして外油にとっていちばんの障壁である関税は、政府高官に賄賂《わいろ》を納めていて、なし崩しになっているという噂だった。

それでも商魂たくましい中国人商人が灯油の輸入を決行すると、外油会社はその商人の店のある地域の灯油をいっせいに安売りして、その商人を破産に追い込んだ。こういうことがたびたびあって、中国人商人の間では「灯油は扱うな」と言われていたのだ。

当時、日本では電灯の普及で灯油の需要が少なくなり、灯油が余り始めていた。一方で海軍の燃料廠が原油から軍艦の重油を作る際に副産物として灯油が大量に生み出されていた。その量は年間百万箱（三万六〇〇〇キロリットル）とも言われていた。鐵造はこれらの大量の灯油を中国で売ろうと考え、先遣隊として店員を上海に送り出すことを決めた。

鐵造はこの任務を部長の長谷川喜久雄《きくお》に命じた。長谷川は大正七年に国岡商店に入った男で、このとき四十歳。鐵造と同じ神戸高商の出身で、当時の国岡店員としては珍しい高学歴のエリートだった。知恵も度胸もある男で、若いときから鐵造が目をかけていた。上海進出を任すならこの男しかいないと思っていた。

「上海こそはアメリカの石油会社の金城湯池《きんじょうとうち》である。だからこそ、ここを市場とすることができれば、国岡商店にとっても日本にとっても大きな利益となる。しかしこの戦いは容易ではない。喩《たと》えて言えば、敵の堅塁《けんるい》を破壊するようなものだ」

長谷川は緊張して頷いた。

鐵造は彼に二万円分の札束を渡した。長谷川はあまりの大金に驚いた。

「これは砲弾だ」と鐵造は言った。「まずはこの金で倉庫を手に入れてほしい」

長谷川は不敵な面構えでにやりと笑った。

「必ず、敵の要塞を破壊してみせます」


長谷川はさっそく部下の伊藤茂則《しげのり》を連れて上海に飛んだ。

二人は現地の情報を貰おうと、まず上海の領事館を訪れた。しかし応対した商務官の役人は、「その計画は諦めたほうがいい」と忠告した。

「外油の結束は固い。しかもこの地は日貨排斥の熱が高い。まず上手くいくはずがない」

領事館に駐在していた陸軍と海軍の武官も、上海で灯油を売るのは無謀だと言った。

しかし二人は諦めなかった。店主の命を受けてはるばるやってきて簡単には引き下がるわけにはいかない。長谷川と伊藤は上海の街を歩き回り、危険品倉庫地帯に余った土地を探した。外油の自分たち以外の石油会社を締め出す結束は固かったが、二人は中国人役人に金を摑ませ、ついに浦東《プードン》地区の中国政府が所有する倉庫を確保することに成功した。

半年後、徳山から灯油二千箱を積んだタンカーが上海に入港した。

上海出張所の開業に先立ち、鐵造は外油三社に驚くべき手紙を送りつけた。

「日本の内地における過剰灯油は現在百万箱もあり、中国市場に販売するしかない。これは過剰灯油の処分が目的であり、けっしてあなた方に挑戦するものではない。もちろん市場を混乱させる目的もない。しかしながら、あなたたちがわれわれを圧迫したり妨害したりするならば、われわれは地の利を利用して、一挙に数千箱、数万箱を輸入して、対抗する。そうなれば市場は暴落し、あなたがたのような大会社にとっては損害は計り知れないものとなる。国岡商店の穏健な営業に敬意を払ってもらいたい」

スタンバックの上海支店長ダニエル・コッドはその手紙を読んで怒りに震えた。

スタンバックは一九三三年（昭和八）、スタンダード・オイル・オブ・ニュージャージーとスタンダード・オイル・オブ・ニューヨークが作った合弁会社で、アジア地区全域の石油販売を手掛けていた。コッドにとって「テツゾウ・クニオカ」という名前は疫病神そのものだった。十七年前、大連のスタンダード・オイル・オブ・ニュージャージーの副支配人だったころのことが脳裏にまざまざと甦ってきた。満鉄の車軸油をめぐる戦いで、世界のスタンダード石油が、日本の小さな商店に敗れたあの日の屈辱は、忘れようにも忘れられなかった。一度も顔は見たことがなかったが、クニオカの名前はしっかりと覚えていた。あのときの悪夢のような男が、今、上海に乗り込んでこようとしている。コッドは販売部長のクーパーを呼び付けると、「クニオカの灯油販売を阻止しろ」と命じた。

「わが社の利益は考えなくてもいい。どんな手を使ってでも、クニオカをつぶせ」

クーパーは快活に笑った。

「たとえ日邦石油がやってきても、われわれには歯が立ちませんよ。クニオカなどという小さな店など、中国人商人をつぶすよりも楽ですよ」

しかしコッドは真剣な顔をして言った。

「クニオカを舐めるな。奴はタフな男だ。こちらも全力でかかれ」

支店長の真剣な顔を見て、クーパーも口元を引き締めた。

「テキサス石油やアジア石油とも手を組んで、総力を挙げてクニオカをつぶしてみせます」

コッドは満足そうに頷いた。


さっそく、スタンバックをはじめとする外油たちの攻勢が始まった。外油の作戦は国岡商店の販売店のある地域で集中的にダンピングをおこない、売り上げを押さえこむというものだった。

彼らはこれまで中国人商人をつぶしてきた以上の常識外れの低価格を打ち出してきたが、長谷川は慌てなかった。彼は外油の裏をかくために、上海出張所の開業に際して、五十人以上の精鋭を内地から連れてきていた。

販売店はあくまで囮《おとり》だった。長谷川たちはすぐさま外油がダンピングしている地域を避けて、ゲリラ的に灯油を販売した。外油がそれに気づいて、国岡商店の販売している地区でダンピングを実施すると、もうそのときは長谷川たちは別の地域で販売していた。

外油は所帯が大きいだけに上海全部の地域で安売りはできない。そんなことをすれば損が大きくなりすぎる。長谷川たちは外油がダンピングしている以外の地で、悠々と灯油を売りまくった。

国岡商店の店員たちの動きは素早く、まさしく神出鬼没だった。小舟に一斗缶を積み込み上海の運河を利用した機動力に外油は太刀打ちできなかった。さらに長谷川たちは囮の販売店を各地に設置して、外油を攪乱した。外油が囮の販売店に引っかかり、その地域一帯でダンピングを開始したころには、すでに国岡商店の主力部隊の姿はどこにもなく、はるか離れた町で灯油を販売していた。外油は長谷川たちに完全に翻弄され、すべての行動が後手後手に回った。そのたびに累積損失は増えていった。

半年後、コッドは販売部長のクーパーが青い顔をして持ってきた月々の売り上げデータを見て、愕然とした。想像以上に大きな損が出ていたからだ。しかも国岡商店はこの半年の間にも続々と灯油を日本から輸入して、相当量を販売していた。

コッドは大変な過ちを犯したと悟った。この男を敵に回したのは間違った判断だった——。十六年前に大連で自分たちを打ち破った男は本物の男だった。

「クーパー」とコッドは言った。「ダンピングは中止する」

支店長の言葉に販売部長はほっとした顔をした。

クーパーが部屋を出ていった後で、コッドは大きなため息をついて椅子に凭れた。

それにしても、とコッドは思った。テツゾウ・クニオカはずっと日本にいるのに、上海の社員たちのなんと統制のとれた行動であることか。支店長のハセガワという男も、その下にいる社員たちもすぐれた男たちに違いない。コッドはそんな社員を持つ鐵造に対して羨ましい気持ちになった。

そして深く椅子に凭れると、テツゾウがメジャーのライバル社にいなくてよかったと心から思った。

十三、日中戦争

昭和十一年（一九三六）二月二十六日早朝、日本全土を震撼させる出来事が起こった。政府に不満を持った陸軍の青年将校たちが首相官邸や市区郡の大臣官邸などを襲撃し、陸軍省や警視庁や山王ホテルを占拠したのだ。「帝都不祥事件」と呼ばれたこの事件は、後に「二・二六事件」と呼ばれる。

岡田啓介首相は難を逃れたが、内大臣の斎藤《さいとう》実《まこと》や大蔵大臣の高橋是清が殺害された。昭和の金融恐慌を救った高橋は陸軍の予算を削減したことで、青年将校たちの恨みを買っていたのだ。

侍従武官長は、蹶起《けっき》した青年将校たちの心情だけでも理解してもらいたいと天皇に上奏《じょうそう》したが、天皇は「朕《ちん》が股肱《ここう》の老臣を殺戮《さつりく》す、此の如き凶暴の将校等、其精神に於《おい》ても何の恕《じょ》すべきものありや」と怒りをあらわにして一蹴した。そして軍首脳部に、「速やかに鎮圧せよ」と命じた。

しかし陸軍首脳部は部下を討つことに躊躇した。それを知った天皇は、自らが近衛兵を率いて鎮圧すると言った。これによりようやく鎮圧部隊が動き、青年将校たちが率いた反乱軍は三日後に鎮圧され、事件は解決を見た。

鐡造は、この事件が日本の分水嶺になるかもしれないと思った。これほど怖ろしい事件が起これば、今後、多くの政治家が軍人の暴力を怖れることになるだろう。それは畢竟《ひっきょう》、軍部の発言力を増すことにつながる。それはやがて民主主義を崩壊に導くことになりはしないか――。

鐵造の不安はすぐに形となってあらわれた。その年、これまで退役武官に限るとされていた陸軍大臣・海軍大臣に現役武官が就任することができるようになったからだ。これ以後、軍部は巧みに恫喝《どうかつ》を混ぜながら積極的に政治に介入するようになり、日本は軍国主義への道を歩み始めた。

同じ年の三月、石油聯合株式会社（石聯）が政府の肝煎《きもい》りで設立された。これは大手の石油会社九社が加盟して作った株式会社で、加盟会社が扱う全石油製品の販売と統制をおこなう会社だったが、国岡商店は入っていなかった。後に鐵造はこの石聯との戦いで大変な苦労をすることになる。

翌十二年一月、鐵造は貴族院議員になった。福岡県出身の議員が失脚して補欠選挙に鐵造が担ぎ出されたのだ。政治が嫌いな鐵造は、「無競争なら出てもよい」という条件で出馬したが、蓋を開けてみると対抗馬が出た。今さら出馬を取りやめるわけにもいかず、選挙がおこなわれたが、鐵造の圧勝となった。こうして鐵造は五十一歳にしてはじめて国会の赤い絨毯《じゅうたん》を踏む身分となったが、後に貴族院議員として陸軍とやり合うことになる。


昭和十二年七月、中国の華北、北京《ペキン》西南の盧溝橋《ろこうきょう》で、中国軍と日本軍の軍事衝突が起こった。世に言う「盧溝橋事件」である。現地では双方の部隊がいったんは停戦・和平に向かったが、日本政府は中国に二個師団を派遣する決定を下し、これを知った中国もまた徹底抗戦を宣言した。このとき、北京の冀東《きとう》防共自治政府保安隊の中国人部隊が日本の民間人を多数虐殺する「通州《つうしゅう》事件」が起き、国内と軍部に激しい反中国感情が湧き起こった。

翌月、華中の上海でも「第二次上海事変」が勃発し、両国は中国全土で戦闘状態に入った。

「事変」とは非常事態や軍が出動するほどの騒乱のことを言う。日中の戦いは大東亜戦争が始まるまでの四年間、両国とも宣戦布告をおこなわずに戦い続けた奇妙な戦争であった。その理由は、戦争状態であれば第三国には中立義務が生じ、交戦国との交易が中立義務に反する敵対行為となるからだ。つまり国際的には戦争とは見做されず、日本政府はこれを、「支那事変」あるいは「日華事変」と呼んだ。

装備に勝る日本軍はわずか三ヵ月で上海戦線を突破し、十二月には首都の南京を占領した。蔣介石《しょうかいせき》国民政府は首都を奥地の重慶《じゅうけい》に移して抵抗したが、日本軍は華北でも次々に勝利を収め、主要な都市を占領した。南京攻略と同じ月、北京で傀儡政権の「中華民国臨時政府」を樹立した。もはや戦争の早期終結は誰の目にも無理に見えた。

昭和十三年に入ると、中国との戦いはますます深みに入り、もはや「事変」ではなく「全面戦争」といった様相を呈していた。

その年の四月には「国家総動員法」が成立した。この法律は、乱暴に言ってしまえば、戦争遂行のために、国家にあらゆる権力が与えられるというものだった。具体的には、国家は国民を自由に徴用、またあらゆる物資を統制し、言論を制限しうるといった内容が含まれていた。

国会でのこの法案の審議中、趣旨説明をした佐藤賢了《けんりょう》陸軍中佐のあまりに長い答弁に対し、衆議院議員たちから抗議の声が上がったが、佐藤は「黙れ!」と一喝した。議員たちの脳裏に二年前の「二・二六事件」が浮かんだであろうことは推察される。この有名な「黙れ事件」以後、審議に異議を挟む者はなくなり、この狂気の法案はあっという間に成立した。多くの文化人や経済人が反対したが、これを喰いとめることはできなかった。なお佐藤は戦後、最年少のA級戦犯となり、終身刑を宣告されている。

同じころ、ヨーロッパでもきなくさい臭いが立ち込め始めていた。ヒトラー率いるドイツがオーストリアを併合したのだ。凄まじい勢いで軍備を増強するドイツに対し、英仏は戦々恐々とし、再び大きな戦争が起こるのではないかと言われていた。

すべての国力を中国との戦いに注ぎこもうとした日本は、七月、二年後に開催が決まっていた「東京オリンピック」を返上した。もはや世界の国々と仲良く手を結ぶ意思はないと、世界に宣言したようなものだった。このオリンピックの返上は陸軍の強い希望だったと言われる。

鐵造は日本が大変な時代に突入したことを認めながらも、戦争となれば、勝たねばならないと思っていた。戦争には常に双方の立場から見た正義がある。話し合いで解決がつかない場合は武力行使もまたやむを得ない。

鐵造が生まれた明治十八年から日本はずっと富国強兵で突き進んできた。欧米の列強がアジア諸国を植民地化していく中で、日本が生き残る道はそれしかなかった。もしも日清戦争や日露戦争で負けていれば、日本は他のアジア諸国同様、ロシアや英米に植民地化されていたに違いない。

日本の国力をもってすれば中国には負けることはないだろうと鐵造は思っていた。しかしそれとは別に大きな不安があった。それは「石油」であった。以前、弟の正明に言ったように、石油資源を持たない日本はアメリカと友好関係を結んでおかねばならない。しかし軍や政府、それに石聯をはじめとする石油業界の面々には、その認識が足りないように思えた。

そこで鐵造は直接アメリカやイギリスの石油会社から原油を中国に輸入しようと考えた。海運会社と合同でタンカーの建造に取り掛かっていたのも、それを睨んでのことだった。しかし輸入に成功すれば、運んだ原油を入れるための油槽所（石油タンク）が必要になる。そのために鐵造は上海に一〇万トンクラスの大油槽所を建設することを決意した。

この考えには国岡商店内から反対の声が上がった。まず上海にいる長谷川から見直してはどうかという報告書が届いた。それによれば、現地では日本軍が戦線を縮小するために華中から兵を引き上げるのではないかとも言われており、この情勢下で巨大タンクを建設するのは危険であるというものだった。門司の本社の重役たちもこぞって同意見だった。しかし鐵造の決意は固かった。彼は重役たちを集めて言った。

「日本が華中を撤退すると言われている今だからこそ、やらねばならん。大陸の一画に、日本人が自由とする油槽所を持つことは、世界に日本の経済力を示すことになるし、また国家に対する絶好の奉公の機会ともなる」

鐵造はさらに続けた。

「平時であろうと、非常時であろうと、油槽所は必要である。国岡商店は和戦両様の構えをもって、上海に油槽所を建設する」

店主の強い決意の前には、重役たちも黙らざるを得なかった。

国岡商店の油槽所が完成しそうだということを知った東京の石聯幹部は、いっそ国岡商店に油槽所を完成させて、それを横取りしようと画策した。これを計画したのは石聯の重役のひとり、小蔵石油社長の川崎徳寿だった。川崎は、石聯が中国にタンクを持つことができれば、国内の保税工場を利用して大儲けできると考えたのだ。

保税工場とは、外国から仕入れた原材料を一年以内に加工して輸出すれば、輸入手続きが免除されて関税がかからない工場のことだ。つまりアメリカから仕入れた原油を一年以内に精製して中国へ輸出すれば、税金なしで大きな利益を手にすることができた。

石聯は日中の為替相場の格差を利用すればさらに利益を上げることができると考えた。当時、日本円の百円は内地では二十三ドル前後の価値があったが、上海では十一ドルくらいの価値しかなかった。石聯幹部は以前からこの為替格差を利用する方法を考えていたのだ。大蔵省から大量の金塊を借り入れ、この元手で輸入した原油を保税工場で精製してから中国で売る。その売り上げで得た金を上海のレートで替えた日本紙幣で大蔵省に借り入れの返済をする。これをやれば返済額は借入金の半分で済む。

石聯は国岡商店の油槽所を手に入れるため、軍による接収を計画した。それで、「国岡商店は国賊である」という噂を陸軍の中に広めた。その内容は、国岡商店が国家非常時にもかかわらず、アメリカから直接、石油を中国に輸入して販売しようとしている。これは石油統制にも反する行為であるというものだった。

鐵造にとっては言いがかりも甚だしいものだった。国岡商店が扱っている石油は民需用のもので、中国国民が必要としているランプ用の灯油を供給しているにすぎない。またこれにより、日本が備蓄している石油は軍需用に回せるようになる。それに国岡商店が中国大陸に販路を広げた一因は、そもそも国内では、統制や配給制によって自由に商売ができなくなったからだ。しかしそんな理屈さえ通らないほど、世の中は戦争一色になりつつあった。

同じころ、鐵造を大いに失望させる馬鹿馬鹿しい出来事が立て続けに起きた。ひとつは「水ガソリン詐欺事件」と呼ばれるもので、本多維富という詐欺師が「水からガソリンを作る」と海軍に吹き込み、これを真に受けた山本五十六《いそろく》中将や大西瀧治郎《たきじろう》大佐（神風特攻隊の生みの親とも言われている）が実験に立ち会ったというものだった。もうひとつは「富士山麓石油井戸試掘詐欺」で、これはある神がかった占い師が「富士山麓に油田がある」と言い出した言葉を海軍関係者や財界人たちが信じ、巨額の資金を投じて会社まで作ったものの、試掘して見つかったものは人為的に地中深くに撒かれた機械オイルだったという何ともお粗末な巨大詐欺事件だ。

鐵造はこの二つの事件で、あらためて軍人たちの石油に関する無知と化学知識の乏しさを知ると同時に、海軍きってのインテリと呼ばれていた山本中将ほどの男でさえも、こんな詐欺に騙されそうになるほど海軍にとって石油が切実な問題になっていることを感じた。

この年、国岡商店に変わった経歴の男が入ってきた。東雲忠司《しののめただし》だった。

東雲は鐵造と同じ福岡県宗像の出身で、第五高等学校（現・熊本大学）在学中の一時期、共産主義に傾倒したことがあって、特高につけまわされ、そのために退学処分となった。その後、徴兵で陸軍の福岡二十四聯隊へ入隊したが、除隊後、東北帝国大学（現・東北大学）に入学、卒業後は高等試験（一般には高文と呼ばれる）の行政と司法の二つに合格した。高文の行政は大変な難関試験で、これに通れば高級官僚への道が約束されていたし、同じく高文の司法は司法試験の機能も兼ねていた。東雲はそのふたつの試験をパスするほどの怖ろしい秀才であったが、五高時代「アカ」と呼ばれた過去が災いし、官僚にはなれず、また民間会社からも入社を拒否された。それで故郷でぶらぶらしているときに、父親の知り合いだった国岡徳三郎から、「息子の店に来ないか」と声をかけられ、国岡商店に入ってきたのだった。このとき、二十九歳だった。

鐵造は東雲を一目見た瞬間、ただものではないと感じた。目の光が違う。いずれは国岡商店を背負って立つ男になる予感があった。そして、これほどの男を官僚などに取られなくてよかったと思った。

昭和十四年には、中国との和平の道は完全に見えなくなり、もはや後戻りはできない状況になっていた。

しかもこの年、今度は満州北方でソ連との戦闘が起こった。

五月、満州国とソ連の傀儡国家であるモンゴル人民共和国との間で国境紛争から軍事衝突が起こり、両国を支援するために日本とソ連が軍隊を派遣し、双方が激しい戦闘を繰り広げた。日本とソ連合わせて四万人を超える死傷者を出した戦いは、ソ連軍の勝利という形で停戦した。世に言う「ノモンハン事件」である。

ノモンハン事件の最中、アメリカは「日本の中国侵略に抗議する」として日米通商航海条約の破棄を通告してきた。日本は経済的に打撃を受けることを怖れ、暫定協定の締結を試みたが成功せず、六ヵ月後、条約は失効し、日米は無条約関係になった。

ノモンハン事件が終結した同じころ、世界を驚かせた事件がヨーロッパで起こった。ドイツが突如ポーランドに侵攻したのだ。イギリスとフランス両国はただちにドイツに宣戦布告した。先の欧州戦争は「最終戦争」ではなかったのだ。今や世界は再び大戦争へと突入しようとしていた。

国岡商店の念願であったタンカーが完成したのはまさにそのころだった。

鐵造はこれに「日章丸《にっしょうまる》」と名付けた。しかし就航のタイミングがあまりにも悪かった。もはや日本のタンカーが自由に海外へ石油を求めて動ける情勢ではなかった。日章丸は石油以外の物資を積んで、日本と中国を往復することになった。

鐵造は神戸の岸壁からその巨体を眺めながら、船に向かって心の中で言った。

「日章丸よ、ときを待て。いずれ平和な時代が来れば、お前の使命を果たすときが必ず来る」

ノモンハン事件終結直後の九月、日本国内において、ついに石油の配給制が実施された。

鐵造は猛反対したが、もはや蟷螂の斧だった。この上、上海の油槽所を奪われたら、もはや国岡商店の未来はない。

鐵造はこの状況を打ち破るべく、商工省の燃料局に乗り込んだ。そこには以前から懇意にしていた企画課長の堀三也《ほりみつや》陸軍大佐（後、軍需国策会社である昭和通商株式会社取締役）が出向していた。堀は燃料局の役人として中国を視察したとき、現地での国岡商店の店員たちの働きぶりを見て、国岡商店の理解者となっていた。

鐵造は堀大佐に「石聯の画策をご存じですか」と言った。

「いいえ、何かあったのですか」

鐵造は用意していた書類を堀に見せた。それは為替相場を利用して暴利をむさぼろうという石聯の計画書だった。鐵造はいずれ石聯が国岡商店に何らかの画策をしてくるだろうと、石聯組織の何人かに金を摑ませて内偵者を作り上げていたのだ。五十歳を超えた鐵造はいつしかそんなしたたかさをも身につけていた。それで石聯の動きはすべて鐵造に筒抜けだった。

計画書を読んだ堀は激怒した。

「国民が戦争に命を懸けているとき、石油で私腹を肥やそうとする者がいるとは」

「同感です。ぼくもこの計画書を読んだときは怒りで震えた」

「さっそく石聯の連中を呼び付けて真相を確かめます。ことの次第によっては、ただではおきません」

「よろしくお願いします。上海の油槽所は、ひとり国岡だけのものではありません。必ず日本の国益に沿うものと信じております」

「わかっています」

まもなく石聯の幹部は燃料局に呼び出され、堀大佐から厳しい叱責を受けた。これにより、石聯の保税工場を使っての抜け道的輸出計画は頓挫し、油槽所乗っ取り計画も完全に瓦解した。

このとき、燃料局の一部では、「石聯は解散させるべき」という声も上がったが、石聯の生みの親でもあった局としては、そこまでは踏み切れなかった。そしてこのことは、後々までも国岡商店を悩ませることになる――。

昭和十五年三月、ついに上海の油槽所の第一期工事が完成した。最大一万三〇〇〇キロリットルのタンクをはじめとして、合計九基、総計で約三万キロリットルのタンク群は、日本が中国ではじめて持った本格的な油槽所だった。

上海に着いた鐵造を、長谷川たち現地の店員が迎えてくれた。

「よくやった」

店主の言葉に、長谷川はにっこりと笑った。どの店員の顔も喜びでいっぱいだった。

鐵造は河岸に立つ巨大なタンク群を見上げた。抱きしめたくなるほどの美しさだった。起工から八ヵ月の日々を思うと、感無量だった。

竣工式には、支那総軍、支那方面艦隊、上海陸戦隊、興亜院、総領事館の代表者に加えて、上海商工会議所、三井財閥、三菱財閥といった民間からの代表者が出席した。

その日は暴風が吹き荒れ、吹き上げられた砂塵で空が曇るほどの天候で、祝詞《のりと》を読み上げる神主の声もかき消されるほどの激しさだった。鐵造は竣工の喜びに浸りながらも、前途に待ち受ける国岡商店と日本の運命を思うと、気持ちが引き締まった。

十四、石油禁輸

竣工なった国岡商店の上海油槽所には、さっそく、灯油と揮発油（ガソリン）が入れられた。アメリカのスタンダード系ではない小さな石油会社から購入したものだった。

油槽所の完成を知ったスタンバック、テキサス、アジアの外油三社は、ただちに自社製品をダンピングして、国岡商店に圧力をかけてきたが、これは鐵造にとっても想定内のことだったから、慌てることはなかった。外油もいつまでも安売りはできない。その期間さえじっと耐えていれば、いずれ価格は正常に戻る。

それよりも鐵造が心配したのは、抗日ゲリラによるタンクの爆破であった。
鐵造は軍による警備を要請したが、民需用という理由で却下された。国岡商店の油槽所の隣の空き地は石聯のものだったが、石聯は軍需用の石油を扱うということで、この土地には昼夜を問わず日本軍が警護に当たっていた。

鐵造は「何という矛盾だ」と呆れた。官僚主義の愚かさというものは鐵造も十分知っていたはずだったが、この非常時においても、なおそんな馬鹿げたことがおこなわれるとは思ってもいなかった。
「ただの空き地を厳重に警護し、日本にとって重要なタンクを放置するとは。こんなことをやっていて、はたして戦争に勝てるのか」

しかし悲憤慷慨《ひふんこうがい》しても始まらない。目の前に横たわる現実には、正論を唱える前に、まずやらねばならないことがある。

鐵造は陸軍から小銃を二十挺払い下げてもらい、店員たちによる武装自警団を組織した。店員たちは油槽所内でトーチカを作り、ゲリラの襲撃に備えた。自分たちのタンクを破壊されてたまるものかという気持ちだった。


こうしてようやく民需用の石油を配給しようとしたとき、まったく予期しなかった事態が起こった。東京の海軍航空本部から上海の油槽所を使用したいという申し出があったのだ。

「有り得ない要求です」

と長谷川は怒りをあらわにして言った。

「大変な苦労の末にやっと手にした油槽所を、借り受けたいなどと、軍はあまりにも横暴です」

上海で急遽開いた重役会議の席上、油槽所の幹部たちは皆、口々に同じことを言った。

しかし鐵造は静かに口を開いた。

「ぼくは軍に貸そうと思っている」

一同は驚いて鐵造の顔を見た。

「今、日本は本当の非常時だ。この戦争では国民全員がさまざまなものを犠牲にしている。このタンクが日本のためになるなら、むしろ喜んで提供しようじゃないか」

「しかし店主、今、タンクの中には灯油と揮発油が入っています」

「今すぐ全部を提供するわけにはいかないが、とりあえず三基のタンクを貸そう。そこに入っている油は、中国人が持っている倉庫を借りて、保管しよう」

長谷川は泣いた。他の幹部たちも皆、悲痛な顔をした。鐵造には彼らの気持ちが痛いほどわかった。多くの妨害を押しきって用地探しから奮闘し、起工後も命を懸けて守ってきたタンクだ。それを一度も使用しないうちに、軍に提供しなければならない悔しさと悲しさはいかほどのものか。その思いは鐵造も同様だった。その辛さは金銭の問題ではない。

「長谷川」と鐵造は言った。「この日は必ず喜びの日に代わる。その日を思って耐えろ」

長谷川たちは唇をかみしめて頷いた。

後日、東京の航空本部からタンクの使用料はいかほどかという問い合わせがきたが、鐵造は「無償でもって国家に奉仕したい」と返答した。航空本部は、無償使用は法規上許されないとして、月三千円の使用料を支払うと言ったが、それは油槽所建設に費やした莫大な金額の利子にもならない額だった。航空本部にタンクを貸す際に石油を移動させ、中国人業者の倉庫を借りた費用だけでも三十万円以上かかっていたが、鐵造はその金額もいっさい請求しなかった。

鐵造はしかし更なる闘志を燃やして、上海油槽所の第二期工事に取り掛かった。

昭和十五年の半ばになると、国内の経済はさらに厳しくなり、米穀《べいこく》も配給制になった。

支那事変も四年目を迎え、いよいよ総力戦の様相を呈してきた。ヨーロッパではドイツ軍がフランスを占領し、西ヨーロッパをほぼ制圧した。そしてイギリス本土の爆撃をも開始した。ドイツの優勢を見た陸軍の中から、「バスに乗り遅れるな」という声が上がり、九月には「日独伊三国同盟」が結ばれた。これにより日本は米英とは完全に敵対関係になった。

そのニュースを聞いたとき、鐵造は愕然とした。もはや日本の命は絶たれると思った。日本の喉元に突きつけられるのは——石油だ。

鐵造の睨んだとおり、アメリカは「対日経済制裁」を宣言し、日本に対し、屑鉄と鋼鉄、それに航空機用の高オクタン価揮発油を輸出禁止にした。全石油製品の輸出禁止はかろうじて免れたが、いずれは全面禁輸もありえないことではないと鐵造は見ていた。

政府もまた重要な軍需物資である石油の枯渇を怖れ、民間用の石油の使用を大幅に制限した。とくに揮発油はほとんど民需用には回されなくなった。自家用車は制限され、タクシーの「流し」は禁止、バスやトラックには揮発油や軽油の代わりに木炭が使われた。こうして国民の生活から石油が姿を消した。

さらに政府は石油流通の統制を強化するために、石聯を母体とした国営の統制会社「石油共販株式会社」（共販）を設立させた。これにより、石油会社は「共販」を通さなければ石油が手に入らなくなった。ちなみに「石油共販株式会社」は後に「石油配給統制会社」（石統）となる。

「店主、もはやどうしようもありません」

甲賀が、門司の店主室にやってきて憔悴した顔で言った。

「国内の営業所では、商売ができません」

鐵造は頷いた。それは彼自身もわかっていた。

「国内の営業所は縮小する。今後、国岡商店は満州と中国に主力を移す」

そのために鐵造は満州と中国に、それぞれ株式会社を設立した。二つの地では、以前から軍や満鉄から株式会社設立を要求されていたが、創業以来、個人商店を貫いてきた鐵造は、その要求を拒み続けてきた。しかし今後主力を海外に移すとなれば、株式会社設立も止むを得なかった。海外の支店と出張所は五十を超え、店員の数も六百名近くになっていた。

鐵造が個人商店にこだわったのは、株式会社だと責任の所在があやふやになるからだった。それに株式を公開すれば、店員たちは見も知らぬ株主のために働くことになる。鐵造は「国岡商店」は自分と店員たちのものであるべきと考えていた。鐵造はそのために、これまで銀行や官庁からの天下りはいっさい入れなかった。商売を上手にやっていくには銀行家や元官僚を入れてパイプを作ったほうが有利な点は数多くあるのはわかっていた。しかし、それをやればもはや「国岡商店」ではなくなる。国岡商店は「人間尊重」を追求するひとつの「大家族」なのだ。

鐵造は便宜上、国内の営業所も株式会社にし、その三つを「国岡商店」という個人会社の下に置いた。そして本社を門司から東京・有楽町の東日会館に移した。

東京に本社を移転したことを機に、鐵造自身も門司から東京に家族で移り住んだ。

引っ越してまもなく、五番目の子供が生まれた。長男の昭一が生まれた後は、続けて娘が三人生まれていて、今度こそ二人目の男の子をと願っていただけに、また女の子と聞いて、正直がっかりした。明治十八年生まれの鐵造にとって、女の子は事業を託す存在ではなかった。それでも四人の娘たちは可愛かった。五十五歳になっていた鐵造は、この末娘が自分の最後の子供になるだろうと思った。

「しかしこの歳で子供を授かるとは――、この子が成人する姿を、ぼくは見られないだろうな」

祝いに駆け付けた甲賀や柏井に、鐵造は冗談半分で言った。

「店主なら七十五歳でもばりばり仕事をしていますよ」

「二十年後か――」鐵造は遠い目をして言った。「そのころ、日本はどうなっているだろうな」

「昭和三十五年ですか。想像もつきませんね」

甲賀の言葉に、鐵造は静かに頷いた。


国民の生活はますます苦しいものとなっていった。その苦しさは食べ物や生活必需品の欠乏からくるだけのものではなかった。

「日独伊三国同盟」が結ばれた翌月、近衛文麿《このえふみまろ》が中心となって「大政翼賛会」が結成された。大政翼賛会そのものは政党ではなかったが、この結社が生まれたことにより、国民の思想、言論の統制が始まった。国民が政府の政策に異議を唱えることなどは許されず、また人々の暮らしや生活にも制限が加えられた。東京都内には「ぜいたくは敵だ」という立て看板がいたる所に見られるようにもなった。

この年、鐵造は貴族院議員として「要塞地帯法中改正法律案」で軍とやりあっている。

特別委員会の審議に参加していた鐵造は回付されてきた「改正法案」を見て目を剝いた。それは従来、国が決めていた日本各地にある「要塞地帯」地域を拡大した上、そこに住む住民の行動に厳しく制限を加えるものだったからだ。たとえば無許可で庭に穴を掘ったり藪を刈ったりしても、「要塞地帯法違反」で厳しく処罰される。さらに驚くべきは転嫁罰まで加えられていた。つまりある会社の敷地で従業員が穴を掘れば、その社長が罰せられるというものだった。鐵造は、もはや陸海軍は正気を失っていると思った。しかし委員としてこれを黙って通すわけにはいかない。

陸軍大臣の畑俊六《しゅんろく》、海軍大臣の吉田善吾《ぜんご》らが居並ぶ委員会の席上、鐵造はこの改正法がいかに間違ったものであるかを指摘した。

「軍の機密保持、スパイ防止が目的であるかもしれませんが、行きすぎた改正案です」

そして改正案にある条項の一つひとつについて、その疑問を指摘していった。鐵造がもっとも問題にしたのは転嫁罰の規定だった。

「これは法律の原則としておかしい。拡大解釈して悪用することが可能である」

この鐵造の発言に対して、武藤章《あきら》軍務局長が怒鳴るように答えた。

「国民は立派な者ばかりではない。あなたの従業員もいつ敵国に買収されるとも限らん。そういうことがないように、支配人や指導者もしっかりと見張っておれというのが、この法律の趣旨だ。それを見過ごすようなことがあれば、管理者に罰が及んでも仕方がない」

武藤はナチスのような一党独裁国家を目指していた軍部閣僚だった。ちなみに戦後、A級戦犯として死刑判決を受けている。しかし鐵造は微塵も怯まなかった。

「大きな声を出して怒鳴るのが陸軍の悪い癖だ。声の大きさなら、ぼくのほうが大きい！」

鐵造は武藤に負けないほどの大声で言った。

「国民がいつ売国奴になるかわからぬというような発言は許しがたい。挙国一致と言いながら、あなた方、軍は国民をまったく信頼していないのではないか。いや、むしろこの改正案は国民を敵に回すようなものである。私の店員がいつ買収されるやもしれぬような発言は聞き捨てならない」

居並ぶ陸海軍の将校を前に、堂々と正論を述べる鐵造に、武藤が失言を詫びた。

結局、この法案では、造成などの大きな土木工事以外の許可は不要となった。さらに転嫁罰の規定もなくなった。


昭和十五年の秋、鐵造は中国に渡り、いくつもの支店と出張所を回った。

どこへ行っても、国岡商店の店員たちの目は輝き、意気軒昂だった。慣れない異国の地にもかかわらず、きびきびと働くその姿は鐵造を喜ばせた。どの店にも現地で雇った中国人従業員がいた。彼らもまた国岡商店のために一所懸命に働いてくれていた。中国人従業員の態度を見て、鐵造は店員たちが彼らを差別したり馬鹿にしたりしていないことを感じて嬉しく思った。たとえ国内での仕事が駄目になっても、中国大陸で国岡商店は大きく飛躍すると確信した。

上海で油槽所の第二期工事を視察しているとき、海軍の江藤大佐とばったり会った。江藤大佐とは、タンクを航空本部に貸すにあたっての交渉の席で何度か顔を合わせていた。軍人らしからぬ穏やかな性格で、鐵造は好意を持っていた。江藤もまた鐵造の「国家に奉仕したい」という信念に大いに敬意を払っていた。

「国岡さんからお借りしているタンクは非常に役立っています」

江藤は一礼しながら言った。

「そうですか。それはよかった。国家に貢献できることは国岡商店にとってもこの上ない喜びです」

「もし、よければ上海の航空基地を見てみませんか」

「飛行機が見られますか」

「海軍の荒鷲《あらわし》たちの雄姿を見てください」

鐵造は江藤大佐の車に乗って、上海の海軍航空基地に行った。

広大な飛行場に何十機という飛行機が並んでいた。これまでニュース映画では何度も見ていたものの、爆撃機や戦闘機を間近にするのははじめてだった。鐵造はこれらの飛行機が広い中国大陸で暴れまわっていることに、日本人として誇らしいものを感じた。

しばらく見ていると、西の空から爆音が聞こえてきて、編隊が降りてきた。

「空襲から戻ってきたようです」

暗緑色の双発の大きな爆撃機の後に、灰色のスマートな飛行機が着陸した。ニュース映画でも見たことのない機体だった。

「あれはなんという戦闘機ですか」と鐵造は江藤に訊ねた。

「新型戦闘機です。今年の七月から正式採用になりました。世界最強の戦闘機です」

「それはすごい」

鐵造はもう一度その戦闘機を見た。機体からは「最強」という言葉の印象は感じられず、むしろ優美で華奢《きゃしゃ》に見えた。同時にある種の儚《はかな》さのようなものを感じた。日本的な強さと脆さを持った飛行機のように思えたが、その印象はもちろん口にはしなかった。

「名前はあるのですか」と鐵造は尋ねた。

「海軍の飛行機は完成した年の末尾の数字で呼びます。ですから今年の皇紀二六〇〇年の最後の数字を取って、零式《れいしき》艦上戦闘機と呼ばれています」

「ほう、ゼロ戦闘機ですか。何とも不思議な名前ですな」

そのとき、零式艦上戦闘機からひとりの若い航空兵が降りてきてこちらに向かってくるのが見えた。航空兵は司令部に向かう途中、鐵造の前方を通った。

「ご苦労様です」

鐵造は思わず航空兵に頭を下げた。若い航空兵は立ち止まり、海軍式の敬礼をした。鐵造は青年の無駄のない美しい動きに感服した。二十歳をわずかに過ぎたくらいの背の高い痩せた男だったが、全身から精悍《せいかん》な空気が漲《みなぎ》っていた。胸の名札に「宮部」と書いてあるのが見えた。

その航空兵の後ろ姿を見ながら、彼のような若者たちが日本のために戦ってくれているのだと思うと、胸が熱くなった。自分もまた日本のために頑張らねばならない、と心に誓った。

このころには、日本もはっきりとアメリカを仮想敵としていた。

アメリカの対日経済制裁の宣告を受けた日本は、石油が禁輸された場合を考え、蘭印（インドネシア）の油田の獲得を目論んだ。当時、オランダ本国は同盟国ドイツに占領されていたが、蘭印はロンドンのオランダ亡命政府の統治下にあった。蘭印侵攻をうかがう日本は北部仏印（ベトナム）に軍を進出させた。これはフランスのヴィシー政府と条約を結んでおこなったものだったが、現地のフランス軍はこれを認めず、戦闘がおこなわれた。

アメリカ政府とイギリス政府は、ヴィシー政権はドイツの傀儡政権であり、日本との条約は無効だと抗議したが、日本はそのまま北部仏印に駐留した。この行動は、東南アジアのほとんどを自国の植民地としていたアメリカ、イギリス、オランダを怒らせた。

翌年の昭和十六年七月、日本軍はさらに南部仏印へと進駐した。アメリカはこれを対米戦争の準備行動と見做し、日本の在米資産凍結令を実施した。イギリスとオランダもこれに同調した。

そして八月、ついに鐵造がもっとも恐れていたことが起こった。アメリカが日本への石油の輸出をすべて禁止したのだ。


「大変なことになりましたね」

重役会議の席上、甲賀は大きなため息をつきながら言った。

「大変どころの騒ぎではない」と鐵造は言った。「日本は原油の八割をアメリカからの輸入に頼っている。これが入ってこなくなるということは――」

「日本の経済は一気に衰えますね」

「そんな悠長な話ではない！」鐵造は大きな声で言った。「即死する」

柏井も深刻な表情で頷いた。

八割の石油を失えば、日本の経済は一瞬にして崩れるだろう。今や近代国家は石油なくしては一日も生き延びられないものとなっていた。まさに石油の一滴は血の一滴だった。

「国内の備蓄石油はどれくらいある？」

鐵造は甲賀に訊ねた。

「六百万から八百万キロリットルの間ではないかと思われます」

「すると、もって一年か――」

「民需用はそれくらい持つとは思いますが、問題は軍需用です。もし海軍が大規模な行動を起こすとなれば、半年あまりということも考えられます」

「半年か――」

鐵造は壁のカレンダーを見た。今が八月だから、下手をすれば来年の二月には、日本という国は石油という血液をすべて失って息絶える――。

鐵造は今座っている店主室が国岡商店とともに、がらがらと音を立てて崩れていく錯覚に陥った。

重役たちも押し黙ったまま、一言も発しなかった。

十五、南方へ

昭和十六年十二月八日早朝、鐵造は自宅でラジオの臨時ニュースを聞いて、血が逆流する思いがした。それは日本が「西太平洋においてアメリカ・イギリス軍と戦闘状態に入れり」というものだった。

とうとうやったか、と思った。アメリカが石油を全面禁輸して四ヵ月、これ以上の時間が過ぎれば備蓄石油も底をつくと見て、乾坤一擲《けんこんいってき》の勝負に出たのだろう。とくに海軍にとっては、石油の枯渇は「艦隊の無力化」を意味するだけに、焦りは陸軍以上であったはずだ。となれば、次に日本軍が進出するのは蘭印しかない。ボルネオとスマトラには豊富な油田がある。ここを押さえるために、障碍《しょうがい》となるアメリカの太平洋艦隊を叩いたに違いない。

家を出ると、街はお祭り騒ぎだった。人々は新聞の号外を争うように求めていた。苦しい耐乏生活を余儀なくされていた国民にとって、聯合艦隊によるアメリカ太平洋艦隊撃滅のニュースは、久々の快事だった。

しかし本社に着いてみると、重役たちは一様に重苦しい顔をしていた。無理もないと思った。石油埋蔵量が日本の七百倍もある国と戦って勝つのは容易なことではない。石油資源の乏しい中国を相手にするのとはわけが違う。

「店主、怖れていたことが起こりましたね」

柏井は深刻な顔をして言った。鐵造は頷いた。

「勝てるでしょうか」

「戦争となれば勝てるかどうかではなくて、勝たねばならない」鐵造は力強く言った。「われわれ国岡商店もできることはなんでもやる。君らもその覚悟でやってくれ」

「はい」

「問題は蘭印の油田を確保できるかどうかにかかっている」

重役たちは頷いた。

「ただ、これは容易ではない。電撃的に奪うことができないと、敵はその前に油田を破壊するだろう。そうなれば復旧に時間を取られ、再び日本の石油は枯渇する。いかに聯合艦隊が無敵でも、石油がなくなれば、張り子の虎と同じだ」

鐵造は言いながら、数ヵ月前に上海で見た零式艦上戦闘機を思い出した。あの素晴らしい戦闘機を飛ばせる揮発油が日本にあるのだろうか。たしか日本の航空機用の揮発油は八十オクタン価だったはずだ。アメリカの持つ百オクタン価のガソリンを作りだす精製技術は日本にはない。この技術は数年前にアメリカが経済制裁で日本に向けて輸出を禁じたもののひとつだ。

店主室の壁に飾られた世界地図を見ながら、鐵造は深いため息をついた。

日本軍の快進撃は凄まじかった。真珠湾攻撃と同日、台湾から飛び立った海軍の航空部隊が比島（フィリピン）のアメリカ軍の航空部隊を壊滅させた。その二日後にはマレー沖海戦で、大英帝国が誇る新鋭戦艦プリンス・オブ・ウェールズと巡洋戦艦レパルスを、同じく航空攻撃で撃沈した。イギリス首相のチャーチルが「第二次世界大戦中、あれほど衝撃を受けた知らせはなかった」と後に語ったほど、世界に驚きを与えた海戦だった。新聞では連日、空母艦隊の快進撃ぶりが伝えられ、映画館ではニュース映画による勇ましい日本軍の戦いぶりが紹介されていた。政府はこの連合軍との戦争を「大東亜戦争」と名付け、これにより中国とも正式に戦争状態となった。

年が明けても日本の快進撃は止まらず、二月十五日、陸軍は難攻不落と言われていたシンガポールを攻略し、その九日後には、スマトラ島のパレンバン油田の占領に成功した。

パレンバン油田は南方最大の油田で、年間の産油量は当時の日本の年間消費石油量を上回るほどだった。それだけにここを無傷で手に入れられるかどうかに日本の命運がかかっていた。陸軍は落下傘部隊でオランダ軍の裏をかいて奇襲攻撃に成功し、これらの油田をわずかな損傷だけで占領することができた。パレンバン油田確保の報せを受けた東条英機首相が「これで石油問題は解決した」と発言したことはよく知られている。

鐡造もまたこのニュースを聞き、ひとまず胸を撫で下ろした。これで日本の経済はとりあえず生き残ることができる。軍艦や航空機も動かすこともできる。やっと「戦う準備」が整った。

ところで日本軍が確保した油田だが、ここから原油を採掘し、精製するには専門家による知識が必要だった。このため軍は六千人を超える技師や従業員を帝国石油株式会社から徴用した。

帝国石油は昭和十六年にアメリカから「石油全面禁輸」の通告を受けた政府が、国内の原油生産を一元化するために、日邦石油や日本鉱業など四つの会社の石油部門を統合して、急遽作った半官半民の国策会社だった。ちなみに帝国石油の誕生をもって、国岡商店は三十年の間「親会社」であった日邦石油との特約店の関係が終結していた。

南方に渡った帝国石油の技師たちは懸命な努力で、戦闘で壊れた油田設備を復旧させ、原油を採掘、精製した。そしてわずか数週間後には早くも日本に原油を送り込むことに成功した。

鐡造は帝国石油の技師たちはすごいと心から思った。疫病などが猖獗をきわめる劣悪なジャングルの中の、原油の採掘事業が、どれほど困難なものかは容易に想像がついた。日本のために奮闘努力する彼らに、胸の中で手を合わせた。

彼らは後に戦場となる蘭印の油田地帯で、三年半にわたって懸命に任務を全うし、何と千六百人以上が戦死あるいは病死することになる。その最大の悲劇が有名な「阿波丸《あわまる》事件」である。昭和二十年四月にアメリカの潜水艦により撃沈された同船に乗り込んでいた石油関係者は千人を超えるとも言われるが、全員が死亡した。

南方の油田の確保が成功した後に、問題となったのは占領地区の石油政策だった。

蘭印やマレーやシンガポールはもともと石油が豊富に供給されていた土地だけに、都市部では日本よりも自動車が普及しており、揮発油も日常的に使われていた。道路の舗装率も高かった。現地人に揮発油を供給しなければ、彼らの生活が成り立たなくなる。もちろんそれ以外の民需用の石油もある。

そこで現地の南方軍はこれらの占領地域に民需用の石油を配給する国策会社を作ろうと計画した。その計画は東京の陸軍省にも届いていた。

陸軍省燃料課の中村儀十郎《ぎじゅうろう》大佐は、南方軍の総計二千五百名という国策会社の計画を見た瞬間、これはうまくいかないと思った。組織が大きすぎるのだ。それに管理機構が何重にもなっていて、複雑すぎる。とても緊急用の組織とは思えず、まるで平時の役所のような巨大な会社だった。

「どうしましたか？」

難しい顔で書類を見つめていると、部下の高野少佐が訊ねた。

「いや、南方軍から送られてきた占領地における民需用会社の計画書なんだがね」中村が言った。「どうも利権の匂いがする」

「利権とは？」

「つまり、戦争が終わったら、このまま民間の会社として存続させ、現地の石油を押さえてしまおうという目論見を感じる」

中村が高野に計画書を見せると、彼は「たしかに」と言った。

「新会社の重役のところに、大手石油会社や大手商社のメンバーが並んでますな」

「そうなんだ」

「おそらく、利に敏《さと》い会社が南方軍をそそのかしたんでしょう。聞くところによれば、南方軍のお偉方は、連日宴会続きらしいですぞ」

中村は眉をひそめた。南方一帯を完全に占拠した南方軍はもうすっかり戦勝気分で、気が抜けているという噂は陸軍省の耳にも入っていた。中村は苦々しく思っていたが、国内の陸軍省の上層部にも、もう戦争は勝ったという気分が蔓延していた。それにしても商人のあさましさには呆れるばかりだ。国が生きるか死ぬかの戦争をしているときにも、金儲けの機会とあれば、たちまち喰いついてくる。そんな話に乗せられる南方軍の将校たちもどうかしている。

「どこかに骨のある商人はいないのか」

中村が呟いた一言に、高野は「国岡商店はなかなかやるという噂ですよ」と言った。

「国岡か――」

中村も国岡の噂は耳にしていた。社長の国岡鐵造は大の統制嫌いで知られ、何度も政府や軍の命令に逆らっていると聞いている。しかしただの横紙破り《よこがみやぶ》りの男ではなく、苦労して作った上海の油槽所を、「国のためなら」とほとんど無償で軍に提供していたという話も聞いている。

中村はもう一度計画書を見た。株主候補としてずらりと石油会社が並んでいたが、そこに国岡商店の名前はなかった。現地の連中はあえて国岡商店を外している――それに気づいた瞬間、この会社はやはり利権を狙ったものであるという確信を得た。

中村は国岡鐵造と会ってみたいと思ったが、現地の関係者から外されている人物に、陸軍省の自分が会うのは、あまり具合がいいものではない。中村がそれを言うと、高野はにやっと笑った。

「こちらから会いに行くのは問題ですが、向こうから来る分には問題はないでしょう」

数日後、中村が燃料課で仕事していると、受付の者がやってきて、「国岡商店の店主が来ましたが、どうしましょう」と言った。中村はちらっと隣の席にいる高野を見たが、高野はそしらぬ顔で書類を見ていた。こいつめ、やったなと思った。

中村は腕時計を見ながら、「五分だけなら会ってもいい。応接室に通してくれ」と言った。

応接室に入ると、ソファに痩せた初老の男が座っていた。男は立ち上がって一礼した。

「国岡です」

中村は国岡の度の強い眼鏡の奥の眼光の鋭さに強い印象を受けた。

「南方軍が現地の石油政策で国策会社を作ろうとしていると小耳に挟んだのですが」

鐵造はソファに座ると、いきなり切り出した。おそらく高野からあらましは聞いているのだろう。

中村は率直に訊いた。「国岡さんはその計画をどう思われますか」

「計画書を見せていただいたが、組織のための組織になっています。おそらく、戦後の利権を狙ってのものでしょう」

中村は頷いた。自分の読みはやはり正しかったのだ。

「現実問題として、あの計画書だと上手くはいかないでしょう」

「何が問題ですか」

「人が多すぎます。複数の石油会社から大量の役員が送り込まれており、どう見ても官僚的機構です」

「なるほど」

「こういうときに重要なのは、まず末端の仕事をする人間がどれだけ必要であるかを決めることです。そしてその上に最小限の統括する人を置くだけでいい」

鐵造の言うことはいちいちもっともだった。理屈や理論でない、販売の第一線で三十年も生きてきた男の発言の重みがあった。

この後も鐵造は統制の不合理な点、国策会社の欠点、大きすぎる機構の無駄などを細かく説明した。

いつのまにか会談は約束の五分を大幅に過ぎて一時間にもなろうとしていたが、二人とも時間を忘れて議論を続けた。会談の終わり近くになって、中村は鐵造に訊ねた。

「国岡さんなら、やれますか」

鐵造は「やれます」と答えた。

「どのくらいの人間が必要ですか?」

「二百人もいれば十分でしょう」

中村は驚いた。南方軍の計画書の十分の一ではないか。

中村は鐵造の顔を見た。嘘やはったりで言っているのではないことはわかった。

「一ヵ月以内に、二百人の人間を南方に送ることができますか?」

「一週間以内に送ることができます」

中村は内心で唸った。国岡という男はとにかく即断即決だ。今のような非常事態には、こういう男こそ真に必要なのではないか。

「しかし、危険な仕事ではありますよ。今は勝ち戦で行け行けどんどんですが、いずれ敵の逆襲があるでしょう。そのときは南方がもう一度激しい戦場となる可能性もあります」

「承知の上です」と鐵造は言った。「兵隊さんたちも命を的にして日本のために戦っています。商人もまた日本のために戦う所存です。もし万が一、これで国岡商店が倒れるようなことがあっても、日本のためならば後悔はありません」

中村は感動していた。これまで燃料課の課員として多くの石油業者と会ってきたが、こんな男ははじめてだった。一部で「国岡は頭がおかしい」という噂が出るのもけだしと思った。

中村は鐵造との会談を終えて、南方軍の案は蹴ろうと決断した。そして国岡商店にすべてを任せてみようと思った。


中村大佐はすぐに燃料課の上の整備局局長の山田清一少将に、南方の占領地区の石油は国岡商店に一任するという案を、陸軍本省として採用することを進言した。しかし山田少将は南方軍と事を荒立てたくないからか、それとも慎重すぎるゆえか、容易に決断を下さず、いたずらに日が過ぎた。

国岡に会って、即断即決の豪胆さに感銘を受けていた中村は、業を煮やして陸軍次官の木村兵太郎《へいたろう》大将にことの次第を訴えた。木村は中村の案のすぐれたところをすぐに理解した。

「そういうことは早いほうがいい。陸軍省として認めるから、すぐに実行せよ。東条大臣には俺から申し上げておく」

当時、東条首相は陸軍大臣をも兼任していた。この後、中村は山田局長を鐵造に引き合わせ、整備局の認可をもらった。局長も陸軍大臣と次長が黙認しているとあれば、行動は早かった。

しかし陸軍省が南方軍の案を蹴って、国岡商店に任せるという案を提示すると、南方軍の反発は予想以上に強かった。これが後に深刻な事態を引き起こすことになる。実は大東亜戦争が始まる前、大本営政府連絡会議において、占領地域での産業経済は南方軍に任せるとしながらも、石油だけは例外としていたのだ。南方軍からすれば、「自分たちが死を賭して戦って手に入れた資源なのに、石油だけは本省が決定権を持つというのはどういうことだ」という強い不満を持っていた。

占領地区の石油政策に関しては、たしかに陸軍本省にも落ち度はあった。南方軍が案を出す前に本省が何らかの方針を示していれば問題はこじれなかった。しかし、と中村は考えた。遅かったが、遅すぎはしない。もし国岡に会う前に、南方軍の案が通っていたら、もはや取り返しがつかなかった。

昭和十七年七月、国岡商店は、陸軍省から正式な命令を受けて、南方の占領地帯に向けて調査団を派遣することになった。選ばれたのは上海から長谷川喜久雄、東京本社からは入社四年目の東雲忠司、そして入社六年目の小松保男の三人だった。小松は神戸高商（小松の時代は神戸商大になっていた）の後輩だった。三人とも優秀な上に胆力のある男たちだった。

このころ、内地では依然として戦勝気分が蔓延していたが、実はこのひと月前に、日本海軍はミッドウェー沖海戦において虎の子の空母四隻を一挙に失うという大敗北を喫していたのだった。海軍はこの事実を国民にひた隠しにし、何も知らない国民は、戦争は優勢裡に進んでいると思っていたが、実は開戦わずか半年あまりですでに攻守が逆転していたのだった。そしてこのひと月後に始まるガダルカナル攻防戦で日本は航空兵力のかなりを失うことになる。

そんな戦況を知らされない鐵造らには、戦況に対する不安はなかった。しかし別の大きな懸念があった。それは、南方軍の兵隊たちが「国岡の社員が来たら銃殺すると息巻いている」というものだった。南方軍では、国岡商店は「利権を漁る不逞《ふてい》の輩《やから》」と言われていたのだ。

さすがの長谷川たちもその噂を聞いて怯んだが、鐵造は彼らに言った。

「お前たちは黙って行け。後はぼくが引き受ける。もし銃を向けられたら、こう言え。国岡商店の人間は真の日本人だ。日本人を殺せるのか、と」

鐵造の言葉を聞いた長谷川と東雲と小松の三人は、「はい」と言った。

「店主、もう迷いはありません。国岡商店の社員として、堂々と行って参ります」

鐵造は力強く頷いた。三人の顔にはもう不安の色はどこにもなかった。

鐵造には現地でそんな噂を流している人間の見当はついていた。おそらく石聯の流れをくむ者たちだ。そして今回、南方軍をそそのかして利権を得ようとした連中だろう。そんな噂で国岡商店が怯むと思ったら大間違いだ。

しかし一抹の不安もあった。上層部には仮りに不服があろうと陸軍本省の命令に逆らうことはまずないだろうが、若い将校の中からは血気にはやってとんでもないことをしでかす者が出ないとも限らない。廃案になった計画書を作成した者が、「面子をつぶされた」とばかりに意趣返しに出ないとも限らない。

鐵造は万が一を考えて、中村大佐を訪ねて、善後策をお願いした。

「国岡さんの心配はわかります。ただ南方軍の塚田総参謀長は整備局の考えを理解しておられます。私からも南方軍の塚田総参謀長に、国岡商店の店員の皆さんには絶対に間違いが起こらないようにお願いしますと私信を送り、塚田さんからも、心配するなと返事をいただいています。もし万が一のことが起こったら、私も責任を取ります」

「わかりました。それではぼくも、その言葉を信じて店員たちを送り出します」

七月八日、鐵造は長谷川、東雲、小松の三人と重役たちをともなって、明治神宮に参拝し、無事と見事使命を果たすことを祈願した後、帝国ホテルで壮行会を開いた。

その席上、鐵造は三人を激励した後、美濃紙に毛筆でしたためた「南方進出の三氏に与う」と題された書を手渡した。そこには、まず「使命」と書かれ、次にこう記されていた。

『過去、三十年間、体得したる不退転の信念と超越せる経験とを生かして国家に奉公の誠を致せ』

その後に「壮行の辞」として熱い文章が連ねられていた。そこには、国家に尽くすという大使命のためには、国岡商店の立場を顧みることは不要とも記されていた。

この非常時において、鐵造の心には、国家のことしかなかったのだ。


数日後、長谷川たちは、「必ず、使命を果たして戻ってきます」と言って、広島の宇品港《うじな》から南方へ旅立っていった。長谷川たちの乗った貨物船は途中、台湾の高雄、仏印のサイゴンに寄りながら、八月初旬にようやく昭南島（シンガポールの占領後の呼び名）に着いた。

ところが南方軍に赴くと、一部の将校たちの間には、陸軍本省の命令を無視してなおも国策会社の設立を目論んでいる者がいた。彼らは国岡商店こそが「利権屋」で、店主が本省の中村と組んで南方軍案を揉み消したと考えていた。反国岡の急先鋒は第二五軍の副参謀長だった。

ホテルに入った東雲は「大丈夫でしょうか」と長谷川に訊いた。

「司令部には了解を得ているようだが、末端にはそうとうな反国岡の空気が残っているのはたしかだな」

「石聯の連中が国岡商店の悪口を吹き込んでいるのもあるでしょうが、南方軍には中国から来た者もたくさんいます」

小松が言った。

「かつて中国で国岡は『国賊』と罵られたこともありますし、それを信じている将校もたくさんいるのではないでしょうか」

「店主は、国家のことを第一に考えて国岡商店のことは考えるなと申されたが、われわれの使命は国岡商店の名前を高めることだと思う」

長谷川の言葉に、東雲と小松は頷いた。

「これを軍に認めさせるには、われわれの働きぶりを見せるしかない」

三人は国岡商店の誇りを忘れずに頑張っていこうと誓い合った。


長谷川たちは視察を済ませると、東京に「すぐに百人ばかり南方に送ってほしい」と連絡した。鐵造はさっそく、全店員から選りすぐりの九十六人を派遣した。

九月上旬に国岡店員たちは昭南島に着いたが、何と到着するなり、周囲を鉄条網で囲まれた抑留所のようなところに放り込まれた。数日後には普通の宿泊所に移されたが、これは現地将校たちのあからさまな嫌がらせだった。

その後、国岡の店員は長谷川の指示のもと、南方各地へ派遣されていった。各人は軍を見返してやるという強い意思を持って、各地へと飛び立った。その内訳は、比島七ヵ所十六名、ビルマ二ヵ所九名、マレー十一ヵ所二十五名、スマトラ三ヵ所十名、ジャワ二十一ヵ所三十一名、ボルネオ六ヵ所八名だ。いずれも一ヵ所に一〜三名だけで、足りない分は現地人を雇い入れた。

店員たちは装備も何もできていない環境の中で、しかも最少人員で驚異的な働きぶりを示した。石油の生産量と備蓄量を調べ上げ、これまでにおこなってきた「大地域小売業」を実践してきた経験を生かし、あっという間に供給体制を整えた。

こうして二ヵ月もしないうちに、南方における民需の供給体制はほぼ整った。これは南方軍の燃料課の軍人を驚かせた。最初の国策会社の案では、ひとつの支店に三十人以上の人間が必要ということになっていたのに、国岡商店の店員たちはわずか数人でやってのけたからだ。

南方軍の面々の国岡商店店員たちを見る目が少しずつ変わっていった。

国岡商店の統率のとれた働きぶりを知った海軍からも、店員たちの派遣の要請があった。鐵造は了承し、南方に向けて第二次、第三次と次々に店員たちを送り込んだ。

大本営はアメリカとの戦争は優勢のうちに進んでいると発表し、新聞もまた勝ち戦ばかり報じていたが、鐵造は、戦況は必ずしも楽観できるものではないのかもしれぬと思い始めていた。

それは国内経済が一向に上向きにならなかったからだ。南方からの石油は相当量が国内に入ってきていたが、それらは軍需用に回され、民間の経済や生活用にはほとんど供給されなかった。

十七年の秋、国岡商店の子会社のひとつである昭和海運は、海軍からタンカーの日章丸を徴用したいという要請を受けた。その報せを昭和海運から聞いた重役たちは緊急会議を開いた。

「うちの大事なタンカーをタダ同然で徴用するとは、海軍さんもきつい」常務の甲賀は言った。

「同感です」同じく常務の柏井が言った。「金額的にも打撃だが、それよりもタンカーを取られたら、うちの輸送力がなくなってしまう」

「何とか、この徴用は猶予してもらうように海軍にお願いするほかない」

鐵造は重役たちの言葉を聞いて、「ちょっと待て」と言った。

「今、日本全体が総力を挙げて戦っているときに、国岡商店の利益だけを考えてはいかん。ぼくは海軍がうちのタンカーを欲しいというなら、喜んで差し出すべきだと考える」

驚く重役たちに鐵造は続けた。

「日章丸はぼくが世界から石油を買うために作った。これはぼくが国岡商店を作ったときからの悲願でもあった。実現するのに二十年以上の歳月がかかった。しかし残念ながら、日章丸は時宜《じぎ》を得なかった。就航した年には日米の貿易関係は完全にこじれていて、日章丸はついに石油を運ぶことができずに今日にいたっている。しかし今、海軍から日章丸を徴用したいという申し出があったということは、南方からの原油を積むことができるということだ」

鐵造は感慨深げに言った。

「日章丸はついに、生まれたる使命を果たす幸運に恵まれたと考えるべきである。日章丸が日本のために活躍するのは、国岡商店の誇りであり喜びである」

重役たちは誰も一言も発しなかった。

「ただ、ひとつだけ残念なことは――」と鐵造が言った。「日章丸がどこでどのような働きをしているかを、この目で見られないことである」

昭和十八年に入ると、日本経済はさらに厳しい状況になった。多くの工場で生産量が落ち、街の商店の棚からは物が消えた。あらゆる物資が欠乏し、国民は耐乏生活を余儀なくされた。

国岡商店も国内では民需用の石油をほとんど扱えず、統制品以外のさまざまな商品を扱って商社として事業を継続していたが、それらも次第に物が少なくなり、多くの支店を縮小させていた。しかし満州や中国では相変わらず石油販売は好調で、国岡商店は経営の主力を完全に大陸に移していた。

また陸軍と海軍の要請に従って、次々と南方へ店員を派遣していた。最終的には、長谷川、東雲、小松の先遣隊三人を含めて、陸軍に百四十八名、海軍に百六十六名の店員を送り出した。

五月、大本営から驚くべき発表がなされた。聯合艦隊司令長官の山本五十六大将が戦死したというものだった。真珠湾攻撃でアメリカ太平洋艦隊を壊滅させた山本の人気は高く、それだけにその死は国民に大きな衝撃を与えた。六月、日比谷公園で国葬がおこなわれ、山本は元帥を追贈された。

「店主、はたして日本は大丈夫でしょうか」

甲賀が不安そうに訊ねた。

「山本元帥の死は悲しむべきことだが、日本は依然として優勢というではないか。元帥の壮烈な戦死によって、むしろ全軍に弔い合戦をやるという士気が高まると見ている」

「たしかに聯合艦隊はアメリカ海軍よりも強いと思います。私が心配しておりますのは、内需が昨年よりも落ちていることです」

「たぶん、それは戦時経済で軍需産業を優先しているからだと思う。ぼくが調べているかぎり、南方からの原油も入っているようだから心配はない」

甲賀はそれでも深刻な表情を崩さなかった。

「何か、心配事があるのか？」

「私が摑んだ情報によりますと、今、海軍や陸軍は必死で徴用船を集めています。最近はタンカーだけでなく客船も徴用されているということです。また大きな漁船も片っ端から徴用された結果、漁獲高が落ちている港もあると聞きます」

「そこまで船が足りないということか」

甲賀は頷いた。

鐵造は腕組みした。日本は四方を海に囲まれた島国である。兵隊を中国や南方に運ぶのにも海上輸送が命綱である。もちろんあらゆる物資も船で運ぶ。南方で得た石油と鉄鉱石は船がなければ、どうしようもない。日本の足となるべき船が今、逼迫《ひっぱく》しているということは――。

「しかし原油は日本には依然として入ってきているではないか」と鐵造は言った。

「数字上は入ってきています」

「どういうことだ？」

「先日、内務省と陸軍の知り合いを通じて、南方の生産量と日本に還送されている原油の量を調べてみました。すると生産量に比べて還送量が少ないのです」

「現地の民需用に廻しているからではないのか」

甲賀は首を振った。「民需用はとくに増えていません」

「すると――」鐵造は言った。「日本に還送中に沈んでいるということか」

「それが考えられます」

鐵造は椅子に凭れて、大きな息を吐いた。先の欧州戦争ではドイツが通商破壊のために、潜水艦でイギリスの商船を片っ端から沈めた。今大戦でもまたドイツは同様の作戦を取っているという。アメリカが日本に対してそれをしないと考える理由はない。南方から日本までの距離は何千キロもある。重い原油や鉄鉱石を積んだ輸送船は恰好の標的ではないか――。

「国内のいろんな商品の流通が滞っているのもそのためか」

「おそらくそうです」と甲賀は答えた。「今、日本全体に船が足りていないのです」


数日後、海軍から、日章丸が戦没したという報せが届いた。

沈没した日も沈没場所も何も書かれていなかった。鐵造はまるでわが子を失ったような悲しみに襲われた。店主室でひとり、写真帳を開き、日章丸の進水式の写真を見つめた。

そのときの巨船の雄姿と、それを見上げた喜びの記憶がまざまざと蘇り、鐵造は胸が締め付けられた。彼の生涯の夢を乗せた船は、今、太平洋のどこかに眠っている。もう二度と見ることはない。

鐵造は、心の中で日章丸に別れを告げると、静かに写真帳のページを閉じた。

十六、敗戦

国民には何も知らされていなかったが、日本は昭和十七年から十八年にかけておこなわれたガダルカナル島をめぐる戦いに敗れて以後、南太平洋の制海権はアメリカに奪い返され、戦況ははっきりと劣勢に立たされていた。

アメリカは日本の工業生産力を殺《そ》ぐべく、南方から資源を運ぶ輸送船を狙った。その任務を背負ったのは潜水艦で、彼らの最優先標的は軍艦ではなく輸送船だった。

聯合艦隊が輸送船を護衛することはほとんどなく、防御手段を持たない速度の遅い輸送船はアメリカの潜水艦に発見されれば、なすすべもなく沈められた。

驚くべきデータがある。財団法人「日本殉職船員顕彰会」の調べによれば、大東亜戦争で失われた徴用船は、商船三千五百七十五隻、機帆船二千七十隻、漁船千五百九十五隻の計七千二百四十隻。そして戦没した船員、漁民は六万人以上に上る。彼らの戦死率は約四三パーセントと推察され、これは陸軍軍人の約二〇パーセント、海軍軍人の約一六パーセントをはるかに上回る数字である。

自らの身を守る手段を何も持たない船乗りたちは、命懸けで貴重な物資を日本に運び続けたが、それでも国内の需要を満たすことができず、国民は慢性的な物資不足に苦しんでいた。

軍需物資の不足に悩む政府は国民から不要な金属製品を回収することを閣議で決定した。寺の梵鐘、鉄製の橋の欄干、門扉、銅像、さらに一般家庭にある余った鍋釜や鉄瓶、火箸にいたるまで半強制的に供出させた。これにより国民生活はいっそう逼迫した。

ただ、アメリカの本格的な反攻が始まるのは、十九年に入ってからで、国民の多くは生活必需品の欠乏に悩まされてはいたものの、戦争の悲惨さからは遠い暮らしをしていた。

この年、国岡商店は銀座木挽町の歌舞伎座横のビルに本社を移転した。鐵造はこのビルを「国岡館」と名付けた。

国岡商店は七百名弱の店員を海外に派遣していた。全店員の六割以上だった。

主力は満州と中国であったが、この地でも政府が石油を統制しはじめて、供給が滞りだした。戦時経済ということであらゆる物資が統制されていたが、統制下の経済では、いたずらに組織ばかりが大きくなり、多大な無駄が生じていた。たとえば、国策会社の「北支石油協会」が配下の外郭団体に石油を配給すると、今度はさらにそれを下部組織の団体に配給し、その団体がまた子会社に配給していくといったシステムが組まれていた。そのためにわずかな量の石油が消費者の手に届くまでに、大変な時間と人員の労力を費やした上に、価格が上がるという不合理なことがまかり通っていた。

鐵造は統制に反対したが、もはやその流れを止めることはできなかった。

昭和十九年七月、サイパン島がアメリカ軍に占領された。同島を含むミクロネシア一帯は日本が戦前から統治していた領土で、大本営はここを絶対国防圏としていた。サイパンを奪われたことにより、日本のほぼ全土がアメリカの長距離爆撃機B29の攻撃圏内に入った。東条英機内閣はこの責任を取って総辞職した。

　またサイパンをめぐる戦いで日本海軍は空母三隻と数百機の飛行機を失い、太平洋の制海権を完全にアメリカに奪われていた。この年から徴用船の戦没率が跳ね上がり、南方からの物資を運ぶ輸送船はほぼ途絶えた。

　その結果、日本は石油も鉄も枯渇し、工業は壊滅的な打撃を受けた。この年、南方から日本に送られた原油はわずかに七九万キロリットルだった。戦前アメリカから年間約五〇〇万キロリットルを輸入していたことを考えると、もはや戦争継続どころか、国民生活を維持するのも難しい状態と言えた。しかしこれらの情報は国民にはいっさい知らされなかった。


　九月、昭南島（シンガポール）から現地の実情を報告するために、長谷川喜久雄が東京に戻ってきた。およそ二年ぶりの帰国だった。

　鐵造は店主室に長谷川を迎えた。彼はすっかり陽に焼けていた。それに日本にいたときよりも筋肉が付いている。おそらく現地では力仕事も率先しておこなっているのだろう。

「仕事はどうだ」

　と鐵造は訊いた。

「非常に上手くいっています。現地の店員たちも意気軒昂です」

「人員は足りているか」

「最初は少し足りていない状況でしたが、最近は現地で雇い入れた従業員が仕事をうまくこなしています」

「南方軍との関係はどうだ？」

「今ではほとんどの軍人が国岡商店の信奉者ですよ。『国岡だ』と言えば、軍の司令部にすら入れます」

長谷川は笑いながら言った。

戦場で軍を相手にして民需石油の配給を一手に引き受けている四十九歳の男の全身には風格と凄みが滲み出ていた。従来持っていた頭の鋭さに加え、今は軍人並みのたくましさを身につけていた。

鐵造は内心で素晴らしい後継者を得たと思った。自分も来年は六十歳になる。そろそろ引退してもおかしくない年齢だ。この戦争が終わったら――と彼は考えた。長谷川に国岡商店を任せよう。そして彼に十七歳の息子、昭一を託そう。

「東雲君は元気にやっているか」

「東雲はマレー、スマトラ、ジャワを飛び回っています。あいつは若いから、馬力がありますよ」

「サイパンが陥《お》ちてから、南方はどんな状況だ？　敵は来ないのか」

「スマトラのほうでは油田が敵の爆撃に遭っているようです。生産量も減っています。しかし昭南はわりにのんびりしています」

長谷川はそう言ったが、いずれ南方も戦場になる日が近いと鐵造は思った。長谷川もそれはわかっていながら、あえて笑顔を見せているのだろう。

「長谷川」と鐵造は言った。「しばらく内地でゆっくりしていけ。昭南に戻るのは年が明けてからでいい」

「いや、現地では私の帰りを皆が待っています。来週には戻ります」

「飛行機か」

「はい。海軍の輸送機を使います。これでも、形だけは海軍少尉なんです」

長谷川は襟の階級章を見せた。

鐡造が背筋を伸ばして敬礼すると、長谷川ははにかんだように笑いながらも、海軍式の敬礼を返した。それが鐡造の見た長谷川の最後の姿だった。

一週間後、長谷川を乗せた海軍の輸送機は比島（フィリピン）のクラークフィールド飛行場上空で、アメリカ軍の戦闘機により撃墜され、長谷川は乗員全員とともに戦死した。

この報せを受けた鐡造は男泣きに泣いた。

自分の体の一部がもぎ取られたような苦しみだった。なぜ、あのとき、長谷川を引き止めなかったのかと激しい慙愧の念に苛まれた。この後悔はその後も長く鐡造を苦しめた。


しかし悲しみに浸っていられる状況ではなかった。戦局は一気に崩壊しつつあった。

長谷川が亡くなった翌月、アメリカは比島に進攻した。

比島を失えば、日本と南方および大陸を結ぶラインは完全に断ち切られる。何としてもアメリカ軍の比島上陸を阻止するために、海軍はついに世界戦争史上はじめて、組織だった自爆攻撃を決行した。

「特攻隊」のニュースを知った鐡造は全身が総毛立つ思いがした。自らの命を捨てて祖国を救おうとする若者たちは、もはや神であると思った。鬼神も避く救国の勇士の前には、もはや不可能はない。日本は必ず勝つ、と確信した。
しかし特攻隊の壮烈な奮闘もむなしく、聯合艦隊はレイテ沖海戦で壊滅し、アメリカ軍は比島に上陸した。これにより、ほぼ全島が戦場になった比島では、民間人も戦闘員として召集されることになった。石油業務の任に就いていた国岡商店の四十名全員も例外ではなく、兵士となってアメリカ軍を迎え撃った。そしてこの戦いで、二十一名の店員が戦死した。

十一月、東京はサイパンから飛来したB29の爆撃を受けた。もはや内地も安全な場所ではなくなった。

このころ、日本の石油はほぼ枯渇し、アメリカ軍を迎撃する戦闘機の揮発油も底をついていた。足りない揮発油を補うために、松の根から取った「松根油」という燃料が作られた。のべ何万人という人員を投入して日本中の松の木が大量に伐られたが、松根油はまったく役に立たなかった。鉄も石油もなく、軍需工場のほとんどはストップしていた。

同じころ、福岡の糟屋に疎開していた兄の万亀男から、父の徳三郎が亡くなったという報せを受けた。手紙によると老衰の大往生だったという。九十一歳だった。鐵造は九州に戻って慌ただしく葬儀を済ませると、すぐさま東京に戻った。このとき、母の稲子に会ったのが最後となった。四ヵ月後、母は父の後を追うように静かに亡くなった。父と同じ九十一歳だった。

年が明けて昭和二十年になると、空襲はさらに激しさを増した。

そして三月九日深夜十二時過ぎ（日付は十日）、大型爆撃機Ｂ29三百二十五機という空前の大編隊による空襲が、東京の下町である深川・浅草を中心とした人家密集地を狙っておこなわれた。死者約十万人、負傷者約五万人、被災家屋二十六万戸以上、被災者百万人を超える悲惨な被害をもたらした。

鐵造は赤坂の自宅からこの猛火を見て、怒りで全身をわなわなと震わせた。これは民間人に対する虐殺だ。未来永劫、許される行為ではない。

この日、国岡商店の独身寮も焼けたが、幸い十五人の店員たちは全員無事だった。鐵造は自宅を彼らのために開放し、妻と四人の娘は栃木県の松田に疎開させた。知り合いの機業家の家を借り受けたものだった。

自身は都立一中の息子・昭一とともに世田谷の上馬《かみうま》に家を借りて、男二人で移り住んだ。学校は閉鎖されていたから、妻の多津子は昭一も疎開させたがったが、鐵造は許さなかった。

「昭一は日本男児だ。敵から逃げることは許されない」

十七歳の昭一も父の判断にいっさい口を挟まず、空襲下の東京での暮らしに泣き言ひとつ洩らさなかった。

その後もアメリカ軍の空襲は続き、空襲警報はほぼ毎夜のように鳴り続けた。

四月十三日にアメリカ軍は再び大編隊で王子・赤羽地区を空襲、十五日は大森・蒲田地区を空襲し、合わせて家屋二十二万戸を焼失させた。そして五月二十五日、それまで空襲がなかった山の手地域（赤坂、四谷、渋谷一帯）を空前の四百七十機のＢ29が空襲し、この日だけで家屋二十二万戸を焼失させた。この三度にわたる大空襲で東京市街の五〇パーセントが焼失した。

五月の空襲で、国岡館の隣の歌舞伎座が燃え、国岡館にもその火が移ったが、消防団や店員たちの懸命の消火活動により、一階部分を焼いただけで、喰い止めることができた。同じ夜、上馬の家にも焼夷弾が落ちたが、鐵造は昭一とともに砂をかけたり火叩きで叩いたりして必死で消火した。しかし同夜、独身寮にしていた赤坂の自宅は全焼した。

鐵造は上馬の家の隣家をさらに借り受けて、焼け出された店員たちをそこに収容した。

東京が未曾有の空襲に見舞われる以前の三月には硫黄島が陥落し、アメリカ軍は琉球諸島に押し寄せていた。陸海軍は沖縄を死守せんとして、二千機を超える特攻機を投入したが、決死の抵抗もむなしく、六月、ついに沖縄も陥落した。

ヨーロッパでは五月にドイツが連合国に無条件降伏していた。世界を相手に戦っているのは、日本だけとなった。

アメリカ軍の空襲は全国の主要都市を焼け野原にした。日本は文字どおり焦土と化した。

陸海軍は徹底抗戦を叫び、「全機特攻」を標榜したが、もはや飛行機を飛ばせる燃料はどこにもなかった。海軍の燃料タンクはほとんど浚われ、もはやわずかな艦艇さえ動かす石油も残っていなかった。

そして八月、人類最悪の兵器、原子爆弾が広島、次いで長崎に落とされ、同月十五日、ついに日本は「ポツダム宣言」受諾を、世界に向けて発信した。

このとき、日本の備蓄石油はほぼゼロに等しく、これ以上戦う力はどこにもなかった――。

（下巻につづく）

百田尚樹（ひゃくた・なおき）

1956年大阪生まれ。同志社大学中退。
関西の人気番組「探偵！ ナイトスクープ」の
チーフ構成作家。
2006年『永遠の0《ゼロ》』（太田出版）で小説家デビュー。
『ボックス！』（同）、『風の中のマリア』（講談社）、
『モンスター』（幻冬舎）、
『「黄金のバンタム」を破った男』（PHP文芸文庫）、
『影法師』『錨を上げよ』（以上講談社）
など著書多数。
『永遠の0《ゼロ》』は、講談社文庫から
刊行され160万部を突破。
同書は、山崎貴監督、
主演・岡田准一、井上真央、三浦春馬共演で
映画化、2013年12月に公開される。

造本・装幀　岡孝治
カバー写真　毎日新聞社（表一）

海賊《かいぞく》とよばれた男《おとこ》【上《じょう》】

2012年7月11日　第1刷発行
2013年2月28日　第17刷発行

著者　百田尚樹《ひゃくたなおき》

発行者　鈴木 哲

発行所　株式会社 講談社
〒112-8001
東京都文京区音羽2-12-21
電話　出版部　03(5395)3522
販売部　03(5395)3622
業務部　03(5395)3615

印刷所　慶昌堂印刷株式会社

製本所　黒柳製本株式会社

本文データ制作　講談社デジタル製作部

定価はカバーに表示してあります。

落丁本、乱丁本は購入書店名を明記のうえ、小社業務部あてにお送りください。送料小社負担にてお取り替えいたします。

なお、この本についてのお問い合わせは、小社学芸局あてにお願いいたします。

本書のコピー、スキャン、デジタル化等の無断複製は著作権法上での例外を除き禁じられています。

本書を代行業者等の第三者に依頼してスキャンやデジタル化することはたとえ個人や家庭内の利用でも著作権法違反です。

Ⓡ〈日本複製権センター委託出版物〉複写を希望される場合は、事前に日本複製権センター（電話03-3401-2382）の許諾を得てください。

©Naoki Hyakuta 2012, Printed in Japan
N.D.C.913 382p 20cm
ISBN978-4-06-217564-7